Kader Abdolah ble født i 1954 i Iran, der han studerte fysikk og var aktiv i studentbevegelsen. Han fikk utgitt to romaner om livet under Khomeini-regimet før han flyktet fra hjemlandet i 1985.

I 1988 kom han til Nederland, der han raskt lærte seg det nye språket. Siden den gang har han utgitt fire romaner på nederlandsk, blant dem *De reis van de lege flessen* («De tomme flaskers reise») i 1997, som er utkommet på flere språk. *Spikerskrift*, en meget ambisiøs roman bygd på persisk historie, utkom i Nederland i 2000 og på norsk i 2002, og er siden oversatt til en rekke språk.

Huset ved moskeen – som utkom i Nederland i 2005 – regnes som hans foreløpige hovedverk.

Skrevet om *Spikerskrift*:

«Det er en effektfull måte å framstille Irans bitre historie på, men også en vakker og fascinerende roman om familie, kjærlighet og savn.»

Tom Hovinbøle, *Dagbladet*

KADER ABDOLAH
Utgitt på Gyldendal:

Spikerskrift, 2002 (marg-serien)
Huset ved moskeen, 2007
Min Fars notatbok, 2008
(*Spikerskrift* i pocketutgave)

KADER ABDOLAH

HUSET VED MOSKEEN

OVERSATT FRA NEDERLANDSK AV
GURO DIMMEN

GYLDENDAL

Originaltittel: *Het huis van de moskee*

Utgitt første gang på norsk 2007
2.–3. opplag 2007
I Månedens bok 2008
I Gyldendal Pocket 2008
2.–4. opplag 2008
5.–7. opplag 2009

Copyright © Kader Abdolah 2005
Norsk utgave © Gyldendal Norsk Forlag AS 2007

Første gang utgitt av De Geus BV, Breda 2005

Printed in Litauen
Trykk/innbinding: UAB Print-it, Litauen 2009
Sats: Type-it AS, Trondheim 2008
Papir: 55 g Enso Creamy (2,0)
Omslagsfoto: Getty Images
Omslagsdesign: Trond Fasting Egeland

Oversetter Guro Dimmen er medlem av Norsk Oversetterforening

ISBN 978-82-05-38659-4

Til Āqa Djān
for å kunne gi slipp på ham

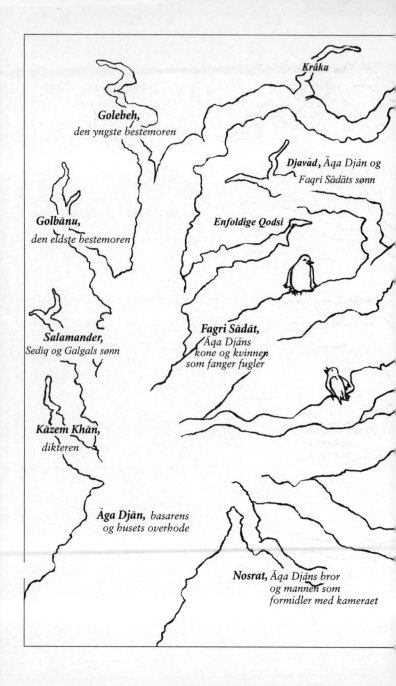

Kråka

Golebeh,
den yngste bestemoren

Djavād, Āqa Djān og
Faqri Sādāts sønn

Enfoldige Qodsi

Golbānu,
den eldste bestemoren

Salamander,
Sediq og Galgals sønn

Fagri Sādāt,
*Āqa Djāns
kone og kvinnen
som fanger fugler*

Kāzem Khān,
dikteren

Āga Djān, *basarens
og husets overhode*

Nosrat, Āqa Djāns bror
*og mannen som
formidler med kameraet*

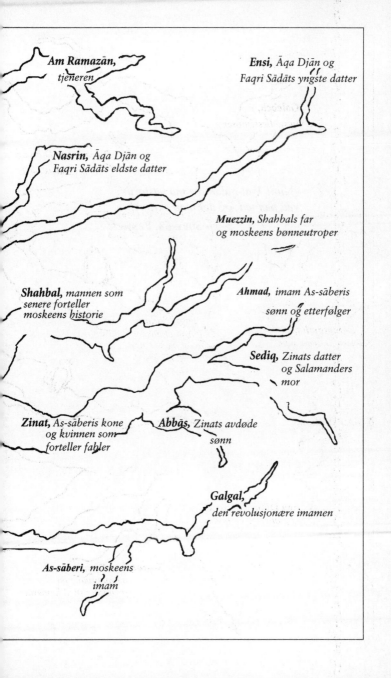

Am Ramazān, tjeneren

Ensi, Āqa Djān og Faqri Sādāts yngste datter

Nasrin, Āqa Djān og Faqri Sādāts eldste datter

Muezzin, Shahbals far og moskeens bønneutroper

Shahbal, mannen som senere forteller moskeens historie

Ahmad, imam As-sāberis sønn og etterfølger

Sediq, Zinats datter og Salamanders mor

Zinat, As-sāberis kone og kvinnen som forteller fabler

Abbās, Zinats avdøde sønn

Galgal, den revolusjonære imamen

As-sāberi, moskeens imam

«Nun! V-al-qalam va mā yastorun:
Ved pennen, og det man skriver!»

– SURE 68, PENNEN

MAURENE

Alef lām mim. Det var en gang et hus, et gammelt hus kalt «huset ved moskeen».

Huset var stort og hadde trettifem værelser. I mange århundrer hadde de som arbeidet ved moskeen bodd der.

Alle værelsene fylte en funksjon og hadde et dertil hørende navn, for eksempel kuppelværelset, opiumsværelset, fortellerværelset, teppeværelset, sykeværelset, bestemorværelset, biblioteket og kråkeværelset.

Huset lå bak moskeen og var bygd vegg i vegg med den. I det ene hjørnet av gårdsplassen førte en steintrapp opp til et flatt tak, hvor man kunne ta seg over til moskeen.

Det lå også en «hooz» der, et sekskantet basseng midt på gårdsplassen, hvor man vasket hendene og ansiktet før bønnen.

På denne tiden bodde tre fettere og deres familier i huset: Āqa Djān, kjøpmannen som ledet den tradisjonelle basaren i byen, As-sāberi, imamen i moskeen ved huset, og Āqa Shodja, moskeens muezzin eller bønneutroper.

Det var fredag morgen, tidlig på våren. Solen skinte behagelig, hagen luktet av jord, og trærne spiret. Plantene satte knopper. Fuglene fløy fra grein til grein og sang for hagen. De to bestemødrene fjernet restene av døde planter fra forrige vinter, og ungene løp etter hverandre og gjemte seg bak de tykke trærne.

En stor maurflokk hadde strømmet frem fra de gamle veggene. Nå dekket de trappen ved det gamle sedertreet som et brunt bevegelig teppe.

Tusenvis av unge maur som så solen for første gang og kjente varmen på ryggen, stimlet sammen.

Kattene i huset, som lå ved bassenget et stykke unna, betraktet forbløffet den bevegelige massen. Barna sluttet å leke og iakttok mirakelet som bredte seg over trappen. Fuglene holdt opp med å synge, landet på greinene i granatepletreet og strakte hals for å se på maurene.

«Bestemor,» ropte ungene, «kom og se!»

Bestemødrene, som holdt på i den andre enden av hagen, reagerte ikke.

«Kom og se, det er millioner av maur her!» ropte en av jentene.

Da kom bestemødrene.

«Noe slikt har jeg aldri sett før,» sa den ene.

«Aldri hørt om heller,» sa den andre.

De slo hendene for munnen i ren forbløffelse. Maurflokken vokste seg større for hvert sekund, og snart dekket den hele trappen, slik at det var umulig å komme seg frem til inngangsdøren.

Barna skyndte seg bort til Āqa Djāns arbeidsværelse på den andre siden av gårdsplassen.

«Āqa Djān! Kom! Hjelp! Maur!»

Āqa Djān skjøv gardinen til side og kikket ut.

«Hva er det?»

«Du må komme. Vi blir snart innesperret, maurene er på vei mot huset, millioner av maur!»

«Jeg kommer.»

Han slo den lange abāen over skuldrene, satte hatten på hodet og ble med barna.

Āqa Djān hadde opplevd mye i dette huset, men noe slikt hadde han aldri sett før.

«Dette får meg til å tenke på profeten Salomo,» sa han til barna. «Det må ha skjedd noe helt usedvanlig her, ellers ville de ikke ha strømmet ut på denne måten. Hvis vi er helt stille, kan vi høre at de snakker med hverandre. Dessverre skjønner vi ikke språket deres. Det var profeten Salomo som kunne snakke med maur, ikke jeg. Jeg tror de er i ferd med å utføre et eller annet, en slags høytidelighet, eller kanskje det har skjedd en endring i tuen nå som det er vår.»

«Gjør noe!» sa Golebeh, den yngste av de to bestemødrene. «Jag dem tilbake til tuen før de går inn i huset.»

Āqa Djān knelte, satte på seg brillene og studerte maurene på nært hold.

Da utbrøt plutselig Golbānu, den eldste bestemoren: «Du burde lese opp fra suren om Salomo som snakker med maurene, da de en gang dekket hele dalen slik at Salomo og soldatene hans ikke kunne passere. Eller så burde du lese opp fra Al Namal som forteller om den gangen profeten snakket med fuglen Hudhud, etter at fuglen hadde brakt ham et kjærlighetsbrev fra dronningen av Saba.»

Barna ventet spent på hva Āqa Djān ville gjøre.

«Les opp fra Al Namal før det er for sent, og be maurene vende tilbake til tuen.»

Barna så på Āqa Djān.

«Les kjærlighetsbrevet i det minste, før maurene inntar huset.»

Det var helt tyst.

«Hent koranen!» sa Āqa Djān lavt.

Shahbal, en av guttene, skyndte seg bort til bassenget, vasket hendene, tørket av dem på et klede på vaskesnoren og løp inn i Āqa Djāns arbeidsværelse. Han kom tilbake med et gammelt eksemplar av Koranen som han rakte til Āqa Djān.

Āqa Djān bladde gjennom boken på leting etter suren Al Namal og stoppet opp på side 377. Så bøyde han seg frem og begynte å nynne:

«Salomo sa: Va-qāla yā ayyoha-n-nāso 'olemnā manteqot-teire va-varesa Soleimāno Dāvuda va-qāla yā ayyoha-n-nāso 'olemnā manteqot-teire va-utinā men kolle shei'en enna hāzā la hova-l-fazlo-l-mobin. Va hoshera le-Soleimāna jonudoho mena-l-jenne va-l-ense va-t-teire fahom yuza'un. Hatta ezā atou 'ala vāde-n-namle qālat namlaton yā ayyoha-n-namlo adkhalu masākenakom lā yahtemannakom Soleimāno va-jonudoho va-hom lā yash'orun.»

Alle så seg rundt, alle var tause, alle ventet på maurenes reaksjon.

Āqa Djān nynnet videre og blåste på maurene. Bestemød-

11

rene hentet to små panner og kastet esfand på glørne slik at det dannet seg to skyer velduftende røyk. De knelte på bakken ved siden av Āqa Djān og blåste røyk mot maurene mens de mumlet: «Salomo, Salomo, Salomo, maurene, maurene, dalen, fuglen Hudhud, fuglen Hudhud, dronningen av Saba, Saba, Saba, Saba. Salomo, Salomo, Salomo, Hudhud, maur, maur, maur, maur.»

Barna ventet i spenning på maurenes reaksjon.

Plutselig beveget ikke dyrene seg lenger, det var som om de stoppet helt opp og lyttet, som om de lurte på hvem som nynnet, og hvem som blåste den velduftende røyken over dem.

«Tre til side, barn! De snur! La dem gå i fred!» sa Golbānu.

Barna gikk opp i andre etasje og stilte seg opp ved vinduene for å se om maurene virkelig snudde.

Mange år senere, da Shahbal hadde forlatt landet og bodde i utlendighet, fortalte han sine nye venner om hendelsene denne dagen, og om hvordan maurene etter opplesningen av suren hadde forsvunnet som lange brune tau inn i de gamle veggene.

HUSET VED MOSKEEN

Alef lam Rā. Årene gikk. Maurene strømmet aldri så massivt ut fra de gamle veggene igjen. Hendelsen ble til et minne. I det tradisjonsrike huset gikk livet sin gang. En kveld var bestemødrene, akkurat som alle andre kvelder, hektisk opptatt på kjøkkenet. As-sāberi, moskeens imam, skulle snart komme hjem. Da skulle de gjøre ham i stand til kveldsbønnen.

Den gamle kråka fløy over taket og kraet. En kjerre stoppet foran huset. Golbānu åpnet døren og slapp inn imam Assāberi.

Den gamle kusken vinket til bestemoren og kjørte bort. Han var områdets siste kusk. De lokale myndighetene hadde lagt ned forbud mot å ha hester i byen. Etter hvert som kuskene tok sertifikatet, fikk de subsidiert en drosje av myndighetene. Men dette var en gammel kusk som ikke greide å ta sertifikatet. Han hadde med moskeens hjelp fått tillatelse fra myndighetene til å arbeide som moskeens kusk. For As-sāberi syntes drosjer var urene. Det passet seg ikke for en imam å la seg transportere i drosje, som en vanlig borger.

As-sāberi bar svart turban på hodet, dette betydde at han var etterkommer av profeten Muhammed, og han brukte en lang brun abā, akkurat som de geistlige. Han hadde nylig overvært bryllupsseremonien til en av byens fremstående familier, og viet paret. Barna visste at de ikke måtte komme for nær moskeens imam. For hver kveld skulle det stå hundrevis av mennesker bak ham og be. Ingen fikk røre ved ham før bønnen.

«Salām!» ropte derfor barna.

13

«Salām!» svarte imamen og smilte.

Han hadde pleid å ha med seg en godtepose til barna, som han hadde gitt til en av jentene. Da hadde de løpt av gårde, og imamen hadde gått til biblioteket. Nå som barna var større, kom de ikke lenger løpende. Imamen ga posen til bestemødrene, så de kunne fordele innholdet mellom barna.

Så snart imam As-sāberi kom hjem, skylte bestemødrene hendene i bassenget, tørket av dem og gikk inn på biblioteket for å følge imamen til badeværelset.

Alt skjedde i stillhet. Den ene bestemoren løftet imamens turban forsiktig av hodet hans og la den på bordet. Den andre bestemoren hjalp ham ut av bønneklærne og hengte dem på stumtjeneren. Imamen selv gjorde ingenting. Han ville ikke røre ved klærne sine. Bestemødrene hadde ofte klaget sin nød til Āqa Djān: «Det kan ikke fortsette slik. Det er ikke normalt, og det er heller ikke sunt det han gjør, det han krever. I dette huset har vi aldri hatt en slik imam. Det er forståelig at han ønsker å være ren, men han går for langt. Han tar ikke engang på sine egne barn. Og han spiser utelukkende med den skjeen han bærer med seg i lommen. Han kan ikke holde på sånn.»

Bestemødrene fortalte Āqa Djān om alt som foregikk i huset, alle husets hemmeligheter, også det ingen andre måtte vite.

Bestemødrene var ikke ordentlige bestemødre. De var husets tjenere, og de hadde bodd der i mer enn 60 år. De hadde vært unge den gangen Āqa Djāns far hadde tatt dem med seg hjem, og så hadde de bare blitt der. Ingen visste lenger hvor de kom fra, og de snakket aldri om sin fortid. De hadde ikke vært gift, men alle visste at de hadde hatt et hemmelig forhold til onkelen til Āqa Djān. Når han kom på besøk, var de hans.

Bestemødrene var en del av huset, akkurat som den gamle kråka, sedertreet og kjellerne. En av dem hadde oppdratt imamen, den andre hadde oppdratt Āqa Djān. De var Āqa Djāns fortrolige, og de ivaretok husets skikker.

*

14

Āqa Djān drev teppehandel, og i byen Sandjān eide han basarens eldste forretningslokaler. Mer enn hundre mann jobbet for ham der. Han hadde syv teppetegnere i tjeneste, som utviklet mønstrene til teppene han produserte.

Basaren er en by i byen. Man kan komme inn på området fra flere porter, og her finnes et virvar av gater dekket av kuppelformede tak og hundrevis av butikker tett i tett.

Opp gjennom århundrene hadde basarene blitt landets viktigste økonomiske midtpunkt. Tusenvis av handelsmenn drev sin virksomhet herfra. De handlet i all hovedsak i stoffer, gull, korn, tepper og bearbeidet metall.

Spesielt teppehandlerne hadde alltid spilt en avgjørende rolle. Āqa Djāns unike posisjon gjorde ham til overhode både for moskeen og basaren.

Teppene fra Āqa Djāns forretning var dekorert med oppsiktsvekkende farger og figurer. Tepper med hans merke var gull verd. De var da heller ikke laget for hvem som helst. Spesialforhandlere bestilte dem, gjerne lang tid i forveien, til sine kunder i Europa og USA.

Teppenes mønstre var helt enestående. Ingen visste hvordan Āqa Djān utviklet sine uforlignelige figurer og hvordan han greide å skape slike praktfulle fargeblandinger. Det var forretningens styrke og husets hemmelighet.

Det var fremdeles slik at ikke alle hus hadde sitt eget bad. I byen fantes det et par store offentlige bad. Tradisjonstro gikk husets menn til det eldste offentlige badet, hvor det dessuten var reservert en egen avdeling for moskeens imam. Men imam As-sāberi ville ikke høre snakk om noe slikt. Han nektet å sette sin fot i et offentlig bad hvor et titalls menn drev og vasket seg. Han ble syk ved tanken på å skulle bevege seg naken mellom alle de andre.

Derfor hadde Āqa Djān bedt en murer bygge et bad til imamen i huset. Men murere hadde bare erfaring med tradisjonelle offentlige bad. Derfor hadde mureren gravd et hull i gulvet bak biblioteket og bygd et forunderlig bad til imamen.

*

15

Denne dagen satte As-sāberi seg som alltid på steinen i sine lange hvite underbukser. En av bestemødrene helte en kanne varmt vann over hodet hans.

«Kaldt,» ropte han, «kaldt!»

Bestemødrene reagerte ikke. Golebeh såpet inn ryggen hans mens Golbānu helte vann over skuldrene hans, forsiktig, så ikke en dråpe vann gikk til spille.

Da de hadde skylt såpen av kroppen, hjalp de ham opp i badekaret. Karet var ikke spesielt dypt. Han la seg ned og forsvant under vann en stund. Da han kom opp igjen, var han grå i ansiktet. Bestemødrene hjalp ham opp. Han fikk straks et stort håndkle over skuldrene og ett om midjen, og så fulgte de ham bort til kaminen. Med motvilje trakk han av seg den våte underbuksen og tok straks på seg en ny. De tørket hodet hans, trakk på ham genseren og stakk hendene inn i ermene. Deretter førte de ham tilbake til biblioteket.

De plasserte ham i en stol og kontrollerte neglene hans i lyset. Den ene bestemoren klippet hjørnet av pekefingerneglen hans.

De fortsatte å kle på ham, satte turbanen på hodet, brillene på nesen og pusset skoene hans med en fille.

Imamen var nå klar til å gå til moskeen. Golbānu gikk bort til sedertreet med den gamle klokken, og begynte å ringe med den.

Klokken var ment for moskeens oppsynsmann. Så snart han hørte ringingen, kom han ut på taket, gikk ned trappen, forbi gjesteværelset og frem til biblioteket.

Han så aldri bestemødrene der inne. De sto alltid bak bokhyllene når han kom inn i biblioteket. Likevel hilste han dem. Og de hilste ham, fra bak hyllene. Oppsynsmannen tok bøkene imamen hadde lagt frem på bordet, og fulgte ham til moskeen.

Oppsynsmannen gikk alltid foran og sørget for at hundene ikke kom løpende bort til imamen. Han var imamens fortrolige, den eneste bortsett fra bestemødrene som fikk lov til å ta på ham, som kunne gi ham noe eller ta imot noe fra ham. Oppsynsmannen var like ren som imamen. Han gikk heller aldri til byens offentlige bad, men ble vasket av kona si hjemme i en stor stamp.

*

Det sto en gruppe menn foran moskeen og ventet på å følge imamen til bønnerommet. Det var de som alltid ba på første rad bak imamen. Da de fikk øye på ham, ropte de: «Profeten Muhammed, vær hilset!»

Hundrevis av troende som hadde kommet til moskeen for å be, reiste seg for imamen og gikk til side for ham.

Han satte seg på plassen sin, og oppsynsmannen la bøkene ned på et lite bord ved siden av ham.

Nå måtte de vente på muezzinen, mannen som skulle stå på det øverste trinnet på moskeens gamle muslimske prekestol og rope: «Allāho Akbar! Hayye alas-salāt! Allah er stor! Skynd deg til bønn.»

Så snart han hadde klatret opp trinnene på prekestolen, visste alle at bønnen hadde startet.

Muezzinen var den blinde Āqa Shodja, en av Āqa Djāns fettere. Han hadde en flott stemme. Tre ganger om dagen klatret han opp i en av moskeens minareter og ropte: «Hayye alas-salāt.»

Han gjorde det én gang tidlig om morgenen før solen sto opp, én gang klokken 12 på formiddagen og én gang om kvelden idet solen gikk ned. Ingen kalte ham lenger ved hans egentlige navn, han hadde fått ærestittelen «Muezzin». Også hjemme kalte de ham Muezzin.

«Allāho Akbar!» ropte han.

Alle reiste seg og snudde seg mot Mekka.

Vanligvis kunne ikke en blind mann bli muezzin, for han måtte kunne se når imamen bøyde seg frem, når han la pannen mot jorden og når han reiste seg igjen. Men for Āqa Shodja var det ikke nødvendig å se, imamen hevet bare stemmen som tegn på at han bøyde seg frem eller la pannen mot jorden.

Muezzin hadde en fjorten år gammel sønn som het Shahbal og en datter, Shahin, som var gift. Kona hans hadde dødd av en alvorlig sykdom. Men Muezzin ville ikke gifte seg på nytt. Fra tid til annen hadde han, når sant skal sies, kontakt med et par kvinner fra fjellene. Da tok han på seg sin fineste dress, satte på seg hatten, grep stokken og forsvant en stund. I hans fravær fungerte sønnen Shahbal som muezzin i moskeen, da klatret han opp i minareten og utførte azān.

Etter bønnen fulgte en gruppe menn fra basaren imam As-sāberi hjem.

Āqa Djān ble alltid litt lenger i moskeen for å snakke med folk. Han var som oftest den siste som gikk hjem.

Denne kvelden snakket han litt med oppsynsmannen om reparasjoner av kuppelen. Da han skulle til å gå, hørte han nevøen Shahbal rope på ham.

«Āqa Djān, kan jeg snakke med deg?»

«Selvfølgelig!»

«Har du tid til å bli med til elven en tur?»

«Til elven? Men de venter jo på oss hjemme. Vi skal spise.»

«Jeg vet det, men det er viktig.»

Sammen gikk de til Sefidgāni, som strømmet rolig litt lenger oppe.

«Jeg vet egentlig ikke hvordan jeg skal si dette. Du må ikke reagere med én gang.»

«Fortell.»

«Det handler om månen.»

«Om månen?»

«Nei, ikke månen, men om fjernsynet, om imamen.»

«Fjernsynet? Månen? Imamen? Hva er det du prøver å si?»

«Vi, jeg mener, en imam må alltid vite alt om alt. Han må være informert om det som skjer. As-sāberi leser bare bøkene i sitt eget bibliotek, og det er bare gamle bøker, flere århundrer gamle bøker. Han leser ikke aviser. Han vet ingenting om ... om månen, for eksempel.»

«Hva mener du? Hva er det As-sāberi må vite om månen?»

«I dag blir det snakket om månen overalt. På skolen, i basaren, på gatene, men i huset vårt snakkes det ikke om slikt. Vet du hva som snart skal skje?»

«Hva er det som skal skje?»

«I kveld skal mennesket lande på månen, og du vet ikke om det engang. Kanskje er det ikke viktig for deg, kanskje er det ikke viktig for As-sāberi heller. Men snart planter amerikanerne

18

flagget sitt på månen, og imamen i byen vet ikke om det. Han nevner det ikke i talen sin. Han burde ha sagt noe om det i kveld, men han vet ikke at det skjer. Og det er ikke bra for moskeen vår. I moskeen bør det snakkes om det som lever blant folk.»

Āqa Djān ventet litt.

«Problemet er at jeg har sagt det til As-sāberi,» fortsatte Shahbal, «men han ville ikke høre snakk om det. Han tror ikke på slikt.»

«Hva mener du at vi burde gjøre?»

«I kveld viser de månelandingen på fjernsynet. Jeg vil at du og imamen skal være vitne til denne historiske hendelsen.»

«Hvor?»

«På fjernsynet!»

«Skal vi se på fjernsyn?» sa Āqa Djān forbløffet. «Skal byens imam se på fjernsyn? Hører du hva det er du sier, gutt? Helt siden fjernsynet dukket opp, har vi advart folk mot dette apparatet fra prekestolen. Advart mot å lytte til den korrupte sjahen, til å se på amerikanerne. Og nå sier du at vi burde sitte og glane på amerikanernes flagg en kveld? Du vet vel at vi er motstandere av sjahen og amerikanerne som gjeninnsatte ham? Vi trenger vel ikke å trekke sjahens ansikt og amerikanernes flagg inn i huset vårt? Hvorfor vil du ha oss til å se på fjernsynet? Fjernsynet er amerikanernes maktmiddel. De bekjemper vår kultur og vår tro med de apparatene! Jeg har hørt så mye rart om fjernsynet, om skitne programmer som gjør ånden syk.»

«Det er ikke sant det du sier, ikke helt. Det blir også vist mye interessant der, som i kveld. Du burde se det! Imamen burde se det! Hvis vi er motstandere av sjahen og amerikanerne, bør vi i alle fall se på fjernsynet deres. I kveld drar amerikanerne til månen. Du er den viktigste mannen i byen. Du burde se det. Jeg skal sette en antenne på taket.»

«Skal du å plassere en antenne på huset vårt? Hele byen kommer til å le av oss i morgen. Alle kommer til å si: Så du antennen på taket?»

«Jeg skal sørge for at ingen får vite det.»

*

19

Shahbals oppfordring hadde overrasket Āqa Djān. Gutten var klar over hvordan man tenkte i dette huset, likevel våget han å ytre sine egne meninger. Dette var en egenskap Āqa Djān hadde sett tidlig i Shahbal. Han beundret nevøen sin for det.

Āqa Djān hadde to døtre og én sønn. Sønnen hans var bare fem år yngre enn Shahbal, men det var i Shahbal han så sin etterfølger i basaren.

Han forsøkte å involvere ham i husets anliggender. Han elsket ham som sin egen sønn og lærte ham opp til å kunne ta over etter seg.

Shahbal gikk alltid rett til Āqa Djāns arbeidsplass etter skolen. Da pleide Āqa Djān å fortelle ham om alt som hadde skjedd i basaren.

Han fortalte ham om beslutningene han hadde tatt, og om beslutninger han skulle ta, og spurte ham til råds.

Nå hadde Shahbal snakket med ham om fjernsynet og månen. Āqa Djān hadde en mistanke om at ideen kom fra Nosrat, Āqa Djāns yngste bror, som bodde i Teheran.

Da Āqa Djān og Shahbal kom hjem, sa Āqa Djān til bestemødrene: «Jeg spiser sammen med imamen i biblioteket, jeg må snakke med ham. Ikke la noen forstyrre oss.»

Han gikk inn i biblioteket, hvor imamen satt på teppet sitt på gulvet og leste en bok. Āqa Djān satte seg ved siden av ham og spurte hva han leste.

«En bok om Khadidja, Muhammeds kone. Hun hadde tre tusen kameler, eller tre tusen lastebiler om man oversetter det til den moderne tid. En umåtelig rikdom. Nå skjønner jeg det. Muhammed var ung og fattig. Khadidja var gammel og rik. Muhammed trengte kamelene hennes, lastebilene, for å starte sin misjon,» sa imamen med et smil.

«Slik bør du ikke forklare det,» sa Āqa Djān.

«Hvorfor ikke? Alle kvinner ville jo ha Muhammed til mann, så hvorfor skulle han velge den gamle enken Khadidja? Hun var nesten tjue år eldre enn ham.»

Bestemødrene kom inn med to runde serveringsfat. De satte dem ned på gulvet ved siden av dem og forsvant.

«Shahbal snakker om månen,» sa Āqa Djān under måltidet, «han synes at du bør se på den.»

«Se på månen?» sa imamen.

«Han sier at byens imam burde være informert om utviklingen i landet, i verden. Han liker ikke at du ikke leser aviser, at du bare leser de gamle bøkene fra ditt eget bibliotek.»

Imamen tok av seg brillene, pusset dem skjødesløst med en flik av den lange hvite skjorten og sa: «Shahbal har allerede sagt dette til meg.»

«Hør her, hans kritikk gjelder ikke bare deg, men også meg. Vi har bare vært opptatt av religionen den siste tiden. Moskeen bør snakke om andre ting. Sånn som disse mennene som skal gå på månen i kveld.»

«Jeg tror ikke noe på det,» sa imamen.

«Han synes at du burde se på det. Han vil ta med seg et fjernsynsapparat til biblioteket.»

«Er du blitt gal, Āqa Djān?»

«Han er smart, og jeg stoler på ham. Du vet at han er en bra gutt. Dette blir mellom oss, det trenger ikke å ta så lang tid. Etterpå tar han med seg apparatet igjen.»

«Hvis ayatollaene i Qom får høre at vi har hatt et fjernsyn i huset, kommer de til å ...»

«Ingen kommer til å få høre om det. Det er vårt hus, og det er vår by, og vi kan selv bestemme hvordan vi innretter oss. Gutten har rett. Han sier at nesten alle som kommer til moskeen, har et fjernsynsapparat nå. Og selv om det ikke er tillatt med fjernsyn i huset vårt, kan vi ikke isolere oss i disse rommene og lukke øynene for det som skjer i verden.»

Fra bak gardinene på kjøkkenet kunne bestemødrene se Shahbal bære en eske inn i biblioteket i mørket.

Inne i biblioteket hilste Shahbal imamen og Āqa Djān. Uten å se på dem pakket han ut det lille apparatet og plasserte det på et lite bord ved siden av veggen. Han trakk frem en lang ledning fra esken og stakk den ene enden av ledningen inn på

21

baksiden av fjernsynet. Den andre enden tok han med seg ut. Der brukte han stigen til å klatre opp på taket, hvor han hadde festet en enkel, provisorisk antenne. Han skrudde ledningen fast i antennen, skjulte den godt og gikk ned fra taket.

Shahbal låste døren til biblioteket, plasserte to stoler foran fjernsynsapparatet og sa: «Dere kan sitte her hvis dere vil.»

Da imamen og Āqa Djān hadde tatt plass, slo han fjernsynet på og lyset av.

Han dempet lyden og holdt en kort presentasjon: «Det vi snart skal få se, skjer akkurat nå ute i rommet. Apollo 11 nærmer seg månen og skal snart lande. Et unikt øyeblikk. Se, der er den. Å, herregud!»

Imamen og Āqa Djān bøyde seg frem og iakttok Apollo idet den prøvde å lande. En dyp stillhet falt over dem.

«Det skjer noe i biblioteket,» sa Golbānu til Golebeh, «noe viktig som ikke engang vi skal vite om.»

«Gutten klatret opp på taket og gjemte noe der, og så skyndte han seg tilbake. Nå har de slått av lyset i biblioteket. Hva holder de egentlig på med i mørket?»

«La oss se etter.»

De tok seg lydløst frem til biblioteket i mørket.

«Se! Det går et tau fra taket og inn.»

«Et tau?»

De listet seg bort til vinduet, men gardinene var trukket for. Forsiktig passerte de vinduet og gikk bort til døren. Et mystisk sølvlys skinte ut gjennom sprekkene.

De la ørene mot døren.

«Det går ikke an,» hørte de imamen si.

«Det går ikke an,» hørte de Āqa Djān si.

De kikket gjennom nøkkelhullet og så bare det forunderlige lyset som fylte biblioteket.

Skuffet snudde de om og forsvant i mørket på gårdsplassen.

NOURUZ

Med våren kom det nye persiske nyåret, Nouruz.

Nouruz, opprinnelig en kongelig fest, ble feiret med pomp og prakt allerede i palassene til den første persiske kongen.

Folk begynner på en storrengjøring av husene allerede to uker tidligere. For å hilse våren velkommen blir det plantet hvete på tallerkener, kalt *sabze*. Det blir kjøpt inn nye klær og sko til barna, og så drar man på besøk til familien, fremfor alt til besteforeldrene.

Alt blir ordnet av kvinnene, og først når de er ferdig med alt det andre, bruker de litt tid på seg selv.

I huset var bestemødrene og et par hjelpere i full gang med å gjøre huset rent til Nouruz. Den gamle frisøren hadde stukket innom for å fiffe opp husets kvinner. Hun klippet håret deres og epilerte øyenbryn og ansikt.

Hun hadde gjort dette i mer enn femti år. Første gang hun var der, hadde hun vært en jentunge på ti–tolv år. Hun hadde kommet sammen med moren. Senere, da moren døde, hadde hun overtatt arbeidet hennes og blitt en fortrolig venn av huset.

Den dagen hun var der, ble en del av huset stengt for mennene. Man kunne høre kvinnelatter hele dagen, de gikk rundt i huset uten slør og krysset gårdsplassen barføtt. Bestemødrene skjemte dem bort med vannpipe, limonade og andre delikatesser.

Frisøren fortalte sladder fra byen, for hun var ofte hos kvinnene fra de rike familiene og visste mye om hva som foregikk blant dem. Hun hadde alltid med seg en gammel koffert med parfyme, hårfarge, sminke, sakser og hårspenner som var til salgs.

Hun hadde fine ting som var annerledes enn dem man fikk kjøpt i basaren, ettersom hun hadde en sønn som jobbet som gjestearbeider i Kuwait. Hver gang han kom hjem, hadde han med seg en koffert full av eksklusive ting til morens kunder.

I dag hadde hun kommet spesielt for Faqri Sādāt, kona til Āqa Djān. Faqri Sādāt var en respektert kvinne blant byens rike familier. Iblant hjalp hun bestemødrene på kjøkkenet, hun sydde klær til barna sine, og da de fremdeles var små, leste hun for dem. Egentlig var det å lese bøker hennes hovedbeskjeftigelse. Spesielt bøkene og damebladene svogeren Nosrat tok med til henne fra Teheran.

Hvis været var pent, fanget hun fugler. Med bestemødrenes hjelp bar hun kurvfellen opp fra kjelleren. Dette var en stor kurv spesiallaget til tammuz, kurven var festet med tau til en lang stokk. Faqri Sādāt strødde fuglemat utover gårdsplassen og satte seg ned i en stol ved bassenget for å vente på fuglene.

Fuglene kom fra den andre siden av fjellene og pleide etter hvert å lande på gårdsplassen. Når de hadde gått inn i kurven på leting etter mat, trakk Faqri Sādāt i tauet, dermed lukket kurvfellen seg, og fuglene var fanget.

Faqri Sādāt lot fuglene være i fuglerommet noen dager. Hun ga dem mat, snakket med dem, studerte fjærene deres, laget skisser av fjærdraktens motiver, og så slapp hun dem fri igjen.

Så lenge hun holdt på med fuglene, beveget alle seg forsiktig rundt i huset og snakket dempet sammen.

Frisøren var akkurat ferdig med beina til Faqri Sādāt da den gamle kråka landet på kanten av taket. Den kraet høylytt og forkynte sine nyheter.

Ingen visste hvor gammel kråka var. Men den måtte være mer enn et århundre, for Āqa Djān hadde lest om den i et gammelt arkiv i moskeen. Kråka var en del av huset, en del av kuppelen, minaretene, takene, det gamle treet og bassenget den drakk av.

Faqri reiste seg og sa: «Salām, kråke! Har du gode nyheter? Hvem er på vei? Hvem kommer på besøk?»

Mot kvelden kom oppsynsmannen ut fra moskeen, fulgt av en festkledd imam As-sāberi. Vanligvis pleide de å komme ut døren

24

på forsiden, men nå gikk de opp trappen utenfor moskeen og tok veien over det flate taket bort til huset. Kanskje hadde det med våren å gjøre. Takene, som var murt med en spesiell leire fra ørkenen og en blanding av ørkenplanter, spredte en deilig duft.

«Har jeg tid til en liten høneblund? Jeg føler meg ikke helt vel,» sa As-sāberi til bestemødrene da han kom inn på gårdsplassen.

«Ja,» sa Golbānu, «du har fremdeles en halvtime på deg. Vi venter på Āqa Djān. Når han kommer, skal vi spise sammen i det store festværelset. Og klokken tolv i natt samles vi på gårdsplassen til nyttårsbønn. Vi skal rulle ut et par tepper der. Jeg vekker deg i god tid.»

Det stoppet en drosje foran døren.

Barna skyndte seg ut.

«Onkel Nosrat er her!» ropte de.

Faqri Sādāt åpnet vinduet i tredje etasje og så at Nosrat ikke kom alene, men at han hadde med seg en ung kvinne. Hun svøpte seg i chadoren og gikk ned.

Da Nosrat kom inn sammen med kvinnen, ble det stille. Den unge kvinnen hadde ikke på seg noen chador, bare et hodetørkle, og noe av håret hennes var synlig.

Bestemødrene kunne ikke tro sine egne øyne.

«Hvordan våger den slyngelen å ta med seg en kvinne som er slik kledd?» sa Golbānu.

«Hvem er hun?» spurte Golebeh.

«Aner ikke, en eller annen tøs.»

Zinat Khānom, imamens kone, sluttet seg til de andre sammen med datteren Sediq. Det gjorde også den blinde muezzinen. Shahbal hadde studert kvinnen gjennom vinduet. Han syntes onkelen var modig som hadde tatt med seg en slik kvinne. Han beundret ham fordi han ikke gjorde det som ble forventet av ham, og fordi han stadig gjorde opprør mot husets gamle regler.

Det var første gang i husets historie at en kvinne uten chador eller passende slør trådte over terskelen.

25

Alle så på henne. Burde de eller burde de ikke ønske kvinnen velkommen? Hvordan ville Āqa Djān reagere?

Det hadde akkurat blitt mørkt, men i lyset fra gatelykten så bestemødrene at kvinnen hadde på seg et par gjennomsiktige nylonstrømper, slik at beina hennes var synlige.

Nasrin og Ensi, døtrene til Āqa Djān, kysset onkel Nosrat muntert.

«La meg presentere henne for dere,» sa Nosrat, «dette er min forlovede Shadi.»

Shadi smilte og hilste på jentene.

«Å, så hyggelig!» sa Nasrin, Āqa Djāns eldste datter. «Når forlovet du deg, onkel? Hvorfor har vi ikke hørt om det?»

«Forlovet? Hva mener han,» sa Golbānu til Golebeh og trakk for gardinene, «han lyger, han skal ikke gifte seg med noen, han har tatt med seg tøsen fra Teheran for sin fornøyelses skyld. Hvor blir det av Āqa Djān? Han må få satt en stopper for dette.»

Faqri Sādāt kysset kvinnen fra Teheran og sa: «Shadi, for et vakkert navn. Du skal være velkommen i vårt hus!»

«Hvor er Āqa Djān? Hvor er Muezzin?» spurte Nosrat. «Hvor er imamen? Og hvor er Shahbal?»

«Āqa Djān har ikke kommet hjem ennå, men As-sāberi skal være i biblioteket,» sa kona til imamen.

«Jeg skal overraske ham,» sa Nosrat og gikk til biblioteket.

Faqri Sādāt tok med seg Shadi til gjesteværelset, og alle jentene fulgte dem.

Bestemødrene ventet på Āqa Djān på kjøkkenet. De holdt et øye med ytterdøren, og så snart den gikk opp, ropte de: «Nosrat har kommet!»

«Så bra, og så akkurat på nyttårsaften. Så lillebroren min har ikke glemt meg. Dette gjør festen vår ekstra fin,» sa han blidt.

«Men det er noe,» sa Golbānu bekymret.

«Hva da?»

«Han har med seg en kvinne.»

«Og han hevder at det er hans forlovede,» tilføyde Golebeh.

«Det er gode nyheter. Endelig har han tatt til fornuft.»

«Ta ikke gledene på forskudd,» sa Golbānu.

«Kvinnen bærer ikke chador. Hun har bare et lite hode-tørkle.»

«Og nylonstrømper,» tilføyde Golebeh lavmælt.

«Hva er det?»

«Nylonstrømper er lange, gjennomsiktige strømper. Når man har på seg slike, ser det ut som om man ikke har på seg noe. En slik kvinne har han altså tatt med seg hjem. Gud bevare oss vel. Det var heldigvis akkurat blitt mørkt da de kom. Tenk om han hadde gått forbi moskeen på dagtid med henne, da ville alle i byen si: Det har vært en kvinne med nylonstrømper i huset ved moskeen!»

«Da vet jeg tilstrekkelig,» sa Āqa Djān rolig. «Jeg skal snakke med ham. Jeg ønsker at dere skal ta varmt imot henne, gi henne et par vanlige strømper. Gi henne en chador hvis hun vil gå inn til byen i morgen. Dere har jo så mange vakre chadorer i huset. Gi henne en chador i gave.»

«Jeg tror ikke at hun er hans forlovede. Han har bare tatt med seg en kvinne hjem,» sa Golbānu.

«Det vet vi ikke,» sa Āqa Djān, «la oss håpe at hun er hans forlovede. Hvor er han nå?»

«I biblioteket eller hos Muezzin, tror jeg.»

Āqa Djān visste at lillebroren aldri ba, at han alltid var i opp-rør mot troen og husets skikker. Men han håpet at Nosrat, nå som han hadde kommet hjem med en kvinne, ville tilpasse seg.

«Det ordner seg nok,» sa han og gikk til den blinde muez-zinens værelse.

«Mat!» ropte Golbānu.

«Gutter! Jenter! Mat!» ropte Golebeh.

Alle gikk til festværelset.

Mennene kom festkledd inn i værelset, kvinnene satt allerede på høyresiden av det store spisebordet.

Faqri Sādāt presenterte kvinnen fra Teheran for Āqa Djān, imamen og Muezzin.

«Velkommen, min datter!» sa Āqa Djān. «Vi visste ikke at Nosrat skulle ta med seg sin forlovede hjem, ellers hadde vi organisert en fest. Men det er jo en fest å ha deg her iblant oss.»

27

Imam As-sāberi hilste på henne på avstand. Da Faqri Sādāt presenterte henne for Muezzin, sa hun smilende: «Dette er en kvinne fra Teheran, hun er annerledes enn kvinnene fra byen vår og helt annerledes enn kvinnene du kjenner fra fjellene. Hun heter Shadi og er billedskjønn. Hun har vakre mørke øyne, brunt hår, strålende hvite tenner og et søtt smil om munnen. Og i kveld har hun på seg en nydelig hvit chador med grønne små blomster, som hun har fått av bestemødrene. Hva mer vil du vite?»

«Hun er vakker, altså!» smilte Muezzin. «Jeg hadde ikke ventet annet av Nosrat.»

Bestemødrene kom inn med en liten panne hvor det brant en ild. De kastet esfand på ilden slik at det oppsto en herlig duftende sky. Jentene bar maten ut fra kjøkkenet.

«Skal vi ikke vente på Ahmad?» spurte As-sāberi.

«Beklager,» sa Āqa Djān, «da jeg fikk øye på Nosrat, glemte jeg helt å si ifra til deg. Ahmad ringte meg i basaren. Han kommer ikke. De har sin egen fest i Qom.»

Ahmad var sønnen til As-sāberi. Nå var han sytten år og fulgte imamopplæringen hos den store moderate ayatollaen Golpājgāni i Qom.

Bestemødrene hadde gjort i stand et fantastisk nyttårsmåltid, og alle ble sittende lenge ved bordet.

Etter middagen ble det hentet frem søtsaker som var tilberedt spesielt til nyttårsfesten.

Kvinnene hadde allerede tatt Shadi inn i varmen. Nå stilte de henne spørsmål om Teheran og kvinnene der. Shadi hadde med små gaver til dem: neglelakk, leppestift, nylonstrømper og elegante bh-er. Mennene, som snart skjønte at de ikke lenger var velkommen, trakk seg tilbake til gjesteværelset.

Det var nesten midnatt da en av bestemødrene sa: «Mine damer! Vil dere gjøre dere i stand til nyttårsbønnen?»

Nosrat bøyde seg mot Shadi.

«Hvor skal vi?» sa hun.

«Snart skal alle be, men det er ikke noe for meg, derfor deltar jeg ikke,» hvisket han i øret hennes, «jeg skal ta deg med til husets bibliotek.»

«Hvorfor, hva skal vi gjøre der?»

«Det vil du skjønne etter hvert,» sa han og tok hånden hennes.

Nosrat holdt Shadi i armen og listet seg på tå bak sedertreet til biblioteket. Han åpnet døren forsiktig.

«Hvorfor slår du ikke på lyset?»

«Ikke snakk så høyt. Bestemødrene hører og ser alt. Hvis de skjønner at vi er her, vil de plutselig dukke opp som to ånder,» sa han og begynte å kneppe opp blusen hennes.

«Slutt! Ikke her,» hvisket hun og skjøv ham forsiktig bort.

Han grep henne om midjen, presset henne mot bokhyllen og heiste opp skjørtet.

«Nei, jeg synes det blir feil her.»

«Det er ikke feil, det er spennende, husets gamle ånd skjuler seg bak denne bokhyllen. I syv hundre år har imamene forberedt seg til bønn i dette rommet, det er et hellig sted, det har skjedd mye her, men aldri noe slikt. Og jeg vil gjøre det med deg. Jeg vil tilføre dette værelsets historie noe vakkert.»

«Å, Nosrat,» sukket hun.

Han tente stearinlyset som sto på imamens skrivebord.

«Hvor er alle sammen?» ropte Golbānu fra gårdsplassen. «Skynd dere, imamen er klar!»

På gårdsplassen hadde man rullet ut to store tepper til bønnen. Bare Nosrat og kvinnen fra Teheran manglet.

«Jeg sa det til deg, han er en slyngel. Han kommer til å gjøre skam på moskeen om han får sjansen til det, men det vil jeg ikke ha noe av, han må komme og være med på bønnen!» sa Golbānu.

«Hvor kan de være?»

Blikket deres falt på biblioteket.

De beveget seg langsomt dit bort. Vinduene til biblioteket skalv.

Tok de feil?

Nei, til og med gardinene rørte på seg.

Bestemødrene gikk bort til døren, men våget ikke å åpne den. De knelte forsiktig foran vinduet, kikket inn gjennom en glipe i gardinene og så at det gamle stearinlyset, som de aldri tente, brant.

Med hendene rundt øynene kikket de enda andektigere inn.

Bokhyllene beveget seg i skinnet fra stearinlyset. Det de så, forferdet dem, og de reiste seg samtidig opp.

Hva skulle de gjøre? Informere Āqa Djān?

Nei, det hadde ikke noe for seg på en så spesiell kveld.

Hva skulle de da gjøre med den utilgivelige synden Nosrat begikk inne i biblioteket?

Tie! signaliserte den ene til den andre med øynene.

Det var deres plikt å tie, akkurat som alle bestemødre før dem iblant hadde måttet gjøre. De måtte ha et stort hjerte for å få plass til alle husets umeddelelige hemmeligheter. De hadde altså ikke sett eller hørt noe.

Imamen hadde begynt på bønnen. Alle sto bak ham, vendt mot Mekka. Bestemødrene sluttet seg ubemerket til kvinnene. Det ble stille i huset, alt man kunne høre var imamen:

«Allāho nuro-s-samavāte va-larze masalo nurehe ka-
mishkavāte fihā…

Han er lys.

Hans lys kan lignes med en nisje

hvor det er et bluss.

Blusset er omgitt av glass,

som om det var en funklende stjerne.

Det tennes med brenne fra et velsignet tre, et oljetre,

hvis olje nesten lyser uten at ild kommer den nær.

Lys over lys!»

GALGAL

Jentene i huset begynte å bli store, og for noen av dem var tiden inne til å gifte seg. Men hvordan skulle de kunne gifte seg når det ikke hadde kommet noen mann og bedt om deres hånd?

I Sandjān banket aldri fremmede menn på døren for å be om din datters hånd, det gjorde koblerskene. En gruppe eldre kvinner som sørget for å sette mannen i kontakt med familien. Dette skjedde som oftest på kalde vinterkvelder.

Noen familier trengte ikke koblersker. I stedet svøpte familiens kvinner seg i chadoren og mennene satte på seg hatten, og sammen oppsøkte de familier med gifteklare døtre.

Familier med voksne døtre var alltid forberedt på at det helt uventet kunne banke på døren. Derfor var alle alltid klar til å ta imot gjester.

På disse kveldene ble det ført lange samtaler om gull og tepper, som bruden skulle utstyres med som brudeskatt. Og om hus, jordflekker eller pengebeløp brudgommen skulle gi sin brud dersom ekteskapet ikke holdt.

Når mennene var blitt enige, var det opp til kvinnene å føre resten av diskusjonen, som handlet om brudens klær og smykkene hun skulle få i forbindelse med høytideligheten.

Man hadde nettopp begynt å selge armbåndsur til damer i basaren, derfor ville alle bruder ha en slik moderne klokke.

Hvis lyset brant lenge i vinduene til naboene på slike kvelder, visste man at de var midt oppi en bryllupssamtale. I disse husene var rommene varme og vinduene duggete av røyken fra vannpipene. For de mange familiene som hadde en voksen datter

31

hjemme, men som visste at det neppe ville bli banket på døren deres, var de lange vinternettene skremmende.

I huset ved moskeen var Sediq, imamens datter, klar til å gifte seg.

De ventet i stillhet. Kanskje ville noen banke på, kanskje ville telefonen kime. Men nå var vinteren snart over, og ennå hadde ingen vist seg.

Det var svært vanskelig for husets døtre å finne en passende mann. Ikke alle kunne fri til dem. For de vanlige jentene i byen var det nok menn: En ung tømrer, en murer, en baker, en rådmann, en rektor ved grunnskolen og en gutt som nettopp hadde blitt ansatt ved jernbanen. Men slike menn var ikke passende for døtrene i huset ved moskeen.

Sjahens regime var korrupt. De som jobbet for myndighetene kunne derfor ikke be om jentenes hånd. Og lærerne? Det kunne kanskje gå. Men egentlig var det bare sønnene til fremtredende handelsmenn som var passende.

Vinteren gikk, og de unge kvinnene som ikke var blitt fridd til, visste at de måtte vente enda et år. Heldigvis følger ikke livet alltid de vante baner, men velger sin egen vei. En kveld ble det likevel banket på døren.

«Hvem er det?» ropte Shahbal, Muezzins sønn.

«Jeg,» lød en selvsikker mannsstemme bak døren.

Shahbal åpnet, og i det gule lyset fra gatelykten så han en ung imam med en påfallende, svart turban. Turbanen sto litt skjevt på hodet hans, og han luktet av nydelige roser. Den lange imamdrakten var mørk, og det var tydelig at han hadde den på seg for første gang.

«God kveld,» sa den unge imamen.

«God kveld,» svarte Shahbal.

«Muhammed Galgal er navnet!» sa imamen.

«Gleder meg! Hva kan jeg gjøre for deg?»

«Jeg vil snakke med imam As-sāberi, om mulig.»

«Tilgi meg, men det er sent og han ønsker ikke lenger å ta imot besøk. Du kan snakke med ham i moskeen i morgen.»

«Jeg vil gjerne snakke med ham nå.»

«Kan jeg spørre hva det gjelder? Kanskje jeg kan hjelpe deg?»

«Jeg kommer på vegne av hans datter, Sediq. Jeg vil snakke med ham om henne.»

Et øyeblikk var Shebal litt rådvill, så svarte han behersket: «Da må du snakke med Āqa Djān. Jeg skal gi ham beskjed om at du er her.»

«Jeg venter,» sa imamen.

Shahbal lot døren stå halvåpen og gikk inn på Āqa Djāns arbeidsværelse, hvor han satt og skrev.

«Det står en ung imam utenfor. Han sier at han har kommet på vegne av As-sāberis datter.»

«Står han utenfor?»

«Ja. Han sier at han vil snakke med imamen.»

«Kjenner jeg ham?»

«Ikke det jeg vet. Det er en merkelig imam, han kommer åpenbart ikke fra byen. Han dufter av roser.»

«Slipp ham inn,» sa Āqa Djān, mens han ryddet vekk papirene og reiste seg.

«Velkommen!» sa Shahbal til imamen. «Kom inn.»

Han fulgte ham til Āqa Djāns værelse.

«Jeg heter Muhammed Galgal. God kveld! Forstyrrer jeg?» sa imamen.

«Nei, slett ikke. Velkommen! Vær så god og sitt,» sa Āqa Djān og tok Galgal i hånden.

Āqa Djān merket at mannen var annerledes. Han likte at han bar en svart turban, akkurat som imamene fra hans eget hus. Det betydde at han var en etterkommer av profeten Muhammed.

Stamtreet og ringen til den hellige imam Ali ble oppbevart i en spesiell eske i moskeens gamle skattkammer.

«Drikker du te?» spurte Āqa Djān.

Litt senere kom Golbānu opp med et fat med te og dadler som hun ga til Shahbal.

Han satte teen og dadlene ned foran Galgal og skulle til å forlate rommet.

«Du kan bli,» sa Āqa Djān til ham.

Han satte seg til rette i en stol i et hjørne.

Galgal la en daddel i munnen og tok en slurk te. Så kremtet han forsiktig og sa uten innledning: «Jeg kommer for å be om hånden til imam As-sāberis datter.»

Āqa Djān, som skulle til å ta en slurk av teen sin, satte glasset fra seg og kikket på Shahbal. Han hadde ikke forventet at imamen skulle komme inn på temaet så fort, og dessuten kom en mann sjelden alene når han skulle fri til familiens datter. Ifølge tradisjonen skulle ordet føres av faren til den kommende brudgommen. Men Āqa Djān var en erfaren mann. Behersket sa han: «Du er velkommen, men kan jeg spørre deg om hvor du bor, og hva du driver med for øyeblikket?»

«Jeg bor i Qom og har nettopp avsluttet imamopplæringen.»

«Ved hvilken ayatolla har du studert?»

«Ved den store ayatolla Almakki.»

«Almakki?» sa Āqa Djān overrasket. «Jeg har hatt æren av å møte ayatollaen personlig.»

Da han hørte navnet «Almakki», visste Āqa Djān at den unge imamen tilhørte en revolusjonær strømning som var motstandere av sjahen. Navnet Almakki var nesten synonymt med den hemmelige religiøse opposisjonen mot sjahen.

Selv om ikke alle unge imamer som hadde fulgt Almakkis undervisning, engasjerte seg i politikk, var alle under mistanke.

Āqa Djān hadde en anelse om at den unge imamen, med turbanen på skakke og roseparfyme, ikke var nøytral. Men han sa ingenting.

«Hva gjør du akkurat nå? Har du en fast moské?»

«Nei, ikke ennå, men jeg jobber ofte som vikar for ulike moskeer i ulike byer. Hvis en imam er syk eller skal reise, blir jeg bedt om å vikariere for ham.»

«Jeg skjønner. Slik har vi det her også, men vi har en fast vikar,» sa Āqa Djān. «En imam som bor i landsbyen Djirja. Han er fullstendig pålitelig. Når vi trenger ham, kommer han med en gang.»

Āqa Djān ville spørre hvor foreldrene hans bodde, og hvorfor han ikke hadde tatt med seg familien hvis han kom for As-sāberis datter. Men han spurte ikke, han visste at den unge imamen ville si: «Jeg er voksen, og jeg kan selv bestemme hvem jeg gifter meg med. Jeg heter Muhammed Galgal. Og ayatollaen heter Almakki. Hva mer vil du vite?»

«Hvordan vet du om datteren vår? Har du sett henne?» sa Āqa Djān.

«Nei, men søsteren min har møtt henne. Dessuten har ayatolla Almakki anbefalt henne, han har sendt med et brev til dere.» Han trakk en liten konvolutt opp fra innerlommen og ga den til Āqa Djān. Hvis han hadde med seg et brev fra ayatollaen, hadde ikke Āqa Djān noe mer han skulle ha sagt. Hvis Almakki hadde godkjent ham, var det ikke rom for videre diskusjoner. Da var saken avgjort.

Āqa Djān åpnet brevet respektfullt. Ayatollaen hadde skrevet følgende:

I Allahs navn.
Nå som Muhammed Galgal besøker dere, hilser jeg dere.
Vas-salām Almakki.

Det var noe med brevet. Āqa Djān visste ikke helt hva det var. Det var ingen godkjenning, samtidig var det ingen avvisning, det var bare en bekreftelse. Ayatollaen var åpenbart ikke imponert, ellers ville han gitt uttrykk for det. Men den unge imamen hadde tross alt med seg et brev fra Almakki, og det betydde mye. Āqa Djān la brevet i skuffen og sa: «Jeg må tenke litt på hvordan vi gjør dette. La oss si det slik: Jeg skal snakke med As-sāberi og datteren hans om besøket. Deretter avtaler vi en tid, og så kommer du hit med familien din, med faren din. Er det en avtale?»

«Det er en avtale!» sa Galgal.

Shahbal fulgte Galgal ut og vendte tilbake.

«Hva tror du, Shahbal?» spurte Āqa Djān.

«Jeg synes han er litt spesiell, men han er skarp. Det likte jeg.»

«Du har rett. Man kunne se det på måten han satt i stolen på. Han minner ikke det aller minste om bondeimamene. Men jeg har også noen innvendinger.»

35

«Hvilke innvendinger?»

«Han er svært ambisiøs. Dessuten har ikke ayatollaen skrevet noe konkret om ham i brevet. Han har anbefalt ham, men ikke beskrevet ham. Jeg leser tvil i brevet hans. Galgal er nok sikkert ikke et dårlig menneske, men han er risikabel. Passer han til moskeen vår? As-sāberi er så mild, denne unge imamen er hard, tror jeg.»

«Hva mener du med det?»

«Er As-sāberi fremdeles våken?»

Shahbal kikket ut mellom gardinene.

«Det brenner et lys i biblioteket,» sa han.

«Dette blir foreløpig mellom oss, kvinnene skal ikke vite noe om det,» sa Āqa Djān og forlot rommet for å gå til biblioteket.

Han banket på døren og gikk inn. As-sāberi satt på teppet sitt og leste en bok.

«Hvordan har dagen din vært?» spurte Āqa Djān.

«Helt vanlig,» sa As-sāberi.

«Hva leser du?»

«En bok om ayatollaenes politiske gjerninger de siste hundre årene. De har visst aldri sittet stille, de har alltid funnet noe å gjøre opprør mot, og en måte å erobre makten på. Denne boken er som et speil, og jeg betrakter meg selv. Jeg liker politikk, men jeg er ikke i stand til å drive med det. Jeg er ikke skikket for slike gjerninger. Det gir meg dårlig samvittighet.»

As-sāberi var uvanlig åpenhjertig. Āqa Djān fornemmet at han hadde kommet over imamen i et viktig øyeblikk.

«Jeg vet at Qom ikke er tilfreds med meg. Jeg er redd for at folk vil gå til en annen moské, at vår moské vil tømmes hvis jeg fortsetter å tie.»

«Det skal du ikke være redd for,» sa Āqa Djān, «tvert imot, det kommer til å komme flere folk når de ser at vår moské ikke engasjerer seg i politikk. De som kommer til vår moské, er vanlige folk. Moskeen er huset deres, de har vært her hele livet, de kommer virkelig ikke til å gå noe annet sted med det første. Til det kjenner de deg for godt og har for mye respekt for deg.»

«Men basaren,» tilføyde imamen, «basaren har alltid vært

sentrum i politikken. Det står også i denne boka. Basarene har spilt en avgjørende rolle de siste to hundre årene, og imamene har alltid brukt dem som våpen. Hvis kjøpmennene stenger basarene, vet alle at det er noe uvanlig, noe viktig på gang. Jeg vet at basaren ikke er tilfreds med meg.» Āqa Djān visste godt hva imamen snakket om. Han var heller ikke tilfreds med As-sāberi, men han kunne ikke avsette ham fordi mannen hadde en svak karakter. As-sāberi var nå engang moskeens imam og ville fortsette å være det til sin død. Han visste at det ble klaget i basaren, at kjøpmennene forventet mer fra moskeen, men hva skulle han gjøre, hvis As-sāberi ikke var kapabel? For ikke lenge siden hadde ayatollaene invitert Āqa Djān til Qom. De hadde sagt til ham at moskeen måtte korrigere sin holdning. De ville høre protester mot sjahen og fremfor alt mot amerikanerne. Āqa Djān hadde lovet dem å gjøre moskeen mer aktiv, men han visste at As-sāberi ikke var mann for det.

Qom var sentrum i den shiamuslimske verden. Alle de store ayatollaene bodde i Qom og ledet moskeene derfra. Moskeen i Sandjān var en av landets viktigste moskeer. Derfor ventet ayatollaene seg et større initiativ fra moskeen. Qom stilte spørsmål, Qom stilte krav, men så lenge As-sāberi var der, kunne ikke Āqa Djān få til noen endring i moskeen. Kanskje var det derfor Almakki hadde sendt den unge imamen til dem.

Āqa Djān skiftet tema og sa: «Jeg har en overraskelse til deg. Og den passer godt til boken du holder på å lese.»

«Hvilken overraskelse?»

«Noen har bedt om din datters hånd.»

«Hvem?»

«En ung imam fra Qom! En av ayatolla Almakkis elever.»

«Almakki?» sa imamen forbauset og la boken fra seg på teppet.

«Han er ikke redd for politikk, han er velkledd, selvsikker, og han bærer den svarte turbanen litt på skakke,» sa Āqa Djān smilende.

«Hvordan vet han om oss? Jeg mener, om min datter?»

«Alle i byen vet at du har en datter. Og alle kan be om hennes hånd, men jeg tror ikke denne unge imamen bare kommer for din datters skyld, han kommer også for moskeen og prekestolen.»

«Hva!»

«Du vet jo at det alltid handler om politikk når Almakki har en finger med i spillet.»

«Vi må tenke oss godt om før vi gir ham et svar. Vi må vite om han er ute etter datteren vår eller moskeen.»

«Det skal vi, men jeg er ikke redd for forandringer. Og jeg ignorerer ikke det jeg møter på min vei. Jeg tror ikke på tilfeldigheter. Det er en grunn til at han banker på døren vår, han passer godt inn i dette huset. Moskeen har hatt oppildnede imamer før. Jeg drar til Qom for å ta opp dette med Almakki. Hvis han går god for ham som person, som ektemann, gir jeg min tillatelse. Jeg skal ringe sønnen din, Ahmad. Han går ikke på samme imamskole, men han kjenner nok til Galgal.»

«Gjør som du vil, men vær forsiktig. Du må forsikre deg om at det ikke blir et politisk-religiøst ekteskap. Jeg gir ikke bort datteren min til hvilken som helst imam. Vi må være sikre på at han er en god mann. Jeg ønsker henne et godt ekteskap. Jeg vil ikke overlate henne til ayatollaene.»

«Du trenger ikke å engste deg,» sa Āqa Djān.

«Jeg har ikke følt meg helt vel i det siste, tristheten får ofte overtaket i hjertet mitt. Jeg er blitt reddere, redd for alt, fremfor alt for moskeen, noen ganger vet jeg ikke hva jeg skal snakke om under fredagsbønnen.»

«Du er sliten, dra til Djirja et par dager. Ta med deg bestemødrene og hvil deg der en uke. Det hadde de også hatt godt av. Det er lenge siden de har vært borte. Du har pålagt deg selv for mye. Ingen vasker seg så ofte som du, du er isolert, fortsetter du slik, vil du ikke holde ut så lenge. Dra til Djirja. Kanskje har du snart en flott svigersønn som kan avlaste deg,» sa Āqa Djān og forlot biblioteket med et smil.

Neste dag ringte Āqa Djān til Qom og snakket med Ahmad.

«Kjenner du Muhammed Galgal?»

«Hvor har du hørt om ham?»

«Han har bedt om din søsters hånd.»

«Det mener du ikke!» sa han overrasket.

«Jeg mener det. Hvordan er han?»

«Alle kjenner ham her, selv kjenner jeg ham ikke personlig. Han er stor i kjeften og mener noe om alt. Han er helt annerledes enn alle andre imamer. Men hva han gjør ut over det, vet jeg ikke.»

«Hva tror du? Er han passende for søsteren din?»

«Hva skal jeg si? Så vidt jeg vet, er han en tøff fyr. Søsteren min har bare opplevd far som imam. Hun tror at alle geistlige er slik.»

«Det som er viktig for meg, er at søsteren din kan bli lykkelig sammen med ham,» sa Āqa Djān.

«Som sagt, han er dyktig og smart, men om han vil bli en god mann for henne, tør jeg ikke uttale meg om.»

«Jeg tror jeg vet nok, Ahmad.»

Så ringte han til ayatolla Almakki og avtalte en tid. Tidlig torsdag morgen brakte sjåføren Āqa Djān til stasjonen.

Āqa Djān, som hadde på seg lang jakke og hatt, steg ut ved stasjonen og gikk inn i den monumentale hallen. Stasjonsmesteren fikk øye på ham, stumpet sigaren og skyndte seg bort til ham.

«En riktig god morgen til deg. Og en velsignet reise!» sa han høflig.

«En shā Allāh,» sa Āqa Djān.

Āqa Djān skulle reise med et langt, brunt tog. Det hadde kommet sørfra en halvtime tidligere, helt fra Persiabukten, og skulle snart gå østover, helt til grensen mot Afghanistan. Toget skulle stoppe ved et titalls stasjoner underveis. Āqa Djān hadde en tre timer lang togreise foran seg.

I stasjonshallen sto det passasjerer og folk som ventet på noen. Hundrevis av menn med hatt, kvinner med lange jakker og påfallende mange kvinner uten chador.

Landets utseende hadde endret karakter, det så han stadig klarere når han tok toget. Menneskene fra sør var friere, helt annerledes enn menneskene fra Sandjān. Man kunne møte kvinner på toget som ikke engang brukte hodetørkle, og som gikk rundt med bare armer. Kvinner med hatt, kvinner med veske, kvinner som lo, som røykte. Āqa Djān visste at alle disse forandringene hadde med sjahen å gjøre, amerikanernes lakei. Amerika var i ferd med å undergrave landets religion, og ingen var i stand til å stoppe det.

Stasjonsmesteren inviterte Āqa Djān inn på kontoret sitt og tilbød ham et glass nytrukket te. Da Āqa Djān skulle dra, fulgte han ham til en spesiell kupé forbeholdt viktige passasjerer.

Etter å ha reist i tre timer fikk de se kuppelen på den hellige Fātemes gravkammer.

Toget kjørte inn på stasjonen i Qom. Når man gikk av toget, var det som om man hadde kommet til en helt annen verden. Kvinnene var dekket til med svarte slør, og alle mennene hadde skjegg. Det var imamer overalt.

Āqa Djān steg ut. Fra høyttalerne på taket av moskeene lød muezzinenes opplesninger fra Koranen. Det var ingen portretter av sjahen der, i stedet hang det store kleder med tekster fra Koranen overalt. Sjahen ville aldri ha reist til denne byen. Og det fantes ingen amerikanske diplomater som torde passere gjennom her, verken i bil eller med tog.

Qom var shiamuslimenes vatikanstat, den helligste byen i landet, hvor den hellige Fāteme lå begravet. Den gylne kuppelen over gravkammeret hennes glitret som et smykke over byens sentrum.

Āqa Djān tok en drosje til ayatolla Almakkis moské. Klokken var akkurat tolv på dagen da han steg ut av drosjen foran moskeen.

Ayatollaen dukket opp med elevene sine, unge imamer som fulgte ham til bønnerommet. Āqa Djān bøyde hodet høflig da han så Almakki. Ayatollaen strakte ut hånden til ham, Āqa Djān trykket den, fulgte etter ham inn i bønnerommet og tok plass på første rad.

Da bønnestunden var over, knelte Āqa Djān ved siden av ayatollaen.

«Velkommen! Hva bringer deg hit?» spurte ayatollaen.

«For det første ville jeg se ditt velsignede ansikt, og for det andre fører Muhammed Galgal meg hit.»

«Han var min beste elev. Og han har min velsignelse,» sa ayatollaen.

«Da vet jeg tilstrekkelig,» sa Āqa Djān, kysset ham på skulderen og reiste seg.

«Men ...» sa ayatollaen.

Āqa Djān satte seg igjen.

«Han går alltid sine egne veier.»

«Hva vil ayatollaen si med dette?» spurte Āqa Djān.

«Tja, at han ikke uten videre følger flokken.»

«Jeg skjønner,» sa Āqa Djān.

«Et velsignet ekteskap og god reise tilbake,» sa ayatollaen og rakte hånden ut til Āqa Djān.

Āqa Djān var lettet over det ayatollaen hadde sagt om Galgal, han hadde gått god for ham. Men dypt i sitt hjerte var han fremdeles urolig.

Da han kom hjem, kalte han Shahbal til arbeidsværelset sitt.

«Shahbal, kan du hente Sediq?»

Da Sediq hørte at Āqa Djān ønsket å snakke med henne, visste hun straks at det var viktig.

«Sett deg. Går det bra med deg?» spurte Āqa Djān.

«Ja, alt er bra.»

«Hør her, min datter. Noen har bedt om din hånd.»

Sediqs ansikt fikk farge. Hun senket haken ned på brystet.

«Han er imam.»

Hun så på Shahbal. Han smilte og sa: «En utmerket ung imam.»

Sediq smilte.

«Jeg har vært i Qom og snakket med ayatollaen hans. Han hadde bare godt å si om ham. Broren din har også gått god for ham. Hva tenker du? Vil du gifte deg med en imam?»

Hun sa ingenting.

«Man kan ikke tie i forbindelse med et frieri,» sa Āqa Djān, «gi meg et svar.»

«Han er en flott imam. Han bruker en moderne imamdrakt

41

og har velpussede lysebrune sko. Det er ingenting å utsette på utseendet hans,» sa Shahbal med et smil.

Āqa Djān lot som om han ikke hadde hørt Shahbals kommentar, men Sediq hørte det og smilte igjen.

«Hva svarer du? Skal vi innlede en samtale med familien hans?»

«La oss gjøre det,» sa hun stille etter å ha vært taus en lang stund.

«Jeg må si litt mer,» sa Āqa Djān, «han er helt annerledes enn faren din. Han er en elev av ayatolla Almakki. Sier det navnet deg noe?»

Sediq kikket bort på Shahbal.

«Han er ingen landsbyimam,» sa Shahbal.

«Det kan bli et hektisk og kanskje vanskelig liv for deg,» sa Āqa Djān. «Tror du at du kan leve slik?»

Hun tenkte seg om og sa: «Hva tror du?»

«På den ene siden er det en ære å få leve et slikt liv. På den andre siden kan det være et helvete hvis du ikke liker det,» sa Āqa Djān.

«Kan jeg snakke med ham først?»

«Selvfølgelig!» sa Āqa Djān.

En uke senere fulgte Shahbal imam Galgal til gjesteværelset hvor det sto en fruktskål og nytrukket te.

Så hentet han Sediq og presenterte henne for Galgal.

Hun hilste på ham og ble stående ved siden av veggspeilet. Han spurte henne om hun ikke ville sitte. Hun løsnet på chadoren, så det var lettere å se ansiktet hennes.

Shahbal lot dem være alene og lukket døren forsiktig etter seg.

Bestemødrene sto ved bassenget og holdt øye med alt sammen. Faqri Sādāt, kona til Āqa Djān, hadde sett Galgal fra vinduet i tredje etasje. Zinat Khānom, As-sāberis kone, satt på sitt eget værelse og ba om et godt ekteskap for datteren. Mer kunne hun ikke gjøre, for ingen spurte noensinne om hennes mening. Hennes vurdering telte ikke. Faqri Sādāt var den som tok avgjørelsene i huset.

Døtrene til Āqa Djān sto og gjemte seg bak gardinene, for å kunne beundre Galgal når han om litt forlot gjesteværelset.

Møtet mellom Galgal og husets kommende brud varte en knapp time, så gikk døren til gjesteværelset opp og Sediq kom ut. Hun så lykkelig ut, hun kikket bort på bestemødrene og gikk opp i andre etasje.

Shahbal ga Galgal en omvisning på gårdsplassen.

«Dette er husets bestemødre.»

Faqri Sādāt kom ned.

«Āqa Djāns kone, dronningen i huset,» sa Shahbal med et smil.

Galgal hilste uten å se på henne. Jentene hilste på Galgal én etter én. Da han hadde møtt alle sammen, tok Shahbal ham med til basaren, så Āqa Djān kunne prate med ham.

Et par dager senere mottok Āqa Djān imam Galgal og hans far hjemme på arbeidsværelset, også As-sāberi var til stede. Samtalen artet seg annerledes enn de tradisjonelle bryllupssamtalene, gull og penger ble ikke nevnt med ett ord. Bruden skulle gi brudgommen et gullinnbundet eksemplar av Koranen og forlate sin fars hus med en hvit chador og en diktsamling av middelalderdikteren Hafiz. Men alle visste at byens rike familier ikke ville sende datteren sin med tomme hender inn i hennes nye hus. De ville med den største selvfølgelighet gi henne alt hun trengte. Ellers dreide samtalen seg om moskeen, biblioteket, bøkene, de gamle kjellerne, den blinde muezzinen og selvfølgelig om husets gamle sedertre, og endelig satte man en dato for bryllupet.

«Mobārak en shā Allāh,» sa mennene og tok hverandre i hånden.

Etter dette kom Sediq inn i rommet med et sølvfat med fem sølvkopper med te.

Bryllupet skulle feires på fødselsdagen til den hellige Fāteme. Det var en av de vakreste dagene i året, det ville være mildt i været, og vinden fra fjellene ville sørge for behagelig avkjøling. Det var så man fikk lyst til å ta bruden i armene og krype under en tynn sommerdyne. På denne tiden sov nesten alle på taket. Da sto det hvite gjennomsiktige sovetelt overalt. I disse teltene sov brudene og brudgommene sammen.

43

Det skulle holdes en passende fest hvor de viktigste familiene fra byen og fra basaren ble invitert. For dette var ikke et hvilket som helst giftermål, det var datteren til imam As-sāberi som skulle gifte seg. Og brudgommen var ikke en hvilken som helst lærer eller fullmektig. Han var ikke engang en kjøpmann, men en imam med en mørk turban, fra Qom.

ARUSI

Arusi-dagen, bryllupsdagen, opprant.

Zinat Khānom tilkalte datteren sin, lukket døren, kysset henne og spurte: «Er du glad for at du skal gifte deg med Galgal?»

«Jeg vet ikke ...»

«Du må være glad, han er en pen mann, og faren din sier at han er svært ambisiøs.»

«Nettopp derfor er jeg engstelig.»

«Jeg var også redd da jeg skulle gifte meg med faren din, alle jenter er redde når de må dra av gårde med en ukjent mann, men så snart dere er sammen, forsvinner den angsten. Før eller siden må alle jenter gifte seg og forlate farens hus.»

Zinat Khānom trøstet datteren med beroligende ord, men dypt i sitt hjerte hadde også hun sin tvil. Hun visste ikke hvorfor. Plutselig dukket det opp vonde minner fra fortiden. Men det lot hun ikke Sediq merke.

«Jeg kan fremdeles ikke tro det,» sa hun til henne.

«Hva kan du ikke tro?»

«At du er blitt så stor, at du skal gifte deg og snart dra din vei.»

«Hvorfor høres du så trist ut?»

Tårene presset seg frem i Zinats øyne.

«Til lykke,» sa hun og kysset datteren.

Fra det øyeblikket Sediq ble født hadde Zinat vært redd for å miste henne. Redd for å finne henne død et sted, i sengen, i hagen, i bassenget.

Sediqs barndom hadde vært svarte år for Zinat. Angsten

hadde ikke latt henne i fred et øyeblikk. Hun hadde ikke tort legge seg om kvelden av redsel for de grusomme marerittene.

Zinat Khānom var kusinen til imam As-saberi, og hun hadde bare vært seksten da hun giftet seg med ham. Først fikk de en liten datter, Ozra. Hun var fem år eldre enn Sediq og atten år da hun giftet seg med en mann fra Zinats familie. Nå hadde hun tre barn og bodde sammen med mannen i Kāshān.

Deretter fikk Zinat en sønn, Abbās. Gutten blir betraktet som familiens håp, han skal ta over etter As-sāberi i moskeen. Men en varm sommerdag skjer det noe forferdelig da hun er hjemme alene med ham.

Barnet har akkurat lært seg å gå og følger etter husets katter, ustøtt, men full av glede. På et tidspunkt går Zinat til værelset sitt i andre etasje og glemmer barnet. Først da hun hører stillheten, kikker hun ut av vinduet. Hun kan ikke se Abbās noe sted. Hun stormer ned trappen og får øye på kattene ved bassenget. I vannet driver kroppen til sønnen hennes. Skrikende forsøker hun å trekke barnet opp fra vannet. Et par menn som har hørt Zinat skrike, dukker opp på taket av moskeen og kommer henne til unnsetning. De forsøker å gjenopplive barnet, men til ingen nytte. Zinat skriker. De tar tak i barnets føtter og holder ham opp ned i luften, men heller ikke det fungerer. Zinat skriker. De tenner et bål og holder barnet over de varme flammene. Men det er for sent. Zinat skriker. Mennene legger barnet ned på bakken og trekker Zinats chador over ham. Abbās, husets håp, er død.

Ingen holdt Zinat ansvarlig for det som hadde skjedd. Men hun trakk seg forskrekket tilbake på værelset sitt.

Āqa Djān gikk til henne og snakket med henne: «Zinat, jeg aksepterer Guds vilje. Det må du også gjøre.»

Deretter ble det ikke snakket om Abbās i huset. I månedsvis gråt de stille, men ingen snakket om ham. Zinat så stillheten som en straff, en grusom straff.

Ett år senere ble hun gravid med Sediq. Hun kom ut av værelset og hjalp bestemødrene på kjøkkenet. Først to år senere, etter at Ahmad ble født, rettet Zinat ryggen og vendte tilbake til det normale livet.

Om det hadde med ulykken å gjøre eller ei, Zinat fant seg aldri mer til rette i huset. Hun levde i skyggen av Faqri Sādāt. Hun følte seg som en annenrangs kvinne.

Hvis noe slikt hadde skjedd med Faqri Sādāt, ville Āqa Djān stått ved hennes side, og han ville ha gjort alt som sto i hans makt, for å døyve hennes smerte.

Men As-sāberi var svak. Han hadde aldri klandret Zinat, men han hadde heller aldri støttet henne i de vanskelige årene. Han hadde aldri omfavnet henne eller snakket til henne med kjærlige ord. Og hvis mannen din ignorerer deg, vil andre også ignorere deg. Hvis ikke engang din egen mann regner med deg, vil heller ingen andre regne med deg. Akkurat som nå. Datteren hennes skulle gifte seg, og ingen hadde bedt om hennes godkjenning.

«Det gjør ingenting,» sa Zinat til speilbildet sitt og tørket tårene, «min tid kommer.»

Det var travelt i huset. På gårdsplassen hadde man hengt opp et sidt forheng, det samme forhenget man vanligvis brukte for å skille kvinnene fra mennene under bønnen i moskeen.

Det var blitt rullet ut dyre tepper, og mennene i moskeen hadde dekket husets vegger med kleder med muntre hellige tekster.

På greinene i treet hang det grønn sateng med poesi av mestrene. Man hadde leid inn den mest kjente sangeren av hellige tekster fra Qom. Når han sang en rytmisk sure fra Koranen, gjorde det et uutslettelig inntrykk på folk.

Āqa Djān hadde på seg sin nye dress og hadde vært hos frisøren. Han likte nye, rene klær, og takket være Faqri Sādāt var han en av de få kjøpmennene i basaren med et velpleid ytre. Assistenten sørget for at skoene alltid var pusset, og bestemødrene strøk skjortene hans. Faqri Sādāt ertet ham iblant: «Du er den peneste mannen i byen. Når du har barbert deg og har på deg hatt, er det ingen som tror at du kan Koranen utenat!»

*

Imamen satt fremdeles i biblioteket. Snart, når alle hadde kommet, skulle han vise seg, og så skulle han vende tilbake til bøkene. Festen hadde begynt, familiene og de fremtredende mennene fra byen kom strømmende inn. Mennene gikk til høyre på gårdsplassen, hvor det gamle sedertreet sto, og satte seg i stolene ved bassenget. Kvinnene gikk lenger, de forsvant bak det store forhenget og slo seg ned i den vakre, velduftende hagen som Am Ramazān, husets gartner, holdt i stand. Ingen hadde tatt med seg barn, noe som var helt uvanlig. Barna pleide å være de første som kom, men altså ikke ved denne unike anledningen. Gjestene ble tatt imot med te og de deiligste delikatesser fra bakeren. Både mennene og kvinnene fikk skvettet roseduft i hendene.

Alle var nysgjerrige på Galgal, spesielt kvinnene.

Det stoppet en bil foran døren, og borgermesteren steg ut. Āqa Djān ønsket ham velkommen. Mennene reiste seg da han kom inn og tok plass ved bassenget.

Enda en bil stoppet foran døren, og alle visste at det var brudgommen. Āqa Djān tok imot Galgal og førte ham bort til borgermesteren.

Borgermesteren reiste seg for å gratulere Galgal, men den unge imamen lot som om han ikke så eller kjente borgermesteren. For ham var borgermesteren sjahens lakei, og han ville aldri finne på å sette seg ned sammen med ham, langt mindre håndhilse på ham. Borgermesteren satte seg igjen, og det ble ikke sagt noe mer. Āqa Djān hadde snakket med noen andre og hadde ikke sett det som utspilte seg mellom Galgal og borgermesteren.

Da klokken nærmet seg tre, kom byfogden med to skjeggete assistenter. Begge hadde en stor registreringsbok under armen og satte seg ned ved bordet hvor ekteskapskontrakten skulle undertegnes.

De slo straks opp i bøkene sine og åpnet seremonien offisielt. Akkurat da brøt larmen løs på den andre siden av forhenget, kvinnene ropte: «Salām bar Fāteme, salām bar Fāteme!»

Alle skjønte at bruden hadde ankommet, og at hun hadde satt seg ved bordet der byfogdens menn var i full gang med å skrive.

Bruden var vakrere enn noen gang. Hun hadde på seg en melkefarget kjole og bar en lysegrønn chador med rosa blomster. Hun hadde tatt på seg litt maskara, og man kunne se at øyenbrynene var nappet. På den måten så hun mer ut som en ung kvinne enn en jente.

Byfogden ba om brudens fødselsattest. Āqa Djān trakk frem et par papirer fra innerlommen og ga dem til ham. Mannen noterte alt tålmodig i den store boka og ba så om brudgommens fødselsattest.

Galgal lette i lommene sine, men fant ingenting, han snakket dempet med sin far. Så lette han i vesken. Alle så på ham og ventet på papirene, men han hadde ikke med seg noen papirer.

«Jeg har glemt dem,» sa Galgal.

Bak forhenget, hos kvinnene, brøt larmen løs igjen.

Dette var en uvanlig hendelse.

Byfogden tenkte seg om og sa: «Har du kanskje noe annet med deg som kan fungere som legitimasjon?»

Galgal lette gjennom lommene sine på nytt og snakket dempet med faren. Nei, han hadde ikke noen form for legitimasjon med seg.

Igjen ble det urolig på begge sider av forhenget. Āqa Djān så på borgermesteren og leste vantro i øynene hans. Han betraktet et par fremtredende menn fra basaren, nei, ingen likte dette. Hvordan hadde Galgal tenkt å gifte seg uten å ha med seg de nødvendige papirene? Alle ventet på Āqa Djāns reaksjon. Han var redd for at Galgal ikke hadde tatt med seg papirene med overlegg. Kanskje han ville tvinge familien til å gifte bort datteren sin uten offisiell registrering. Dette var noe som kanskje var vanligere på landet. Da leste landsbyimamen opp bryllupssuren, bruden sa ja, brudgommen sa ja, og så fikk mannen tilgang til kvinnens seng. Ved et slikt giftermål var mannen fri til å ta seg enda et par koner. Men slike giftermål fant ikke lenger sted i byene, og i hvert fall ikke i en fornem familie som Āqa Djāns.

«Kanskje du har lagt igjen papirene hjemme hos faren din,» sa Āqa Djān til Galgal.

«Nei, jeg tror ikke det. De ligger i Qom.»

Āqa Djān satte seg hos borgermesteren og snakket med ham.

«Du har rett,» sa borgermesteren, «du bør ikke gjøre det!»

Āqa Djān gikk bort til As-sāberi, som akkurat hadde kommet ut fra biblioteket, og som nå sto sammen med moskeens oppsynsmann ved siden av sedertreet.

«Vi kan ikke gjøre det nå,» sa Āqa Djān, «han må dra og hente papirene sine først.»

«Da må han reise til Qom, og da er han ikke tilbake før ved midnatt. Kanskje vi burde lese opp bryllupssuren først? Så kan han reise til Qom og hente papirene etterpå.»

«Nei, for så snart vi har lest opp suren, er det over. Da har han datteren vår, da står vi maktesløse. Hvis han tar henne med seg, står vi igjen med tomme hender. Det burde du vite bedre enn meg.»

«Du har rett. La ham hente papirene,» svarte As-sāberi og vendte tilbake til biblioteket.

Āqa Djān gikk bort til byfogden og sa: «Uten gyldige papirer kan vi ikke gjennomføre noe bryllup!»

Alle snakket i munnen på hverandre.

Āqa Djān snudde seg mot Galgal og sa behersket: «Jeg venter. Vi venter. Du kan dra til Qom og hente papirene dine.»

Galgal hadde ikke ventet en slik reaksjon.

«Men det er umulig! Det går ikke noe tog til Qom nå. Og jeg stoler ikke på bussene.»

«Jeg skal ta meg av det,» sa Āqa Djān.

Han gikk bort til borgermesteren og snakket med ham igjen. Borgermesteren nikket et par ganger bifallende.

«Det er ordnet,» sa Āqa Djān, «det kommer snart en jeep og henter deg. Borgermesterens sjåfør kjører deg til Qom. Jeg er tålmodig, men du bør skynde deg.»

Galgal visste ikke hva han skulle si. Han reiste seg og gikk sint bort til døren for å vente på jeepen. Et øyeblikk mente Āqa Djān at han hadde sett noe ondt i øynene hans, som om masken plutselig falt og hans sanne ansikt viste seg.

Det var ikke meningen at gjestene skulle bli til middag. Men Āqa Djān henvendte seg til de tilstedeværende og sa: «Beklager.

Slikt kan skje. Dere er herved hjertelig velkommen til middag.»
Og han sendte Shahbal til restauranten i nærheten av moskeen
for å be dem lage middag til dem.

Faqri Sādat ba Āqa Djān komme til værelset hennes, hun
ville snakke med ham: «Synes du ikke at du har opptrådt for
strengt?»

«Jeg burde kanskje ikke si det, men jeg stoler ikke på ham.»

«Allerede?»

«Han er ingen vanlig imam, han er skarp, jeg hadde ikke
ventet at han skulle dukke opp uten papirer. Han har en plan,
men hva den går ut på, vet jeg ikke.»

«Dere menn snakker alltid om en plan, hvilken plan?»

«Nå er avgjørelsen tatt, og han er på vei til Qom. Vi må være
tålmodige.»

«Slik er det alltid, mennene bestemmer og kvinnene må være
tålmodige.»

«Det er ikke sant. Jeg har ikke tenkt bare å gi bort en av
husets døtre. Jeg trodde i det minste at du ville skjønne det.»

«Jeg skjønner det, men hva skal jeg si til kvinnene?» sa hun
uten å se på ham.

«Du vet hva du skal si til kvinnene. Ta imot dem, spis med
dem, smil, vis dem at du hever deg over dette, og vær tålmo-
dig.»

Klokken halv elleve var det fremdeles ikke tegn til Galgal. Gjes-
tene var ferdig med middagen. Tjenerne gikk rundt med nytruk-
ket te for ørtende gang. Vannpipene gikk fra hånd til hånd.
Borgermesteren, som hadde vært borte et par timer, hadde kom-
met tilbake. Mennene fra basaren gikk en tur langs elven etter
maten. De hadde vært forståelsesfulle overfor Āqa Djān: De
ville ha gjort akkurat det samme selv.

Shahbal sto på taket av moskeen og holdt et øye med veien.
Da han endelig så bilen komme, ga han Āqa Djān et signal.
Litt senere stoppet jeepen foran døren.

Galgal steg ut, gikk rett bort til byfogden og la papirene
demonstrativt ned på bordet foran ham.

Noen ropte: «Salavāt bar Muhammed ...»

Alle ropte: «Salavāt bar Muhammed!»

Āqa Djān smilte. Mennene fra basaren vendte tilbake fra sin vandring. Sangeren sang høyt:

«Ved natten når den dekker til!
Ved dagen når den stråler opp!
Ved solen og dens formiddagsglød!
Ved månen, når den følger den!
Ved dagen, når den lar den lyse!
Ved himmelen, og Han som bygget den!
Ved jorden, og Han som bredte den ut!
Ved mennesket, og Han som formet det!»

Māhihā

Galgal hadde tatt med seg sin brud til Qom, men ingen visste hvor de bodde. Familien hadde ikke ventet at han skulle holde adressen hemmelig for dem, men det ble ikke snakket mer om det.

«Det gjør ingenting,» sa Āqa Djān, «døren til vårt hus står alltid åpen for dem.»

Galgal hadde avsluttet imamopplæringen, men han hadde fremdeles ingen moské. Når man var fast imam for en moské, kunne man leve selvstendig, ellers var man avhengig av det beskjedne bidraget man fikk fra ayatollaen sin.

Āqa Djān ville gjerne støtte ham økonomisk, men Galgal nektet å ta imot. Likevel hjalp han ham, benyttet seg av sitt brede kontaktnett og visste alltid å finne en moské til Galgal hvor han kunne vikariere.

Sediq kom av og til hjem, men Galgal hadde forbudt henne å fortelle dem hvor de bodde. Noen ganger klaget hun til moren over det nye huset sitt, over størrelsen på det, og over den kjølige stemningen, og at hun fremdeles ikke hadde greid å opprette kontakt med naboene.

«Alt er så annerledes i Qom,» sa hun til moren, «alle bor i sitt eget hus med sin egen familie, og dørene er lukket og gardinene er trukket for.»

«Slikt hører nå engang til et nytt liv, spesielt om man flytter til en fremmed by, og i alle fall en så troende by som Qom. Galgal er ung, han har akkurat avsluttet opplæringen og er fortsatt ikke tilknyttet noen moské.»

«Jeg skjønner det, men Galgal er helt annerledes enn alle andre menn jeg kjenner. Han er annerledes enn far, annerledes

53

enn Āqa Djān og annerledes enn onkel Nosrat. Jeg vet ikke hvordan jeg skal nærme meg ham, det er vanskelig å føre en ordentlig samtale med ham. Det blir ofte stille når han kommer hjem, og det gjør meg redd. Han sier ingenting, og jeg aner ikke hva jeg skal si til ham.»

«Du må ikke sammenligne livet i dette huset med livet i ditt eget hus. Dette huset er gammelt, det har funnet sin faste rytme i løpet av århundrene. Ditt hus er huset til en ung, historieløs imam. Du må skape ditt eget hjem, bringe varme inn i det, søke kontakt med naboene og vise kjærlighet og interesse for din mann.»

«Det er lettere sagt enn gjort, mor. Ja, jeg kan gi ham kjærlighet, men ønsker han den?»

«Hvorfor skulle han ikke ønske den?»

«Jeg vet ikke!»

Når Sediq kom hjem, ble hun alltid tatt imot med kjærlighet. Alle kjøpte klær og sko til henne, stakk til henne penger og sendte henne tilbake til Qom med fulle vesker.

Hver gang Galgal reiste til en annen by for å vikariere, sendte han Sediq hjem til foreldrene, og når han vendte tilbake, kom han og hentet henne. Noen ganger dro de samme dag, andre ganger ble de en ukes tid. Da overnattet de i kuppelværelset.

Kuppelværelset hadde en liten balkong med tregelender. Fra balkongen kunne man beundre kuppelens skygge på veggen tvers overfor. Det var denne veggen maurene en gang hadde kommet flokkende frem fra.

Da huset ble bygd, åtte hundre år tidligere, hadde arkitekten utformet dette værelset spesielt med tanke på moskeens imam. Her lekte solen alltid så vakkert med skyggene, helt til mørket falt på. Først falt bare skyggen fra kuppelen over veggen, litt senere dukket minaretenes silhuett opp, deretter forsvant kuppelen og bare minaretene sto igjen. I det fargerike kveldslyset kunne skyggen av en due, den gamle kråka eller kattene dukke opp på veggen.

*

54

Når det nærmet seg kvelden, flokket moskeens katter seg sammen på balkongen og studerte flaggermusene som fløy støyende over bassenget.

Var været pent, kunne man rulle ut et teppe på balkongen, kanskje legge ut et par puter, og så kunne man sitte der og lese eller drikke te. Gjestene som bodde i kuppelværelset hadde stor frihet. For Galgal var det derfor det ideelle stedet når han kom på besøk. Her kunne han være inne hele dagen. Bestemødrene ga ham mat, men ut over det var han uforstyrret.

Galgal kom bare overens med Shahbal. Han spurte ham ofte om de skulle spise middag sammen. Shahbal hadde alltid funnet ham interessant. Han hadde møtt mange imamer, men Galgal hadde noe de andre imamene ikke hadde. Han hadde nye tanker og snakket om spennende ting. Shahbal lyttet og diskuterte gjerne med ham.

Galgal hadde god oversikt. Han snakket om Amerika som om det var hans egen baklomme, og beskrev hvordan amerikanerne hadde tatt kontroll over landet deres og hvordan de fjernstyrte det. Han fortalte om hvordan amerikanerne hadde kommet til landet: «Sånn skjedde det: Amerika var i ferd med å bli en supermakt og ville benytte våre landområder som militærbase overfor Sovjetunionen. Men Mossadek, den folkevalgte, var en liberal mann og en nasjonalistisk statsminister, og ville ikke gi amerikanerne det de ba om. Amerikanerne hadde ingen tid å miste, de fryktet at Sovjetunionen ville invitere Mossadek til Moskva og forsterke de antiamerikanske holdningene hans. CIA bestemte seg derfor for å utføre et statskupp, og sjahen ga sin velsignelse. Det ble besluttet at man skulle snikmyrde Mossadek. Dette kom imidlertid Sovjetunionen for øre, og de informerte Mossadek. Mossadek arresterte de amerikanskvennlige offiserene som var satt til å utføre kuppet, og okkuperte sjahens palass. CIA-agentene rakk så vidt å redde sjahen ut av palasset med helikopter. Deretter ble han fraktet til Amerika med jagerfly.»

«Interessant. Jeg visste ikke noe om dette,» sa Shahbal.

«De skriver ikke om slikt i lærebøkene. De serverer dere en falsk historie,» sa Galgal.

«Hva skjedde videre?»

«Amerika trengte Iran for å bli en verdensmakt. Iran var strategisk plassert i Midtøsten og hadde en 2000 kilometer lang grense mot Sovjetunionen. Derfor planla de nok et statskupp. CIA tok kontakt med generaler i den iranske hæren, og to dager senere, da alle trodde at faren var over, ble Mossadek arrestert. Det sto amerikanske stridsvogner ved alle viktige veikryss i Teheran. Parlamentet ble okkupert, og så sendte de hundre banditter og horer ut på gatene med portretter av sjahen.

Neste dag vendte sjahen tilbake til palasset, omgitt av CIA-agenter. Sjahen er en marionettfigur som må fjernes, og med ham amerikanerne.»

Shahbal fikk gåsehud av de strenge, følelsesladde appellene til Galgal.

Forrige gang de hadde spist sammen på balkongen, hadde Galgal fortalt om ayatollaenes kraftige motstand mot regimet, og om ayatolla Khomeinis historiske opprør mot sjahen og amerikanerne. Den dagen hadde mange unge imamer blitt drept og enda flere arrestert. Khomeini var blitt tvunget i landflyktighet.

Shahbal hadde hørt navnet «Khomeini» nevnt i huset, men han visste nesten ingenting om ham. Han måtte ha vært syv, åtte år da disse hendelsene fant sted. Galgal lovet å ta med en illegal bok som beskrev ayatollaens seneste motstandshistorie.

Den kvelden sa Galgal noe som fikk Shahbal til å se det hele i et nytt lys: «Ingen frykter fengselet lenger. Fengselet er blitt et slags universitet, spesielt for de unge aktivistene.»

Det var en helt ny vinkling. Shahbal hadde alltid sett på fengselet som et sted for forbrytere.

«Politiske fanger er helt annerledes enn vanlige fanger,» sa Galgal. «Dette er folk som kjemper mot regimet, folk som skammer seg over CIAs tilstedeværelse i dette landet. Det er de mest intelligente menneskene, de som vil ta fedrelandets skjebne i egne hender, de som ønsker en radikal endring av det politiske systemet. Det er derfor regimet arresterer dem og holder dem fanget på et adskilt sted. Men de har kontakt seg imellom. Ti, eller kanskje tjue, blir satt på samme celle. I fengselet sitter all slags folk: Studenter, kunstnere, imamer, politikere, ledere, lærere og folk med nye ideer. De snakker og diskuterer med hverandre. På den måten blir fengselet et universitet, et sted man kan lære mye nytt. For hva tror du skjer når man setter så mange smarte mennesker på samme celle? De utveksler erfaringer, de lytter til hverandre, og slik trekkes man med. Det hender at folk går inn som lam og kommer ut som løver. Jeg vet om mange som sitter inne: venner, unge imamer, medlemmer av både venstre- og høyreorienterte undergrunnsbevegelser. Har du noen gang hørt om dem?»

«Nei.»

«Hva gjør du?»

«Hva mener du?»

«I dette huset, i denne byen?»

«Ikke noe spesielt. Jeg går på skole og i moskeen.»

Galgal ristet på hodet og sa: «Jeg visste det, det blir ikke noe av denne byen. Det er en svak by. Mens landet blir stadig mer sjah-orientert, sover Sandjān sin søteste søvn. Hva kan man forvente seg av en by med en så slapp imam i Djomè-moskeen. Hva driver As-sāberi med i biblioteket sitt hele dagen? Ingenting! Han lar bare ballene sine vaske. Det er synd og skam for den store, vakre, historiske moskeen. Det er en moské med en strålende historie, det er på tide at det kommer en engasjert taler. Skjønner du hva jeg mener?»

Shahbal nøt Galgals ord. Han syntes han virket så stor at han selv ble liten i forhold. Han ville spørre om alt mulig, men torde ikke, var redd for å si noe dumt.

Han sa nesten ikke et ord den kvelden, men da han skulle til å gå tilbake til sitt eget værelse, sa han plutselig: «Jeg vil vise deg noe.»

«Hva da?»

«Historiene mine. Jeg skriver,» sa han nølende.

«Så interessant! La meg få se. Har du dem med deg? Les noe for meg.»

«Jeg vet ikke om de er noe særlig.»

«Det kan ikke jeg heller uttale meg om, men det er uansett bra at du skriver. Hent verket ditt!»

57

Shahbal gikk av gårde og kom straks tilbake med tre kladde-bøker, som han forlegent ga til Galgal.

«Du har skrevet mye, ser jeg,» sa Galgal forbløffet og bladde gjennom tekstene. «Jeg skjønte med én gang at du er en oppvakt gutt. Velg en av historiene dine, og les den høyt for meg.»

«Jeg har aldri vist dem til noen før,» sa Shahbal mens han bladde i tekstene. Da han hadde funnet frem til riktig side, sa han: «Jeg tør ikke, men jeg skal gjøre mitt beste.» Og så begynte han å lese: «Tidlig om morgenen, da jeg gikk til bassenget for å vaske hendene før bønnen, så jeg at lyset for første gang ikke var tent inne på fars værelse. Far pleide alltid å være våken og gå til bassenget før meg, men denne morgenen var alt anner-ledes. Fiskene, som pleide å pile rundt i vannet når de fikk øye på meg, lå helt stille med halefinnen mot meg. Det drev fargede skjell på overflaten. Og det var blod på en av steinene ved bas-senget. Jeg skjønte at noe var galt, løp bort til fars rom, skjøv opp døren og slo på lyset ...»

«Veldig bra! Du trenger ikke å lese mer, jeg skal lese det selv. Du har talent. La tekstene ligge, jeg skal se nærmere på dem,» sa Galgal og reiste seg.

Han gikk ut på gårdsplassen og bort til bassenget, betraktet fiskene som sov i vannet i lyset fra lykten. Lyset var tent på bib-lioteket. Imamens skygge gled over gardinen. Han åpnet døren forsiktig og gikk ut, ned mot elven.

ABĀ

Det lå snø på gårdsplassen. Klokken var fem på ettermiddagen, det hadde begynt å mørkne, og det blåste en kjølig vind. Beste-mødrene bar som vanlig håndklær og rene klær inn på badet for å vaske As-sāberi før bønnen.

Selv om de hadde fyrt opp i ovnen om morgenen var det fremdeles kaldt på badet.

«Vi kan ikke fortsette med dette, det er ikke forsvarlig,» kla-get Golbānu. «Han må gå til byens bad, ellers blir han syk.»

Det var en spesiell kveld, til minne om natten den hellige Ali hadde dødd.

Ali var islams fjerde kalif. Han hadde stått og bedt i en moské med hundre troende bak seg, da Ebne Molgam hadde kommet inn og stilt seg opp bak ham. Ebne Molgam hadde bedt sam-men med Ali og ventet tålmodig til han var ferdig med bønnen før han trakk sverdet og rammet Ali hardt over hodet. Ali falt. Fra og med det øyeblikket hadde islam vært delt på midten: shiaene og sunniene.

Shiaene utropte Hassan, Alis eldste sønn, til å etterfølge ham. Sunniene hadde en annen kandidat. Shiaene gjorde opprør mot sunniene i de påfølgende århundrene. Ali hadde falt, men han var shiaenes store kjærlighet. Fjorten århundrer etter Alis død, sørget de fremdeles over ham. Det var som om han var blitt felt samme dag.

Denne kvelden kom moskeen til å være stappfull. As-sāberi hadde forberedt seg godt og skulle holde en lengre tale om Ali. Han hadde tenkt ut noe nytt: Etter fjorten århundrer med fiend-skap mellom shiaene og sunniene ville han i kveld snakke om forsoning.

«Det har vært nok fiendskap! Vi er brødre!» hadde han hele dagen øvet seg på å si i speilet. «Jeg rekker dere hånden. Jeg trykker deres hånd hjertelig av vennskap og for enhet i islam.»

Han hadde ikke snakket med Āqa Djān om talen sin, han ville overraske ham med denne appellen. Hvis han hadde tatt det opp med ham, ville Āqa Djān bare ha sagt: «Det er ingen vits. Det bor ingen sunnier i byen vår.»

Men om det bodde sunnier i byen eller ikke, og om de hørte ham eller ei, i kveld ville han si noe nytt, noe ingen annen imam noensinne hadde sagt.

Bestemødrene hadde satt de store kjelene med varmtvann på lav varme, og nå ventet de på As-sāberi.

Imamen var henfalt i tanker. Han kjente på vannet med hånden og steg forsiktig oppi karet. Han holdt seg fast i kanten med begge hender og forsvant et øyeblikk under vann. Da han kom opp igjen, ropte han: «Sunnier, jeg trykker deres hånd! Vi er brødre! Brødre! Kaldt! Å, så kaldt det er!»

En av bestemødrene helte varmtvann over hodet hans mens den andre begynte å gni ham inn med såpe. I mellomtiden øvet As-sāberi på talen sin, skjelvende av kulde: «Islam står i fare! Vi må legge gammelt uvennskap bak oss og kjempe videre, skulder ved skulder, mot en felles fiende! Kaldt!»

Han var fremdeles usikker på om han burde endre de siste ordene i talen til *«vår* felles fiende!»

Det var en tvetydig setning, for hva mente han med «vår felles fiende»? Sjahen? Amerikanerne? Hvis han torde si dette, ville det bli hans mest glødende appell noen gang, men han var i tvil.

«Ferdig!» sa en av bestemødrene.

Han reiste seg og plasserte høyre fot på håndkleet på gulvet, men fordi han ikke holdt seg fast i kanten av badekaret, skled han plutselig på gulvet, mens venstre bein fremdeles befant seg i karet.

«Død!» ropte han forskrekket.

Bestemødrene ble helt fra seg. De hjalp ham opp og forsøkte å løfte ham tilbake i karet. Nå som han hadde falt på gulvet, var han igjen uren. Akkurat da dukket en av moskeens katter opp fra bak ovnen. Katten, skremt av As-sāberis høye skrik, plumpet oppi badekaret og strøk langs imamens nakne bein før den bykset opp og ut av rommet. Nå hadde en katt berørt imamens våte, nakne bein. Bare tanken! Kan hende var det mus i området. As-sāberi begynte å skjelve. Hele badet var urent, vannet var urent, håndklærne var urene, bestemødrene var urene, og alt dette på den kvelden den hellige Ali hadde dødd. Den kvelden han skulle holde sin originale tale. Hva skulle han gjøre? Hvor kunne han rense seg for bønnen som nærmet seg? Folk ventet allerede på ham i moskeen.

«Allah!» ropte han med klump i halsen, og løp naken ut i mørket, mot bassenget.

«Nei, ikke gjør det!» hylte Golbānu. «Det har snødd ute. Ikke gjør det!»

As-sāberi lot seg falle oppi bassenget og forsvant under vann.

I lyset fra lykten kunne man se de røde fiskene pile til den andre siden av bassenget, kråka kraet høyt, og bestemødrene skyndte seg ned i kjelleren og kom tilbake med nye, rene håndklær.

«Nå får det være nok!» ropte Golebeh.

«Kom opp derfra, er du snill!» utfylte Golbānu.

As-sāberi kom opp til overflaten og forsvant så under vann igjen.

«Kom opp øyeblikkelig!»

As-sāberi greide å reise seg opp.

Han mistet balansen et øyeblikk, men hentet seg inn igjen og kom bort til bestemødrene. De la håndklærne om ham. Så gikk Golbānu i forveien inn i biblioteket for å skru opp ovnen, Golebeh forsvant ned i kjelleren for å hente flere håndklær.

Snart var ovnen glovarm, og de ekstra håndklærne var varmet opp, men hvor ble det av As-sāberi?

«Kanskje han har gått til soverommet?»

«As-sāberi!» ropte Golbānu.

«Forbarm Deg over ham! God Gud, hvor er det blitt av ham? As-sāberi!»

De røde fiskene hadde stimlet sammen i bassenget, kråka kraet uopphørlig, og moskeens katter hadde samlet seg ytterst på taket. Bestemødrene gikk bort til bassenget. As-sāberi lå rett ut i snøen, og det gule lyset fra lykten skinte på ansiktet hans. Øynene var lukket. Et smil hadde frosset fast i ansiktet hans.

«As-sāberi!» hylte bestemødrene.

Men det var ingen hjemme, alle var i moskeen. Bestemødrene løp opp trappen til moskeens tak. Kattene sprang sin vei. Da de kom til den venstre minareten, hvor Muezzin pleide å stå, ropte de av all kraft: «As-sāberi er gått bort!»

Folket i moskeen hørte stemmene deres. Muezzin kom opp på taket, fulgt av flere menn fra basaren. De skyndte seg ned trappen til bassenget. Da oppsynsmannen fikk øye på As-sāberi på bakken, ropte han: «Ennā lellāh!»

Alle skjønte at As-sāberi var død.

Mennene bar ham til biblioteket, og bestemødrene holdt opp med å gråte, for nå som døden var nærværende, visste de at de måtte beherske seg. De kjente sine plikter og forsvant bak bokhyllene. Der hentet de frem et hvitt laken fra et gammelt skap og ga det til oppsynsmannen. Dette var liksvøpet imamen en gang hadde tatt med til seg selv fra Mekka. Oppsynsmannen brettet det ut og trakk det over liket mens han nynnet.

Da kom Āqa Djān gående mot dem.

«Ennā lellāh!» sa mennene samtidig.

«Ennā lellāh,» sa Āqa Djān behersket.

Han knelte ved liket, brettet liksvøpet forsiktig til side og kikket på As-sāberis ansikt, han trykket et kyss mot pannen hans og trakk lakenet over ansiktet.

Plutselig sto Zinat i døråpningen, hvit i ansiktet. Hun falt gråtende ned ved siden av liket, med chador og alt.

Bestemødrene fikk henne på beina og tok henne med seg.

Fra gårdsplassen lød stemmer. Det var folk som hadde kommet fra moskeen.

Āqa Djān forlot biblioteket og gikk ut på gårdsplassen. Nyheten hadde straks spredt seg over hele byen. Noen menn sto klar med en kiste. De bar den bort til bassenget, la imamens lik i den og brakte ham til moskeen.

Syv menn gikk opp på taket og ropte i kor: «Hayye alassalāt!»

De som hørte dette, visste at moskeens imam var død. Bortsett fra bakeren og apotekeren stengte alle byens kjøpmenn døren og gikk til moskeen. Snart dukket det opp en lang kortesje av politibiler, og borgermesterens bil stoppet foran moskeen.

Det var en velsignet død, sa alle, for As-sāberi hadde dødd på samme dag som den hellige Ali.

Klokken ni om kvelden sto kisten på en forhøyning ved siden av moskeens basseng. Man hadde besluttet å la liket være der over natten slik at folk kunne ta farvel med ham. Dette ga dessuten slektningene som bodde i fjerntliggende byer, muligheten til å nå frem.

Āqa Djān vendte tilbake til huset. Nå måtte han skaffe en imam som kunne lede bønnen for den døde neste morgen. Egentlig burde Ahmad, As-sāberis sønn og utvalgte etterfølger, gjøre det, men han var ennå ikke ferdig med imamopplæringen. Den andre imamen som kunne komme på tale til oppgaven, var Galgal, imamens svigersønn. Men Āqa Djān hadde ikke telefonnummeret hans, han visste heller ikke hvor han bodde. Dessuten var det ikke sikkert at han ville rekke det i tide.

«Vi trenger ham allerede i morgen tidlig,» sa Āqa Djān til Shahbal.

«Og vi burde finne Sediq. Hun må få vite at faren hennes er død,» sa Shahbal.

«Jeg skal gjøre mitt ytterste. Jeg skal ringe ayatolla Almakki i Qom. For Galgal er dette en unik mulighet til å vise seg fra sin beste side. Hele byen vil være til stede og ønske å bli kjent med ham. Jeg skal ringe alle bekjente i Qom.»

Neste morgen gikk Āqa Djān til moskeen for å ordne med de siste detaljene. Snart ville det komme tusenvis av troende fra nabobyene; han trengte en markant imam. For sikkerhets skyld hadde han sendt beskjed til imamen i landsbyen Djirja og bedt ham forberede seg på bønnen. Han var As-sāberis faste vikar.

Āqa Djān sto og pratet med oppsynsmannen da det stoppet en drosje foran moskeen. Han gjenkjente Galgals svarte turban, og så fikk han øye på Sediq.

Galgal steg ut av drosjen og gikk bort til Āqa Djān, kondolerte ham og bøyde hodet et lite øyeblikk.

Āqa Djān oppfattet det som en forsoningsgest og en aksept av Āqa Djāns trofasthet overfor moskeen. Siden Galgal ikke hadde tatt med seg papirene til bryllupsseremonien, og siden Āqa Djān hadde sendt ham tilbake til Qom etter dem, hadde Galgal unnlatt å snakke med Āqa Djān. Nå hadde han bøyd hodet et øyeblikk. Āqa Djān hadde sett det og svarte derfor: «Jeg er stolt av deg, og jeg vil at du skal være moskeens imam til Ahmad er klar til å følge etter sin far. Er det en avtale?»

«Avtale,» sa Galgal.

Āqa Djān kysset ham på turbanen, og Galgal kysset Āqa Djān på skulderen.

«Dra til huset og hvil deg. Mennene fra basaren vil snart komme og hente deg. Shahbal gir deg beskjed når tiden er inne.»

Det var hektisk aktivitet i huset. Mange gjester hadde allerede ankommet. Bestemødrene var i full sving. Da de så imam Galgal tre inn i huset, skyndte de seg ut på kjøkkenet for å hente ild, røde epler og et speil. Slik hilste de ham velkommen som husets imam.

Klokken tolv ble det rullet ut tepper til bønnen i gaten foran moskeen. Kisten med As-sāberi ble båret ut og plassert på et silketeppe. Tusenvis av mennesker sto og ventet på Galgal. En gruppe fremtredende menn fra basaren fulgte Galgal bort til kisten. Herfra skulle han lede bønnen.

Den blinde muezzinen sto på taket av moskeen og ropte: «Allāho Akbar!»

Alle stilte seg bak Galgal.

Imam Galgal løsnet den ene enden av den svarte turbanen og lot den hvile på brystet som et tegn på sorg. Han vendte seg mot Mekka og nynnet:

«Du som ligger overdekket,
stå opp og våk om natten
– halvparten av den, eller trekk fra litt,

eller legg til litt.
Vi har sendt dere et sendebud,
Som Vi også sendte et sendebud til Farao.

Du som ligger innhyllet i din kappe,
stå opp og advar!
Ved månen
Ved dagen, når den lar den lyse!»

FAMILIE

Minnet om As-sāberi ble feiret i førti dager etter hans dødsdag, slik tradisjonen tilskrev. Slektningene som bodde langt unna og som ikke hadde rukket begravelsen, kom og var sammen med dem en uke. Denne typen samlinger var helt unik.

Det ble spist i fellesskap, og man satt og snakket med hverandre gruppevis i de ulike værelsene til langt på natt.

En av gjestene var Kāzem Khān, Āqa Djāns gamle onkel. Han var familiens eldste mann og ble behandlet med respekt og kjærlighet av alle.

Kāzem Khān kom aldri alene, men ble fulgt av en gruppe landsbyboere. Han tok heller aldri buss eller drosje. Tidligere hadde han kommet til hest, sammen med en gruppe ryttere. Nå som han var blitt gammel, ble han brakt til byen med jeep.

Kāzem Khān steg alltid ut foran moskeen, gikk inn, klappet støvet av klærne og vasket hendene og ansiktet. Deretter klatret han opp trappen til taket. Der ble han stående et øyeblikk. Så tok han av seg hatten og hilste storkene som sto i reiret høyt oppe på en av minaretene. Han hilste også den gamle kråka.

«Salām, kråke,» sa han. Han lettet på hatten og gikk ned trappen igjen til gårdsplassen bak huset.

Når mennene fikk øye på Kazem Khān på taket, gikk de raskt bort til trappen for å ta imot ham. Så gikk han, omringet av menn som en gammel konge, til opiumsværelset, hvor det var satt frem og tent opp et opiumssett til ham.

Kāzem Khān var elsket av kvinner og barn. Han hadde alltid et dikt i lommen til kvinnene og pengesedler til barna. Han var en berømt landsbydikter, en uvanlig mann som bodde i fjellene.

66

Han hadde vært gift en gang, men kona hadde dødd ung. Han bodde fremdeles alene, men det var nok av kvinner som tok kjærlig imot ham.

Han spiste lite, så sunn ut og nøt sitt liv. Han hadde gjort alt, vært med på alt og mistet mye, men tre ting var uforandret i livet hans: Hans kjærlighet til lyrikken, opiumen og kvinnene.

Når han kom inn i huset, slapp bestemødrene alt de hadde i hendene og ga seg til å skjemme ham bort. Som oftest kjente de det på seg når han var på vei. Det første de gjorde var å sette opp dørene og vinduene i opiumsværelset og lufte ut.

De fant frem sin egen tekanne og teglass, som de snart skulle servere ham nytrukket te med. Når han kom, la de alltid den spesielle opiumspipen hans i de varme glørne. De skar opp opiumsrullene i små stykker som de plasserte på en kinesisk porselensskål. Denne skålen satte de ved siden av pannen hvor kullet fra unge kirsebærgreiner brant med rolige, blå flammer.

Når Kāzem Khān kom på besøk, pyntet bestemødrene seg og tok på seg litt godlukt. Alle visste at de gjorde det spesielt for ham. Han kalte på dem med det persiske æresordet for frue: «Khānom!»

Når han ropte «khānom», gikk begge bestemødrene til Kāzem Khāns værelse, men de gikk aldri inn samtidig, alltid én om gangen. Hvis Golbānu var der inne, våket Golebeh ved døren. Og vice versa.

Det hadde alltid vært slik. De hadde kjent Kāzem Khān siden de var unge og var blitt hentet ned fra fjellene som tjenestejenter. Begge hadde straks tilhørt Kāzem Khān, for Kāzem Khān hadde et godt øye til alle unge kvinner på denne tiden. Allerede ved første møte, da han kom til huset fulgt av ryttere, la han hånd på begge tjenestejentene og tok imot dem etter tur i sengen sin om kvelden.

For bestemødrene hadde tiden med Kāzem Khān vært den lykkeligste tiden i huset. Da de var unge, hadde de glitret ved hans ankomst. De hadde småløpt over gårdsplassen og sunget mens de holdt på i kjøkkenet.

Nå som de var blitt gamle, kunne man ikke lenger høre dem fnise på kjøkkenet, men så man godt etter, kunne man skimte et smil og kjenne den herlige roseduften av dem i huset.

Etter at han hadde hvilt seg, spist og tilfredsstilt sitt behov for opium, reiste Kāzem Khān seg og gikk ut på gårdsplassen for å hilse på de andre. Først gikk han bort til det gamle seder-treet, slo stokken mot stammen, studerte greinene og kjente på bladene. Deretter gikk han bort til bassenget og leste opp sitt nyeste dikt:

«Delārā-ye delārā-ye delārā
Samanqadd-e bolandbālā delārā ...
Fra skyene styrter elskernes tårer,
Hagen er den avholdtes smil.
Tordenen lyder som vånden
Morgenen bringer til ånden ...»

Ungene løp bort til ham da de så ham stå ved bassenget. Han klappet dem på hodet og leste et nytt dikt for dem, et han hadde skrevet til dem:

«En døv tenkte:
Jeg kan jo sove litt
Til karavanen kommer.
Karavanen kom,
Den passerte som en sky,
Uten at han merket det.»

Og for å utdype diktet, la han til en kort forklaring: «Den døve mannen er et symbol på de menneskene som ikke synes tiden er verdifull. Og karavanen er symbolet på tiden som fyker forbi.»

Etter diktopplesningen fikk hvert barn en pengeseddel.

Jentene i huset ga han ekstra mye oppmerksomhet. De fikk gi ham et kyss og mottok gjerne enda en rød pengeseddel.

Så var det kvinnenes tur, og Faqri Sādāt, kona til Āqa Djān, fikk naturligvis mest oppmerksomhet. Han hadde alltid et dikt til henne, husets skjønnhet. Han la diktet i hånden hennes, og Faqri Sādāt gjemte det i klærne med et smil.

Øynene treffer sjelen som et piskeslag
De minner en om det grønne i et eple
Vippene har røvet mitt hjerte
Munnen din taler sannhet, men vippene stjeler
Belønning krever du for det du stjal
Hvorfor må jeg, den frarøvede, helbredes?

Moskeens katter var blitt avhengig av Kāzem Khāns opium. De satte seg alltid på rekke og rad på kanten av moskeens tak og holdt øye med ham. Så snart han gikk til opiumsværelset, hoppet de ned og ventet foran døren. Han røykte og blåste røyken på dem. Kattene nøt den herlige opiumsskyen.

På ettermiddagen, etter høneblunden, gikk Kāzem Khān som vanlig til kjelleren og besøkte Muezzin i keramikkverkstedet hans.

Der drakk han sin te og snakket med Muezzin.

«Jeg hilser deg Muezzin!» ropte han med poetisk tonefall idet han steg inn i verkstedet. Muezzin reiste seg, men fordi armene var dekket av leire opp til albuene, ble han stående bak benken.

«Hvordan går det med deg?»

«Bra!»

«Og med sønnen din, Shahbal?»

«Også bra.»

«Og datteren din?»

«Hun lever sitt eget liv. Hun har sin egen familie nå.»

Muezzin fanget opp nesten alt med sine følsomme ører og skarpe nese. Det ble påstått at han ikke var blind, at han fikk med seg alt bak de mørke brilleglassene, men han var født blind. Han hadde alltid på seg de mørke brillene Nosrat hadde kjøpt til ham i Teheran. Han brukte hatt og stokk og var rak i ryggen.

«Hvordan går det med klokken din?» spurte Kāzem Khān. «Fungerer den fremdeles?»

«Ja, heldigvis,» svarte Muezzin med et smil.

Muezzin hadde en merkelig evne, han visste alltid hva klokken var. Tiden var hans talent. Han hadde en klokke i hodet, som gikk ytterst presist. Og det visste alle i byen.

«Vet du hva klokken er, Muezzin?» spurte folk når de møtte ham.

Og han oppga alltid riktig klokkeslett. Spesielt guttene og jentene i byen hadde stor glede av å spørre ham om klokken når de støtte på ham.

«Vet du hva klokken er, herr Muezzin?» sa de, og så lo de når han oppga det eksakte klokkeslettet.

Han oppfattet det som sin oppgave å dele sitt guddommelige talent.

Muezzin var moskeens offisielle muezzin. Men utenom jobbet han i kjelleren som keramiker. Det var verken jobben eller hobbyen hans, det var livet hans. Uten leiren visste han ikke hva han skulle gjort.

Med jevne mellomrom tok sønnen Shahbal med seg produktene hans til basaren. Han leverte dem til en butikk som solgte dem for ham.

Muezzin var den eneste tradisjonelle keramikeren fra området. Kanskje var det derfor krukkene, vasene og skålene han laget, straks ble solgt.

De store blomsterpottene som sto ute på moskeens gårdsplass, var det også han som hadde laget. Akkurat som den store vasen i basaren, som ble fylt med rød geranium om våren.

Keramikken beskyttet ham mot ensformigheten, men det fantes noe som ga livet hans enda større innhold, og det var den lille radioen han hadde på innerlommen.

Radioer var forbudt i huset. De ble oppfattet som urene. En ekte troende skulle ikke røre ved en radio, for det var sjahens talerør. Det passet seg ikke med radio i huset ved moskeen. Muezzin hadde imidlertid gjemt den lille radioen så godt under klærne at den var blitt en del av kroppen hans.

Det var Nosrat som hadde gitt ham radioen.

Nosrat var en annerledes fyr. Ingen visste riktig hva han drev med i Teheran. Noen sa at han jobbet ved en kino, men det ønsket ingen i huset å kommentere. Andre sa at han tjente til livets opphold som fotograf. Alle likte Nosrat. Han hadde alltid noe nytt å fortelle, tok stadig med seg nye ting hjem og overrasket alle med sitt usedvanlige liv. Han ga husets beboere innblikk i en annen side ved livet.

En gang da han hadde vært hjemom om våren, la han merke til at Muezzin hadde gått til elven tidlig om morgenen. Han lurte på hva han skulle der, og hadde fulgt etter ham, på god avstand, slik at Muezzin ikke skulle høre skrittene hans.

Han gikk over broen til den andre siden av elven og passerte druemarkene og hveteåkrene. Det var fremdeles mørkt, men det kunne lysne hvert øyeblikk. Han gikk til mandelmarkene, hvor greinene på trærne var bøyd mot jorden under vekten av alle blomstene. Og så mistet Nosrat ham av syne.

Han gikk varsomt inn blant trærne, men kunne ikke se ham noe sted og stoppet opp ved et tre. Det var musestille der. Plutselig brøt lyset frem, og tusenvis av fugler begynte å synge samtidig. Det var en storslagen opplevelse. Litt etter fikk han øye på Muezzin, han sto stille mellom flere hundre mandeltrær og lyttet til fuglene med hodet på skakke.

Luften var mettet av den sterke lukten fra blomstene, og fuglene hyllet morgenen med sin sang. Muezzin sto som en steinstøtte mellom trærne med stokken sin og lyttet.

Så snart de første gullgule lysstrålene nådde mandeltrærne, ble fuglene stille. De satte seg i bevegelse samtidig og fløy mot fjellene.

Da de hadde dratt, gikk Muezzin hjemover igjen.

Om kvelden besøkte Nosrat ham på rommet.

«Muezzin, har du litt tid?»

«Kom inn. Jeg har alltid tid til deg.»

«Jeg vil vise deg noe, jeg vil la deg høre noe.»

Han løftet en radio opp fra vesken og satte kontakten i støpselet. En liten grønn lampe ble tent, Nosrat vred på senderknappen på leting etter en musikkanal. Plutselig lød det musikk i hele rommet. Nosrat lukket døren og sa dempet: «Hør nå godt etter.»

Muezzin lyttet andektig, man kunne se at han spisset ørene

71

og lette etter lydkilden. Da musikkstykket var over, trakk han pusten dypt og sa: «Hva var det?»

«En symfoni! Det du hørte mellom mandeltrærne i morges var også en symfoni, en fuglesymfoni, mens det du hørte nå, var en symfoni fremført av mennesker. Jeg så deg stå mellom trærne i morges og lytte til fuglene. Jeg tror du trenger denne musikken.»

Neste gang Nosrat kom hjem hadde han tatt med seg en liten lommeradio til Muezzin. Sent på kvelden la han radioen i hendene hans.

«Nå kan du lytte til musikk døgnet rundt, og du kan høre på nyhetene og på andre mennesker som snakker.»

«En radio i huset? Hva skal jeg si til Āqa Djān?»

«Du er en voksen mann. Gjem den i jakkelommen og la være å si noe om det. Du trenger ikke å rettferdiggjøre deg overfor noen! Og jeg har noe annet til deg, noe som ingen i Sandjān har sett,» sa han og ga ham et par ledninger.

«Det er ørepropper, du fester dem i ørene og lytter til radioen. Reis deg, så skal jeg vise deg det.»

Muezzin nølte. Nosrat stakk radioen i innerlommen hans, trakk ledningene under genseren, festet dem i ørene og slo på radioen.

«Hører du noe?»

«Ja! Jeg hører noe.»

«Utmerket! Og husk, ikke si noe om det hvis noen skulle spørre deg!»

Siden den gang gikk Muezzin alltid rundt med ørepropper i ørene, og når noen spurte ham hva han hadde i ørene, svarte han dem ikke. Etter en stund ble alle vant til øreproppene og anså dem som en forlengelse av de svarte brillene.

Nå som As-sāberi var død, hadde alle mennene i familien kommet sammen. De hadde samlet seg på opiumsværelset rundt opiumsapparatet til Kāzem Khān og røykte sammen med ham.

Bestemødrene hadde hentet syv opiumspiper fra kistene i kjelleren og lagt dem i de varme glørne for mennene.

Mennene røykte opium, drakk te, spiste søtsaker og fortalte om sine opplevelser med As-sāberi, mens opiumsrøyken sivet ut av munnen deres og ut gjennom et halvåpent vindu.

Imens satt kvinnene og hygget seg sammen på spisestuen og røykte vannpipe. Zinat var den eneste som ikke var til stede. Etter As-sāberis død gikk hun stadig til biblioteket i moskeen, og der kunne hun sitte og lese i timevis. Āqa Djān var klar over dette og lot henne være.

Da kvelden falt på, gikk mennene en tur langs elven, deretter gikk de til moskeen for å lytte til Galgal.

De siste ukene hadde Galgal holdt preken hver fredag. Dette hadde vært vanlige prekener, for å bli kjent. Han hadde med hensikt valgt nøytrale temaer. Nå ventet han tålmodig på det rette øyeblikket til å vise basaren hvem han var og hvordan han, om nødvendig, kunne bruke prekestolen som kanon. Men tiden var ennå ikke moden, han måtte ta det med ro, til skyggen av As-sāberis død hadde lagt seg og folk lettere kunne stole på ham. I kveld skulle han snakke om As-sāberi og fremfor alt om moskeens lange historie. Han hadde fått den nødvendige informasjonen fra Āqa Djān og studert den nøye.

Etter turen vasket mennene hendene og ansiktet i bassenget før bønnen, og så gikk de til moskeen for å være på plass i tide. Det var tradisjon at mennene i familien tok imot gjestene ved inngangen til moskeen.

Selv om bestemødrene hadde varslet kvinnene en rekke ganger og sagt at de måtte gå til moskeen i god tid, satt de fremdeles og drakk te, spiste frukt og røykte vannpipe i spisestuen. Bestemødrene, som akkurat hadde fått en siste advarsel fra Āqa Djān, gikk inn i stuen og sa opprørt: «Bønnen, damer! Bønnen! Det sitter hundrevis av mennesker i moskeen og venter på dere, og så sitter dere her og røyker vannpipe. Skynd dere! Ellers kommer snart Āqa Djān og henter dere.»

Faqri Sādāt svøpte seg i sin svarte chador, og så fulgte kvinnene henne til moskeen. Zinat kom ut fra biblioteket og sluttet seg til de bakre rekkene.

Den eneste som ennå ikke hadde kommet, var Nosrat.
Men han kom alltid uventet. Han ringte aldri og banket ikke
på. Plutselig sto han bare der ved siden av bassenget midt på
gårdsplassen, eller passerte værelsene deres med kameraet sitt
og fotograferte dem alle i et ubevoktet øyeblikk.

Han hadde ikke vært til stede ved As-sāberis begravelse, det
var umulig å få tak i ham på telefonen, og han hadde fått tele-
grammet for sent. Men han hadde sagt til Āqa Djān at han
skulle være hjemme i rett tid i kveld.

Nå som alle hadde gått til moskeen og huset var helt stille,
vasket bestemødrene hendene og ansiktet og satte seg ned ved
siden av bassenget, på benken under lykten.

«Jeg har ikke lyst til å gå til moskeen,» sa Golbānu.

«La oss hvile litt her, før de kommer tilbake,» svarte Golebeh.

Etter at As-sāberi hadde gått bort, hadde ikke bestemødrene
hatt noe i biblioteket å gjøre. De hadde ennå ikke knyttet noen
bånd med Galgal og torde derfor ikke gå inn i biblioteket når
han var der. Da As-sāberi var i live, hadde biblioteket vært
deres private domene, nå hadde Galgal tatt det fra dem. Derfor
likte de ikke Galgal og lengtet etter den dagen sønnen til As-
sāberi var ferdig med imamopplæringen og skulle sverges inn
som moskeens imam.

«As-sāberi var som en perle som falt ut av hendene våre,»
sa Golebeh, «Galgal er arrogant, han beveger seg rundt i huset
som en sultan. Han holder avstand til alle, setter seg ikke engang
ned med mennene. En så selvgod imam har vi aldri hatt i huset.
Han sitter i biblioteket og forventer at selv Kāzem Khān skal
komme til ham. Āqa Djān så det med en gang. Godt at han
sendte ham tilbake til Qom etter papirene.»

Bestemødrene var såret i dypet av sitt hjerte. Og nå som As-
sāberi var død, ble de seg mer og mer bevisst at også deres død
nærmet seg. Akkurat nå var det ikke så ille, de hadde fremdeles
hendene fulle med As-sāberis død, men hva skulle de gjøre når
alle gjestene hadde dratt?

Siden Galgal hadde inntatt biblioteket, var de tvunget til å
sitte på kjøkkenet hele dagen, og hele kvelden. Det ønsket de

ikke. De orket ikke å være på kjøkkenet hele tiden, uten biblioteket var huset dødt for dem.

Flere ganger hadde de bestemt seg for å gå til Āqa Djān og lette sitt hjerte, men de visste at det ikke nyttet, at imamens død hadde vært slutten på en epoke.

Iblant gikk de inn på imamens tomme bad og gråt stille sammen.

Kāzem Khān var deres eneste håp i huset, men han var også blitt gammel, også hans død nærmet seg. Når han dro, ville lyset definitivt dempes for dem.

Bestemødrene ble sittende stille sammen på benken i lang tid. Himmelen var klar, stadig flere stjerner kom til syne, og de kunne høre flaggermusene pipe. Hvis noen som ikke kjente huset, hadde kikket ned på bassenget fra taket på moskeen, ville vedkommende sannsynligvis ha tatt de to kvinnene for å være to statuer som tilhørte bassenget.

Kan hende ville de ha falt i søvn, om det ikke hadde vært for at noen hadde brutt stillheten akkurat da. Golebeh hørte en lyd fra mørket bak trærne.

«Hørte du også det?» sa hun lavt til Golbānu.

Et øyeblikk lurte de på om Kāzem Khān kanskje var blitt værende på værelset sitt i stedet for å dra til moskeen.

Forsiktig listet de seg bort til opiumsværelset, men døren var stengt. Det lød dempet fnising fra en kvinne på gårdsplassen.

«Hva var det?»

De stilte seg opp bak det gamle sedertreet og lyttet andektig til nattens lyder. Kvinnen fniste igjen, og døren til et av gjesteværelsene gikk opp.

«Det er sikkert Nosrat!» hvisket Golebeh.

«Nåde!»

Da fikk de øye på en tydelig silhuett i lyset fra rommet og gjenkjente Nosrats skygge.

«Når kom han, og hvorfor har vi ikke sett ham? Og hvem er den kvinnen?» sa Golebeh.

En kvinne med svart chador dukket opp i det grønne lyset fra minareten og forsvant så i mørket igjen.

«Kanskje det er kvinnen fra Teheran.»

«Nei, den døgenikten holder seg aldri lenge til en kvinne. Kvinnen fra Teheran var liten, denne kvinnen er høy og bruker chador. Det er en annen.»

«Hva driver de med?»

«Jeg skjønner det ikke.»

Sammen med kvinnen gikk Nosrat bort til trappen som førte opp til taket på moskeen.

«Kom, skatt!» sa han til henne.

«Nei, jeg blir ikke med, jeg tør ikke,» sa kvinnen og fniste.

«Du trenger ikke være redd, ingen kommer til å se oss, de er midt i bønnen og huset står tomt,» sa Nosrat.

«Nei, jeg blir ikke med, det er for høyt,» sa hun.

«Hvorfor vil han ha henne med opp på taket?» hvisket Golbānu.

«Ikke engang djevelen kjenner hans planer,» svarte Golebeh.

Det ble stille et øyeblikk, så dukket de opp på taket. Bestemødrene gikk bort til trappen og klatret forsiktig opp på taket. De krøp på hender og føtter bort til kuppelen og gjemte seg bak den.

Nosrat åpnet luken til en av minaretene. Steg man inn gjennom luken, kunne man ved hjelp av en rekke smale trinn komme seg opp på toppen av minareten.

«Jeg tør ikke!» ropte kvinnen.

«Ikke vær redd, det blir en fantastisk opplevelse. Du lovet meg at du skulle bli med. Kom, jeg vil ha deg med til toppen av minareten, jeg vil kysse deg på toppen og ta deg i det hellige grønne lyset,» sa Nosrat dempet.

«Jeg blir ikke med, snart får noen øye på oss.»

«Du trenger ikke være redd. Så snart vi kommer oss dit opp, vil ingen se oss.»

Han hjalp kvinnen gjennom luken, mens hun fniste og gjentok: «Jeg nekter, jeg tør ikke, jeg vil ikke.»

Da hun sto på det nederste trinnet, krøp også han inn i minareten og stengte luken fra innsiden.

Bestemødrene, som hadde gjemt seg bak kuppelen, så forbauset på hverandre.

«Nåde, Gud, nåde!» mumlet de.

Nosrat og kvinnen dukket opp helt øverst i minareten, i det grønne lyset. Skyggene deres falt på veggen på den andre siden av moskeen.

Vinden lekte med kvinnens svarte chador. Den minte om et svart flagg over minareten.

«Hold opp,» sukket kvinnen. Og fordi hun sto der oppe gjallet stemmen hennes over moskeen.

Nosrats store skygge beveget seg rytmisk på veggen.

Bestemødrene slo hendene for munnen, det de så, fikk dem til å beve. Så skjøv Nosrat kvinnen mot kanten av minareten. Hun lo nervøst og ropte: «Hold opp! Jeg faller!»

Latteren hennes gjallet over moskeen, men ble overdøvet av Galgals preken fra en høyttaler. Kvinnen sukket. Så ble det brått og uventet stille, og skyggene forsvant.

Bestemødrene listet seg forsiktig ned trappen. Da de kom til værelsene sine, rullet de ut bønnetepper, svøpte seg i chador og vendte seg hastig mot Mekka.

PREKEN

De første månedene opptrådte Galgal dempet i moskeen. Han visste at agenter for sikkerhetspolitiet ville være til stede for å granske hans hensikter.

Han var ikke flink til å skape kontakt med folk i hverdagen og var kjent som en streng og stiv imam. Men så snart han klatret opp på prekestolen, ble han et annet menneske. Han snakket åndfullt, smilte ofte og brukte mye humor, så det var en fornøyelse å lytte til ham.

I de første prekenene tok han opp nøytrale temaer. Han plukket gjerne ut en sure fra Koranen og forsøkte å belyse den fortellende og historiske siden ved teksten.

Noen ganger gikk han et skritt videre og snakket om språkets kraft og surens poetiske prosa. Han pekte på eksempler og leste opp melodiøse ayater med den vakre stemmen sin.

Publikum hadde stor glede av fortolkningene hans. De fleste moskégjengerne var ikke i stand til å lese Koranen, langt mindre skjønne den.

Koranen er skrevet på arabisk, mens landets språk er persisk, et helt annet språk. Koranen er dessuten skrevet i en fjorten hundre år gammel språkdrakt, og surene er ladet med historiske referanser som man vanskelig kan skjønne uten spesialkunnskap.

Men Galgal hadde fullstendig oversikt over surenes innhold, og han var i stand til å forklare teksten på en utrolig enkel måte for vanlige folk.

Agentene fra sikkerhetspolitiet syntes også at han var åndfull. De var fornøyd med ham og sendte positive rapporter om prekenene hans til hovedkontoret.

I basaren var man også tilfreds. Galgal ble rost for sine kunnskaper og sin ekspertise med hensyn til fortolkning av gamle tekster. Noen forventet imidlertid mer fra Galgal. Dette ga de til kjenne overfor Āqa Djān. «Han er bare en vikar,» sa Āqa Djān, «jeg kan ikke forlange for mye av ham. Om et par år, når Assāberis sønn er ferdig med opplæringen, vil vi ha en fast imam. Da vet vi mer om hvor vi står.» Fra basaren kom det uansett klager. Galgal greide imidlertid å stjele menneskenes hjerter med de nye, overraskende temaene han introduserte. Noen ganger fortalte han om ting basarens kjøpmenn aldri hadde hørt om.

En dag hadde han snakket om trekkfugler, noe som aldri var blitt nevnt i moskeen før. Han fortalte at trekkfuglene alltid greide å finne veien hjem og tilbake til det gamle reiret sitt. Og at selv nyfødte fuglunger kunne fly en ukjent rute og likevel ende opp i hjemreiret sitt til slutt.

De troende lyttet andektig til ham da han fortalte om maurenes makthierarki og om deres finstemte måte å samarbeide på. På denne måten ville han anskueliggjøre spor av Guds makt.

Āqa Djān beundret Galgal for hans forfriskende blikk og var glad for at han trakk ungdommene til moskeen med sine moderne temaer.

Han la merke til at det kom stadig flere gutter og jenter til fredagsprekenen.

Galgal hadde lært seg litt engelsk, og selv om han ikke snakket dette språket særlig godt, kunne han skjønne engelske tekster. Han kjøpte et britisk vitenskapelig tidsskrift og satt i biblioteket i mange timer og forsøkte å dechiffrere en artikkel ved hjelp av en ordbok. Deretter gjorde han seg opp en mening, og så skrev han en engasjerende tale om det.

I en preken hadde han snakket om fly og om flygningens historie. Han hadde rost brødrene Wilbur og Orville Wright for deres modige forsøk på å fly som fugler, men tilføyde straks at det ikke hadde vært amerikanerne som ønsket å fly først, men perserne.

Han sa det med humor: at Amerika gjerne ville at alt skulle ha funnet sted i deres land først.

«Amerika begynte å fly for femti, seksti år siden, men flygning har sterke røtter i vår jord,» sa han. «En gang besluttet en av de eldste persiske kongene, Nimrod, at han ville fly. Han hadde så stor makt at han trodde den var altomfattende, at han til og med kunne konkurrere med Gud. Han bestemte seg for å innta luften og slåss med Gud. Dermed beordret han de lærde i sin tid til å lage en maskin til ham som kunne sette ham i stand til å fly. Man tenkte ut noe spektakulært, et urfly, en underlig slags vogn. Fire kraftige ørner ble bundet med lange kraftige tau til hvert sitt hjørne av en spesiell kongelig baststol. Nimrod tok med seg sverdet og satte seg i stolen. Fire ferske kjøttstykker ble hengt et stykke over ørnenes hode. Ørnene foldet ut vingene og forsøkte å få tak i kjøttstykket. På den måten trakk de vognen opp i luften, og slik oppsto det første flyet.»

En gang snakket Galgal om Einstein og hans teori om lysets hastighet. Ingen av de tilstedeværende hadde noensinne hørt navnet «Einstein». Det var heller ingen som visste at lyset hadde en hastighet, langt mindre at det beveget seg 340 000 kilometer per sekund.

Galgal, som var innforstått med tilhørernes uvitenhet, begynte talen med et engelsk sitat for å imponere. Han var kanskje den første imamen i landet som brukte engelske ord i sin preken. Han sa: «Einstein sa: 'One thing I have learned in a long life: that all our science, measured against reality, is primitive and childlike – and yet it is the most precious thing we have.'»

Han forklarte ikke betydningen av dette, men tok fatt på det han selv hadde skjønt av lysteorien: «La oss si at vi har et fly som beveger seg med en hastighet av 340 000 kilometer per sekund. Og la oss si at dette flyet står på taket av moskeen, klart til å fly av gårde med passasjerene sine. La oss si at vi deler opp disse i to grupper, en gruppe gutter mellom 12 og 15 år og en gruppe jenter i samme alder.

Vi lar jentegruppen stå i moskeen og sender guttene opp på taket som flypassasjerer.

Piloten starter motorene, flyet setter seg i bevegelse og tar med seg guttene ut i rommet. Ikke glem at flyet beveger seg med lysets hastighet. Følg nøye med nå. Hvis guttene flyr i tre timer før de lander på taket igjen, har de ifølge klokken fløyet i tre timer. Guttene går ut av flyet, ned trappen og inn i bønnerommet. Når de skyver gardinene til side og kikker på jentene, tror de ikke sine egne øyne. Jentene har nemlig blitt gamle oldinger uten tenner.»

Alle så på hverandre, de skjønte ikke hva han snakket om. Hvordan kunne jentene ha blitt så gamle, hvis guttene bare hadde vært borte i tre timer?

«Lyset, lysets hastighet. Flyr man med lysets hastighet, har man med en helt annen logikk å gjøre. Derav sitatet. Alt er spor av Gud, makt over makt, lys over lys,» forklarte Galgal.

Galgal hadde etter hvert blitt ganske kjent i byen, og han nøt en økende anseelse hos ungdommen. Han fikk dessuten mye oppmerksomhet fra kvinnene.

Selv om han var gift, var han omgitt av unge slørkledde kvinner i de mørke gangene i moskeen. De stakk til ham kjærlighetsbrev. Han så ikke på dem, men gjemte brevene i drakten.

«Du er en vakker imam,» sa en kvinne da hun traff ham alene i gangen.

«Jeg vil dra ut i rommet i Einsteins fly sammen med deg,» sa en annen kvinne da hun passerte ham.

«Du lukter deilig, hvor kjøper du den parfymen?» spurte en ung kvinne i mørket uten å vise ham ansiktet sitt.

«Du kler den skjeve turbanen,» hvisket en annen kvinne.

I moskeen ble mennene og kvinnene adskilt av et forheng som delte bønnerommet i to. Prekestolen sto på en forhøyning akkurat mellom mennene og kvinnene. De unge kvinnene satt som oftest på den fremste raden, slik at de kunne se Galgal bedre når han snakket. Galgal nøt oppmerksomheten og ventet tålmodig på Muhammeds fødselsdag, da skulle han vise dem sitt sanne ansikt. For ifølge tradisjonene skulle man snakke om viktige ting denne dagen. Det var ingen tilfeldighet at de fleste historiske hendelsene i den hellige byen Qom hadde funnet sted på denne fødselsdagen. Alle var nysgjerrige på hva Galgal ville ta opp denne dagen.

*

81

Fulgt av Āqa Djān og Shahbal trådte Galgal inn i bønnerommet på profetens fødselsdag. Han satte seg i stolen og begynte etter en kort stillhet med den melodiøse suren Azzalzalah:

«Ezā zolzelate-l-arzo zelzālahā ...
Når jorden rystes i det store jordskjelv,
Og velter opp det som hviler i den,
Og menneskene vil si: 'Hva går det av den?'
På denne dag vil den gi oss sin beretning.»

Galgals stemme hadde en annen klang nå enn ellers, ordene lød kraftigere enn før.

Moskeen var fullstappet, og alle lyttet andektig til ham, han fortsatte: «Imam As-sāberi har vært borte en stund, men moskeen består.

En gang vil vi alle være borte, men moskeen består.

Er det ikke slik? Vil ikke moskeen bestå for all tid? Nei, ikke engang moskeen er evig. Imamer forsvinner, moskeer forsvinner, og det eneste som er igjen, er stemmen.»

Mennene så på hverandre. Āqa Djān så på Shahbal: «Hva er det han sier? 'Det eneste som er igjen, er stemmen?' Hva mener han?»

Galgal har rett, tenkte Āqa Djān. As-sāberi var glemt for lenge siden, og det fantes ikke ett ord igjen etter ham, for han hadde ikke hatt noe å si. Faren til As-sāberi hadde vært helt annerledes, han hadde vært en bemerkelsesverdig imam som holdt flammende taler, en som ville bestemme, en som ville forandre, en som torde sette ord på ting. I løpet av den tiden han var husets imam, hadde han hatt byen i sin hule hånd, basaren hadde danset etter hans pipe. Faren til As-sāberi hadde vært død i mange tiår, men stemmen hans besto, stemmen levde videre i byens hukommelse.

En gang hadde han holdt en engasjert preken mot Reza Khān, sjahens far, på Muhammeds fødselsdag, etter at denne hadde lagt ned forbud mot chadoren, og soldatene hadde begynt å arrestere tilslørede kvinner og ta dem med til politistasjonen. Faren til As-sāberi hadde blitt arrestert og bannlyst til byen

82

Kāshān. Deretter hadde agentene spikret igjen døren til moskeen.

Āqa Djān husket denne dagen som om det var i går.

Plutselig hadde det stoppet et par militære kjøretøyer utenfor moskeen, væpnede soldater hadde hoppet ut. Så kom det en jeep med en væpnet offiser. Han steg ut med en stokk under armen, gikk inn i moskeen og inn i bønnerommet med skoene på, og arresterte den gamle mannen og ba ham følge med til fengselet.

Āqa Djān, som hadde vært en ung mann på den tiden, og som akkurat hadde tatt over ledelsen av moskeen, hadde gått behersket bort til offiseren og sagt: «Hvis du forlater moskeen nå, vil imamen komme ut og bli med deg frivillig. Hvis ikke er jeg redd det vil bryte ut opptøyer i byen. Du er advart.»

Han snakket så tydelig og bestemt at det ikke kunne misforstås. Offiseren så på de troende som hadde stimlet sammen rundt imamen. Han tok budskapet, trykket stokken mot Āqa Djāns bryst og sa: «Du kan bringe imamen til meg. Jeg venter utenfor!» Han forlot bønnerommet og stilte seg opp utenfor døren.

Āqa Djān hadde fulgt den gamle imamen ut til offiserens jeep med hevet hode. Et titalls troende hadde fulgt etter dem.

Offiseren hadde latt imamen ta plass i jeepen, mens han selv hadde satt seg bak rattet. Samtidig drev soldatene moskégjengerne ut og spikret igjen døren til moskeen.

Først tre år senere, da britene tvang Reza Khān ut av landet og til Egypt, ble moskeen åpnet igjen.

Āqa Djān smilte og ventet spent på Galgals fortsettelse. Men Galgal sa ingenting, han betraktet publikum i stillhet et øyeblikk. Og så, uten noen som helst forbindelse med forrige tema, lot han ordet «Amerika!» falle.

Det var som om han hadde kastet en stein på det tause publikummet. Plutselig ble det urolig på begge sider av forhenget, for Amerika var et forbudt tema i moskeen. Ordet var sterkt politisk ladet. «Amerika» var ikke det Amerika resten av verden kjente, «Amerika» var ondt, en regelrett fiende av islam.

Den unge sjahen hadde vært nær ved å flykte fra landet, hvilket ville betydd slutten på to tusen fem hundre års monarki, men CIA-agenter hadde brakt ham tilbake ved hjelp av et statskupp. Siden den gang hadde Amerika blitt kalt Satan av ayatollaene. Det hadde oppstått en antiamerikansk holdning i moskeene.

Tok en imam ordet «Amerika» i sin munn, hadde han til hensikt å skape rabalder: «Bort med Satan! Bort med Amerika!»

«Tidene er forandret. Reza Khān er borte, men nå er Amerika til stede overalt. I Teheran. I Qom!» sa Galgal høyt.

Han hadde sagt noe, men uten å si noe. Han hadde kunngjort en uskyldig sannhet: «Tidene har forandret seg. Amerika er overalt!»

Byens vismenn veide hans ord på gullvekt og konkluderte med at han var en slu taler. Han visste i hvilken rekkefølge han skulle plassere ordene for å gjøre det spennende.

Galgal betraktet folkemengden rundt seg. De ventet på det neste ordet han skulle si, alle så spent på ham. Han brøt stillheten og uttalte bare to ord: «Allāh Allāh!»

Disse to løse ordene kunne bety så mye. Hvis man beundret noe, kunne man si: «Allāh Allāh.» Hvis man havnet i uføret, ropte man: «Allāh Allāh!»

Men Galgal hadde brukt ordene i en annen forbindelse. Fordi han hadde nevnt Qom og Amerika i én setning, fikk utropet en ladet betydning. Qom! Amerika! Allah Allah! Det var som om han hadde løsnet to skudd i moskeen.

Galgal la om kursen og gikk over til suren Alfath:

«Du ser dem bøye seg og falle ned
idet de søker Guds gunst og velbehag.
Merkene i deres ansikter er spor etter megen nedfallen.
Slik er deres beskrivelse i Moseloven.
Og i evangeliet sammenlignes de med et korn som skyter opp
  sitt skudd,
og styrker det, så det blir kraftigere og står rakt på sin stengel,
til glede for såmennene.»

*

84

Āqa Djān så på Shahbal.

Galgal dvelte ikke lenge ved Alfath, ubemerket gikk han over på āye Arroum (østromerne):

> «Østromerne har lidd nederlag i nabolandet,
> men etter sitt nederlag vil de seire,
> og om få år, – saken er i Guds hånd, før og etter,
> og på den dag vil de troende glede seg – ,
> seire ved Guds hjelp.
> Han gir hjelp til den Han vil.
> Han er den Mektige, den Nåderike.»

Slik avsluttet han talen sin.

Det var en tvilsom preken, alle kunne tolke den på sin egen måte. Han hadde snakket slik at sikkerhetspolitiet ikke kunne ta ham for det.

Han hadde begynt med profeten Muhammed, så hadde han latt Amerikas navn falle, og så hadde han snakket om romernes undergang. Det var meget tydelig at han ennå ikke ville avsløre hva han mente med alt sammen og hvor han ville.

Āqa Djān fornemmet at moskeen nok en gang gikk en spennende tid i møte, hvilket han hadde ventet lenge på.

Galgal reiste seg og forlot prekestolen. Hundrevis av troende reiste seg for ham. Āqa Djān gikk bort og omfavnet ham, kysset ham på venstreskulderen og fulgte ham stolt ut.

CINEMA

Khody, to buside-i hitj gā
Lab-e sorkhfām-e zan-i
Mast rā?
Be pestn-e kāl-ash
Zadi dast rā?

Gud, har du noensinne
Kysset
De røde leppene til en
Beruset kvinne?

Har du noensinne
Berørt hennes
Ennå ikke modne bryster?

Dette diktet lå på skrivebordet til Galgal. Āqa Djān, som til-
feldigvis gikk forbi, så at det lå der, løftet det opp og leste det.
Han kunne ikke tro sine egne øyne.

«Khody, to buside-i hitj gā.»

Diktet var sjokkerende. Gud, kysse, en beruset kvinne, ennå
ikke modne bryster, og alt dette på skrivebordet til Galgal.

Dikterens navn sto i det ene hjørnet: Nosrat Rahamani. Āqa
Djān hadde aldri hørt dette navnet før.

Hvem kunne det være?

Hvordan våget han å sette slike blasfemiske ting på papiret?

Dette har gått for langt, mumlet Āqa Djān. Sjahen stimulerer
kanskje til slikt, men hva skal Galgal med dette søppelet? Og
hvorfor tar han med seg slike ting til biblioteket?

86

Det lå enda et par dikt på skrivebordet, Āqa Djān begynte å lese et av dem. Det var et bemerkelsesverdig dikt, det var nemlig skrevet av en kvinne:

Mine tørste lepper
Søker deg
Ta av meg klærne
Omfavn meg
Her er mine lepper
Her er min hals og brennende bryster
Her er min myke kropp!

Han hørte Galgals skritt på gårdsplassen og rakk ikke å lese mer. Hastig la han diktet tilbake på skrivebordet, gikk bort til bokhyllene og lot som om han lette etter noe.

Da Galgal kom inn, trakk Āqa Djān en bok ut av hyllen. Han forlot biblioteket og gikk tankefullt til arbeidsværelset sitt.

Diktet ville ikke gi slipp på ham, han fortsatte å kverne på det og greide ikke å konsentrere seg om arbeidet:

Her er mine lepper
Her er min hals og brennende bryster
Her er min myke kropp!

Hvem kunne den kvinnelige dikteren være?

Var landet virkelig så forandret at kvinner kunne snakke helt fritt om seg selv?

Var landet så forandret at kvinner kunne uttrykke seg så intimt om kroppen sin, om sine hemmelige følelser?

Hvordan kunne han i tilfelle ha unngått å legge merke til det?

Hvor var disse kvinnene? Hvorfor hadde han aldri møtt dem? Hvordan så de ut? Og hvor bodde de? Bodde alle i Teheran?

Sjahen, dette hadde med sjahen og med amerikanerne å gjøre. Den amerikanske kulturen strømmet inn i folks boliger fra radioen, fjernsynet og fra filmene.

Regimet gjorde alt de kunne for å få ungdommen ut av moskeen og gjøre dem til talsmenn for sjahen og hans ideer.

Sjahen hadde startet en «Hvit revolusjon». Han hadde utgitt en tynn bok med sine idealer for fedrelandet. Han ville analfabetismen til livs, derfor sendte han unge kvinner til landsbyene for å jobbe som lærere. De byttet ut sløret med en lue og klatret opp i fjellene som sjahens soldater, for å opprette skoler i avsidesliggende landsbyer.

Ja, alt hadde forandret seg, og Āqa Djān hadde ikke sett det eller villet se det. Sjahen var på god vei til å industrialisere landet, og derfor fikk mange utenlandske investorer tillatelse til å starte fabrikker i Teheran og i de andre store byene. Også Sandjān var gjenstand for denne nye utviklingen.

Titalls japanske og europeiske entreprenører benyttet seg av denne muligheten. Like utenfor byen ble det bygd en traktorbedrift hvor hundrevis av unge mennesker fra byen og de omkringliggende landsbyene snart ville begynne å jobbe.

Den kjente japanske traktorprodusenten Mitsubishi skulle lede fabrikken. Og hensikten var å lage en liten traktor som bøndene kunne bruke i fjellet. Subsidiert av myndighetene ville snart alle bøndene ha en slik traktor, og på den måten ville Mitsubishi knytte bøndene til sjahen.

Nei, Āqa Djān fikk ikke med seg alt dette. Han var i ferd med å bli akterutseilt fordi han aldri lyttet på radio og aldri hadde eid et fjernsynsapparat. Hadde han sett Farah Diba, sjahens kone, på fjernsynet, ville han ha skjønt det som skjedde i landet.

Farah Diba jobbet hardt for å gi landets kvinner et nytt ansikt. Āqa Djān visste ikke at hun var høyt elsket blant kvinnene, også blant de kvinnene som gikk til moskeen hver dag.

Hun var sjahens tredje kone og hun ga ham hans første sønn, en kronprins. De første to konene hadde ikke vært i stand til å gi ham en sønn. Han hadde møtt Farah Diba i Paris, hvor hun studerte. Han hadde møtt henne på en fest.

Nå var hun dronning i landet og ønsket å bedre kvinnenes posisjon, befri dem fra kjøkkenet.

Så langt hadde alt gått etter planen, og det så ut til at sjahen hadde lyktes med å holde ayatollaene i moskeene.

Derfor reiste Farah Diba sorgløst til Paris hver måned, for å handle i de berømte butikkene som Hollywood-stjernene handlet i.

New York Times kalte landet under sjahens lederskap for en oase av ro. Samtidig inngikk Farah Diba en avtale med en fransk klinikk om å gi hennes persiske nese franske former. Hun vendte tilbake til fedrelandet med en ny frisyre.

Ingen aviser torde skrive noe om nesen, men frisyren ble straks kopiert av alle landets kvinner som gikk til en frisør. Alle snakket om Farahs coupe, til og med Faqri Sādāt, kona til Āqa Djān, hadde klippet håret sitt på Farahi (etter Farahs stil), men Āqa Djān hadde ikke lagt merke til det.

Man var i ferd med å bygge en kvinneklinikk i Sandjān. De siste statistikkene hadde vist at kvinner i religiøse byer og landsbyer hadde flere kvinneproblemer enn andre kvinner, men de nektet å la seg behandle av mannlige leger. Derfor hadde autoritetene i de religiøse byene besluttet å åpne klinikker hvor det bare jobbet kvinnelige leger. Klinikken i Sandjān skulle bli den første og største kvinneklinikken i landet.

Farah Dibas kongelige byrå stilte seg bak planene, og det ble bestemt at Farah skulle komme til Sandjān for å åpne klinikken.

Galgal fulgte med på utviklingen i landet, og omtalte etter hvert mer av hverdagslivet i sine taler. Han hadde nylig kritisert borgermesteren for at byen ikke hadde et verdig bibliotek, og at kioskene solgte billige oversatte amerikanske romaner som litteratur til ungdommen.

En annen gang gikk han løs på byens lille teater, fordi de hadde satt opp et teaterstykke som latterliggjorde en imam. Stykket var beregnet på skolebarn, og hver dag hadde skolene med seg en gruppe elever til teateret. Galgal var rasende: «Det er en skam for den pietetsfulle byen Sandjān. Hvordan våger man å sette en imam i gapestokken for å få barna til å le? Dette er min advarsel til basaren: Det er tatt initiativ en slu offensiv mot byens religion. Har dere undersøkt skoleveskene til deres barn, har dere sett hvilke blasfemiske ideer de fôres med på skolen? Er dere klar over hvilken giftig poesi deres døtre får servert som litteratur? Hendene mine skalv da jeg så noen av disse diktene. Av respekt for våre kvinner bak forhenget skal jeg ikke snakke om innholdet i diktene. Men det er altså blitt erklært krig mot vår tro. Ikke lek med ilden. Jeg advarer dere alle sammen! Ikke gjør det!»

Borgermesteren hørte de harde ordene fra moskeen. For å unngå en opptrapping ba han teateret om å stoppe stykket.

Hendelsen var fortsatt ikke glemt da det begynte å ryktes at det var planlagt å bygge en kino i byen.

En kinosjef som eide et par store kinosaler i Teheran, hadde kjøpt opp byens gamle offentlige bad, som ikke lenger fungerte som bad, og planla å omgjøre det til kino. Det var et monumentalt bygg, et unikt sted for kulturelle aktiviteter, og det perfekte stedet for en kino.

Galgal lekset straks opp for borgermesteren at en kino i den religiøse byen Sandjān var helt uakseptabelt, men borgermesteren repliserte at de lokale myndighetene ikke hadde hatt noen stemmerett i saken, at avgjørelsen var blitt tatt i Teheran. Det kongelige kulturbyrået hadde støttet planen som et særskilt prosjekt, og Farah Diba hadde personlig godkjent det.

Da kinosjefen hørte at Farah Diba skulle komme til Sandjān for å åpne kvinneklinikken, bestemte han seg for å ferdigstille kinoen så raskt som mulig, slik at han kunne be henne om å åpne den.

Han tok kontakt med Teheran, og så ble det bestemt at Farah skulle åpne kinoen om kvelden den dagen hun var i Sandjān. Men fordi Sandjān var en religiøs by, besluttet man å holde dette hemmelig til siste øyeblikk.

En solfylt torsdag dukket det opp et stort helikopter over byen, som sirklet tre ganger over basaren. Skolebarna sto klar på begge sider av gaten. Her skulle Farah Diba snart kjøre til klinikken i en bil med åpent tak.

Skolebarna jublet, klappet i hendene og ropte: «Djāvid shāh,

leve sjahen!» Samtidig passerte tre jagerfly som etterlot tre
røykstrimer i samme farge som nasjonens flagg. Et titalls sivil-
kledde agenter fra sikkerhetspolitiet befant seg i folkemengden,
og på alle gatehjørnene sto det militære kjøretøyer fulle av sol-
dater, klare til å kvele ethvert tilløp til uro.

Farah Diba vinket smilende til folkemengden. En frisk bris
lekte med håret hennes, hun utstrålte makt.

Idet hun passerte, tok lærerinnene og medarbeiderne fra kli-
nikken av seg slørene for å vise henne at de hadde samme frisyre
som henne, og de hvinte av opphisselse og viftet med slørene.

Kameraene filmet alt for å kunne kringkaste hvordan kvin-
nene i den religiøse byen Sandjān hadde bøyd seg for Farah
Diba, og hvordan de hadde omfavnet henne som forbilde.

Det var Farahs første besøk i en religiøs by. For regimet fun-
gerte dette som en indikasjon på om man ville lykkes med å
erobre også de religiøse, regimefiendtlige byene. Og det hadde
åpenbart vært lovende, så lovende at fjernsynskanalene ikke
ville vente til klokken åtte om kvelden med å sende ut reise-
reportasjen, men vise den på nyhetene allerede klokken seks.
Hendelsen ble ansett som regimets definitive seier over ayatol-
laene. Men de hadde oversett noe, noe som ved første øyekast
ikke virket betydningsfullt.

Noen unge kvinner fra Sandjān, som skulle jobbe som sykeplei-
ere på den nye klinikken, sto i hvite, gjennomsiktige sykepleier-
uniformer med korte ermer utenfor inngangen til sykehuset.
Da Farah Diba steg ut av den kongelige bilen, fulgte fotogra-
fene henne. Kameraene ble rettet mot kvinnene. De ga dronnin-
gen en praktfull blomsterbukett og bøyde hodet ærbødig. Men
fordi sykepleieruniformene var gjennomsiktige, kunne man se
de lyseblå trusene deres. Hele basaren var forskrekket og Gal-
gal, som hadde hørt nyhetene, var ute av stand til å spise.

Han var rasende og anså det inntrufne som et slag i ansiktet
på ayatollaene og en bevisst fornærmelse av basaren. Hendelsen
hadde funnet sted i byen hvor han var Djomè-moskeens imam.
Han måtte umiddelbart ta til motmæle i sin tale.

Utpå kvelden ringte telefonen hos Āqa Djān. Det var noen

fra Qom som ønsket å snakke med Galgal. Samtalen var kort og enveis. Galgal sa ikke noe, han lyttet bare og avsluttet med: «Nei, jeg var ikke klar over det. Ja, jeg skjønner. Da vet jeg nok. Du også.»

Āqa Djān oppfattet ikke hva samtalen handlet om, og spurte heller ikke hvem Galgal hadde snakket med. Da han senere kikket gjennom vinduet til biblioteket, så han Galgal gå urolig frem og tilbake der inne.

På nyhetene ble det antydet at Farah Diba hadde forlatt byen og dratt tilbake til Teheran etter åpningen av klinikken, men hun hadde egentlig ikke dratt. Hun ble fløyet til en gammel, historisk festning utenfor byen.

Festningen i utkanten av ørkenen var blitt ombygd til et herberge, et herberge for karavaner som fulgte Silkeveien. Her hadde reisende og kjøpmenn tidligere overnattet.

Fordi Farah hadde studert arkitektur i Paris, ledet hun restaureringen av en rekke historiske bygg i landet. Hun hadde vært spesielt involvert i restaureringen av festningen.

Senere på kvelden skulle hun dra inn til Sandjān igjen for å åpne kinoen.

Kinoeieren hadde skaffet en ny amerikansk kjærlighetsfilm fra Teheran, spesielt for anledningen. Filmen var aldri blitt vist i landet før. Han hadde for øvrig ikke fortalt noen om det kongelige besøket, men hadde antydet at det skulle komme prominente gjester fra Teheran.

Idet Farah Diba satte seg til bords i den gamle festningen, for å nyte sitt måltid og slappe av, tok Galgal imot en hemmelig telefonoppringning på Āqa Djāns værelse. Han førte en hviskende samtale med noen i Qom.

Klokken syv var han klar til å dra til moskeen. Shahbal, som kom for å følge ham, la merke til at han var urolig.

«Er det noe?» spurte han.

«Nei, hvordan det?» svarte Galgal idet de forlot biblioteket.

«Hva skal du snakke om i kveld?»

«Jeg har det ikke helt klart for meg, den tøsen har forstyrret meg.»

Shahbal ville spørre: «Hvilken tøs?», men gjorde det ikke. Han greide ikke å ta ordet «tøs» i sin munn.

«Hvor er Āqa Djān?» spurte Galgal.

«Han er i moskeen.»

De gikk inn i moskeen, bønnerommet var fullt, det var flere mennesker der enn vanlig. De var sikkert nysgjerrige på hvordan imamen ville reagere på Farah Dibas besøk.

Galgal klatret behersket opp på prekestolen, satte seg ned og begynte å snakke om moskeen og imamens rolle. At moskeen var byens hjerte og imamen bybefolkningens årvåkne bevissthet.

Han nevnte ikke åpningen av klinikken i talen sin, han snakket heller ikke om kringkastingen av Farah Dibas besøk på fjernsynet. Han rettet sine angrep mot kinoen.

«Vær forsiktig!» ropte han plutselig og holdt opp en truende finger. «Vær oppmerksom på hva dere holder på med!»

Han tok en kunstpause.

«I moskeens navn,» fortsatte han, «i byens navn, i basarens navn sier jeg dere, ber jeg dere, advarer jeg dere mot å gjøre dette. Stopp med de djevelske planene deres. Sandjān er ikke et egnet sted for den løsslupne amerikanske kulturen. Det er ikke et sted for synd. Stopp! Ellers kommer vi til å stoppe det!»

«Allāho Akbar!» ropte noen høyt.

«Allāho Akbar!» ropte de troende i kor.

Ingen visste hva Galgal mente med sin preken, men alle skjønte at dette var hans måte å uttrykke sitt sinne overfor kvinneklinikken på.

Mennene fra basaren så tilfreds på Āqa Djān, de satte pris på Galgals reaksjon.

Āqa Djān var også stolt av ham, men igjen så han at Galgal ikke ville holde ut lenge i Sandjān. Han var for ambisiøs til å være imam for en moské, han trengte rom. Snart ville han kveles mellom veggene i moskeen. Men moskeen var en god begynnelse for ham.

*

Kinosjefen hadde regnet med at Galgal ville tale mot kinoen hans i moskeen, men han fryktet ikke hans dom. Han visste at både sikkerhetspolitiet og det vanlige politiet ville beskytte ham. Det var torsdag kveld, og han var glad for at de troende satt i moskeen og lyttet til Galgal når han skulle åpne kinoen. På den måten kunne han ta imot Farah Diba i ro og mak.

Men han kjente visst ikke motstanderen sin godt nok, for Galgal var velinformert, han visste akkurat når åpningen skulle finne sted.

Galgal kikket på klokken, tiden var snart inne, men han tok det med ro, gned seg over skjegget og smilte. Āqa Djān trodde at han var ferdig med å snakke om kinoen og skulle begynne på noe annet. At han sa seg tilfreds med trusselen. Men Galgal overrumplet ham med å trekke frem den intense suren Abu Lahab, om en kvinne som tiltales av en rasende Gud. Han begynte rolig og uttalte ordene forsiktig:

«I undergangen med Abu Lahabs verk,
i undergangen med ham!
Hans rikdom og det han har tjent, hjelper ham ikke.
Han skal havne i flammende ild,
men hans hustru, som bærer brennefang,
har en snor av palmefibre rundt halsen!»

Āqa Djān snappet etter luft, plutselig skjønte han at Galgal hadde mer fore enn å ytre tomme trusler.

Abu Lahab var onkelen til Muhammed, farens bror. Og han var Muhammeds og Koranens svorne fiende.

Under islams åpenbaring, den natten Muhammed holdt en tale for makthaverne i Mekka for å overbevise dem om sin misjon, skjelte Abu Lahab Muhammed ut og forlot samlingen. Abu Lahabs kone gjorde det samme, hun skjelte ut Muhammed og tok upassende ord om Koranen i sin munn. Og ikke nok med det, de fortsatte sin fiendtlige gjerning i basaren og skjelte fremfor alt ut Koranen og hans Allah. Muhammed, som led under dette, kunne ikke stoppe dem: En natt ble suren Abu Lahab åpenbart for ham:

Tabbat yāda Abi Lahab ...
Mens hans hustru, som bærer brennefang,
har en snor av palmefibre rundt halsen!
I undergangen med Abu Lahabs verk.

Hvis noen siterte fra Abu Lahab, var det alvor. Galgal fortsatte:

«I undergangen med mannen som har kjøpt byens gamle
bad.
I undergangen med mannen som vil lage en kino av dette
gamle badet.
I undergangen med badets inngangsdør.
I undergangen med mennene som nå har samlet seg i dette
badet.
Og en snor av palmefibre rundt halsen på kvinnene som
befinner seg der.»

Āqa Djān greide ikke lenger å løfte hodet, han greide ikke lenger å se på Galgal. Han så på figurene på teppet han satt på, og hadde følelsen av at Galgal sto bak ham og holdt rundt ham og trykket hodet hans ned.

Galgal hadde overrumplet ham, og han burde kanskje være glad for det, men han hadde blandede følelser. Hvorfor hadde ikke Galgal fortalt ham at han skulle snakke om kinoen? Og hvorfor denne strenge tonen med ett? Gagnet det egentlig moskeen det han gjorde? Og hvilke følger ville det få for byen? Men han hadde ikke tid til å tenke på slikt nå. Han trakk pusten dypt, løftet hodet og så seg omkring.

I moskeen var det dødstille, alle så andektig på Galgal: «Jeg har advart de lokale myndighetene god tid i forveien, jeg har også advart den nye eieren av badet, men de vil ikke høre. I kveld skal de vise en syndig amerikansk film i badet. Akkurat i kveld! Vet dere hvilken dag det er i dag?

Det er hellige Fātemes dødsdag!

Jeg, Galgal, moskeens imam, forbyr det.

Jeg, Galgal, Djomè-moskeens imam, forbyr dere å gå på den kinoen!

Jeg, Galgal, skal med Koranen i hånd spikre igjen det syndige stedet,» sa han og hentet koranen frem fra lommen.

Mengden ropte: «Allāho Akbar! Allāho Akbar! Allāho Akbar!»

«Til badet!» ropte Galgal.

Han reiste seg og skyndte seg ned fra prekestolen.

Mengden reiste seg for ham.

Āqa Djān, som ikke hadde forventet en slik brå vending, sto som naglet til grunnen. Han følte seg lurt av Galgal, han merket at imamen hadde overtatt ledelsen. Men det var ennå ikke for sent. Āqa Djān hadde mer erfaring enn Galgal. Han måtte forsøke å gjenvinne kontrollen og bevare moskeens rykte og anseelse. Galgal var ikke viktig, bare moskeen var viktig. Han reiste seg og løp etter Galgal mens han ropte til Shahbal: «Løp! Ikke la ham være alene! Gå sammen med ham!»

Spenningen hadde steget så mye at det ikke var mulig å få kontroll lenger.

«Jeg kan,» mumlet Āqa Djān, «jeg er den eneste som kan stagge kaoset.»

Galgal var allerede på vei mot kinoen med koranen hevet over hodet. De troende fulgte etter ham og ropte «Allāho Akbar».

Agentene fra sikkerhetspolitiet, som ble overrumplet av denne plutselige invasjonen, løp skremt inn i mørket mens de ropte høyt i walkie-talkiene sine: «Opptøyer! Kinoen står i fare!»

To politibiler ankom litt forsinket, men agentene skjønte ikke hva som skjedde, og hvor menneskemengden var på vei.

Et par militære kjøretøyer fulle av soldater blokkerte veien til kinoen. De væpnede soldatene hoppet ut av lastebilene og dannet en mur for å holde demonstrantene tilbake.

Det fløy et helikopter i retning av kinoen. Maskinen landet midt på torget utenfor badet, klar til å plukke opp Farah Diba.

Borgermesterens bil stoppet ved trappen. Borgermesteren steg ut og løp mot demonstrantene mens han veivet med armene over hodet. Han lette etter Āqa Djān i mengden, og da han fant ham, ropte han: «Hva i herrens navn holder du på med? Det er en felle! Stopp disse menneskene før det utvikler seg til et blodbad.»

«Hva er det du sier? De lokale myndighetene lytter ikke lenger til moskeen! De fornærmer alle i byen med denne kinoen sin, og nå truer du meg med et blodbad?»

«Nei, ikke slik, du misforstår, jeg truer deg ikke, jeg ber deg om hjelp, det går snart galt, men jeg kan ikke si det høyt.» Så hvisket han: «Farah Diba er på kinoen. Tro meg, hvis disse menneskene kommer nærmere nå, vil hæren begynne å skyte. Gjør noe! Hold dem tilbake!»

De væpnede soldatene stoppet demonstrantene, og en offiser ropte med en høyttaler i hånden: «Vend om! Ikke kom nærmere!»

Galgal hørte ikke på ham, holdt bare koranen hevet over hodet og passerte offiseren. Han forsøkte å bane seg vei mellom soldatene, men offiseren gikk bort til ham og holdt ham igjen.

«Tilbake, sa jeg!» ropte han høyt. «Ellers skyter vi.»

«Bare skyt!» ropte Galgal og så fortsatte han.

Offiseren trakk ham bakover etter kragen, lente seg frem og ropte i øret hans: «Hvis du ikke snur, surrer jeg turbanen om halsen på deg og frakter deg bort!»

Galgal oppfattet ordene hans. Han ga offiseren et hardt dytt slik at han vaklet og nesten falt. Offiseren grep etter pistolen. Āqa Djān handlet raskt. Han trakk Galgal unna og ropte til Shahbal: «Ta ham med deg!»

Men Galgal trakk seg løs fra Āqa Djān og stormet mot offiseren.

Āqa Djān fikk tak i ham akkurat i tide: «Nå er det nok! Nå må du slutte!»

Galgal dyttet Āqa Djān til side og kastet seg frem, men nok en gang innhentet Āqa Djān ham, grep ham i kragen og ropte: «Glem aldri at her er det *jeg* som bestemmer!»

Deretter tok han høyttaleren fra offiseren og ropte: «Godtfolk! Ta det med ro! Hør på meg! Jeg har gode nyheter!»

Det ble stille.

«Jeg har akkurat snakket med borgermesteren. De lokale myndighetene trekker planene sine. Det blir ikke åpnet noen kino i byen! Vend tilbake til moskeen!»

«Allāho Akbar!» ropte mengden.

Hendelsen hadde gjort sterkt inntrykk. Folk ble stående lenge utenfor moskeen, og det var Āqa Djān glad for.

Moskeen hadde tydd til harde midler, og Āqa Djān hadde så vidt vært i stand til å avverge et blodbad. Dette var et direkte angrep på sjahens planer, fra uventet hold, og et kraftig slag i ansiktet på statsministeren. Han ville frata de religiøse byene deres makt og gi dem en falsk vestlig kultur. I morgen kom det til å stå om hendelsen i alle landets aviser: Mytteri i Sandjān!

Djomè-moskeen i Sandjān hadde markert seg nok en gang. Ayatollaene i Qom kom til å sette stor pris på dette, og imamene i alle landets moskeer kom til å snakke om det.

Det var midnatt, alle hadde gått hjem, moskeen var tom, og oppsynsmannen hadde låst døren til moskeen. Āqa Djān satt på arbeidsværelset sitt og skrev: «Etter en rolig periode, har moskeen vår igjen markert seg. Kanskje er vi tilbake på den gamle stien.»

Han drev fremdeles og skrev da to personbiler stoppet utenfor moskeen. En av bilene ble stående under trærne foran moskeen, den andre slo av lysene og kjørte forsiktig inn i den smale gaten som førte opp til huset. Tre agenter i sivil steg ut. Sjåføren ble sittende i bilen. Sjefen gikk bort til døren og ringte på, mens de to andre ble stående ved bilen.

Āqa Djān hørte dørklokken og ante straks uråd. Han hadde regnet med at politiet skulle komme innom basaren neste dag, men ikke at de skulle dukke opp midt på natten.

Bestemødrene hadde også hørt ringeklokken, de skjønte at det var noe uvanlig på gang og at de ikke måtte gå ut, men heller vente på beskjed fra Āqa Djān.

Shahbal, som også hadde hørt dørklokken, kom straks inn på Āqa Djāns værelse.

«Det er trolig agenter,» sa Āqa Djān dempet, «advar Galgal! Han må komme seg vekk! Ta ham med deg over taket!»

Galgal hadde ventet at agentene skulle komme, han var fremdeles i biblioteket da det ringte på døren. Han slo straks av lyset, forlot biblioteket og listet seg bort til trappen.

Āqa Djān tok på seg jakken og hatten og gikk ut på gårdsplassen. Han så Galgals silhuett ved trappen og ventet et øyeblikk til han var forsvunnet.

Igjen ringte det på døren.

«Jeg kommer!» ropte han og gikk mot døren.

Kvinnene sto bak gardinene og holdt øye med det hele.

«Hvem der?» ropte Āqa Djān før han åpnet døren.

«Lukk opp!»

Han lukket opp døren. I lyset fra lykten så han agenten og mennene ved bilen.

Han skjønte med en gang at det var agenter fra sikkerhetspolitiet. En agent fra byen hadde ikke tort oppsøke ham midt på natten. Dette var trolig nye agenter, eller så kom de fra et annet område. Āqa Djān så det på holdningen deres. De kjente ikke Āqa Djān, hilste ham ikke engang.

«Mine herrer, hva gjør dere utenfor døren min midt på natten?»

«Vi leter etter imamen! Han må bli med oss!» sa agenten og identifiserte seg.

I de harde ordene fornemmet Āqa Djān situasjonens alvor. For å vinne tid gikk han ut og lukket døren etter seg.

«Imamen er ikke hjemme,» sa han, «hvis det haster, kan dere snakke med ham i moskeen i morgen kveld.»

Sjefen, som ikke hadde ventet at Āqa Djān skulle lukke døren etter seg, ropte klossete: «La døren stå åpen!»

«Ikke så høyt, agent, alle sover,» sa Āqa Djān.

«Lukk opp døren,» sa agenten og slo på den med knyttneven.

«Ta det med ro, agent! Jeg har jo sagt at imamen ikke er hjemme. Han er borte! Og borte er borte! I morgen kveld vil han være på plass i moskeen. Hører du meg? Eller hører du meg ikke?» sa Āqa Djān, så høyt at Galgal skulle kunne høre stemmen hans.

«Lukk opp døren, ellers skyter jeg den opp,» sa agenten og kneppet opp det svarte pistolhylsteret sitt.

Plutselig løp en av agentene inn i den smale gaten og ropte: «Han er på taket av moskeen! Grip ham!»

Agentene klatret straks opp veggen via døren. De sto på taket i løpet av et par sekunder og løp i retning av minaretene.

Āqa Djān lukket opp døren og var på vei mot trappen for å gå opp på taket, da en av agentene ropte: «Du holder deg her!»

Āqa Djān gikk mot gjesteværelset og ble stående i mørket under trærne og holde øye med alt sammen.

«Jeg så en skygge bak kuppelen!» ropte en agent fra gaten.

«Hendene i været, og kom frem!» ropte sjefen fra taket.

Āqa Djān trodde at de hadde fått tak i Galgal, og gikk bort til sedertreet så han kunne se taket bedre. I det grønne lyset fra minaretene så han at sjefen tok noen skritt frem, med pistolen rettet mot kuppelen, men han så ikke Galgal.

«Det er ingen her!» ropte han til agenten nede på gaten.

«Jeg så akkurat en skygge, han kan ikke være langt unna!» ropte agenten tilbake.

Det var en lettelse for Āqa Djān. Han gikk bort til bassenget, stilte seg opp i lyset fra lykten og ropte: «Agent! Skyggen dere nettopp så på taket, tilhørte nok moskeens oppsynsmann. Ikke gjør det så vanskelig for dere selv. Oppsynsmannen var hos meg da dere kom. Dere kommer fra et annet område og kjenner ikke moskeen. Ingen kan flykte over taket hvis det står agenter nede på gaten. Jeg skal vise dere.» Og han gikk bort til trappen og opp på taket.

«Jeg sa jo at imamen er dratt,» sa han til sjefagenten da han kom opp på taket. «Han har dratt til Qom for å møte noen, han tok nattoget. Dere kan ringe billettkontoret på stasjonen, om dere vil. De kjenner ham. Ikke gjør dette vanskeligere enn det er. Bortsett fra kuppelen og minaretene finnes det ingenting på taket. Nå får dere se dere om og ha dere vekk! Hører dere?»

Sjefagenten svarte ikke, men lyste med lommelykten over taket.

«Så, ha deg vekk fra taket med de skitne skoene dine, og kom deg ut av huset mitt!» ropte Āqa Djān og pekte på trappen.

Agentene gikk mumlende ned trappen, tilbake til gårdsplassen.

«Ingen fremmede har noensinne våget seg inn i dette huset før, nå har fire slyngler tatt seg inn. Nok er nok, forsvinn!»

Men sjefagenten lot seg ikke skremme av Āqa Djāns harde tonefall. Han ga mennene en ny ordre: «Gjennomsøk alle rom, nå!»

Agentene stormet skamløst inn i de ulike værelsene.

«Shahbal!» ropte Āqa Djān.

Det kom ingen reaksjon.

«Ring borgermesteren!» ropte han, selv om han visste at Shahbal var blitt med Galgal.

Han løp inn på arbeidsværelset sitt, fant frem borgermesterens telefonnummer blant papirene og slo nummeret: «Få de slynglene ut av huset mitt, før jeg henter et gevær i kjelleren og skyter dem!»

Agentene skjøv den blinde muezzinen ut av værelset hans og gjennomsøkte det.

«Bastarder!» ropte Muezzin. «Bastarder er dere! Kom dere ut av rommet mitt! Kom dere ut av huset!»

Døren til biblioteket var stengt.

«Nøkkelen!» ropte sjefagenten.

«Det finnes ingen nøkkel!» ropte Āqa Djān fra den andre siden av gårdsplassen.

«Gi meg nøkkelen, ellers sparker jeg inn døren!»

Bestemødrene kom frem fra mørket, åpnet døren til biblioteket og slo på lyset.

En agent skulle til å gå inn i biblioteket med skoene på.

«Ta av deg skoene!» ropte Golbānu.

Han hørte ikke etter.

«Ta av deg skoene, din slyngel!» ropte Golebeh.

Agenten, tydeligvis imponert over bibliotekets alder, stoppet opp i døråpningen, betraktet de gamle bokhyllene og imamens antikke skrivebord og gikk så ut igjen.

De andre agentene gikk inn i det mørke teppeværelset. Det hang et halvknyttet teppe på veggen. De kikket bak teppet, åpnet de store antikke skapene og hev garnrullene på gulvet. Så gikk de ut og videre til opiumsværelset.

Walkie-talkien til sjefagenten ga lyd fra seg, han gikk til bassenget og begynte å snakke med noen. Etter et knapt minutt vendte han tilbake og ropte: «Gutter, vi stikker!»

Agentene hans samlet seg på gårdsplassen, lukket døren etter seg og dro.

Āqa Djān låste og slo av lysene.

«Har dere noe å spise til meg? Jeg er sulten og tørst,» sa han til bestemødrene.

Han hadde akkurat satt seg i stolen da Shahbal kom inn.

«Hvor er han?» spurte Āqa Djān.

«I moskeen.»

«Hvor i moskeen?»

«I det eldste gravkammeret. Oppsynsmannen har tatt seg av alt sammen,» sa Shahbal.

«Han er trygg i moskeen, men agentene kommer nok tilbake. Dette blåser ikke så fort over. De kommer til å holde øye med moskeen. Vi må sende ham til Qom. Når oppsynsmannen åpner dørene for morgenbønn, kommer de til å innta moskeen, og da kan vi ikke stoppe dem. Vi må finne en måte å la ham rømme på.»

I det samme kom bestemødrene inn med et serveringsfat i sølv. De rullet ut en liten, ren bomullsserviett på Āqa Djāns skrivebord og plasserte en elegant porselenstallerken med et varmt ostesmørbrød på den. Ved siden av satte de en dampende antikk tekanne med gullrand og et par glass, og så gikk de sin vei. Āqa Djān så på Shahbal og smilte.

«Det ser ut til at de går god for aksjonen din,» bemerket Shahbal og skjenket i te til ham.

«Finn deg en stol og spis sammen med meg. Vi har mye å gjøre, vi kommer ikke til å sove i natt.»

Da de hadde spist litt, gikk Āqa Djān til lagerrommet ved arbeidsværelset sitt og kom tilbake med et par gjenstander. Han la en saks, en hatt og en dress på bordet foran Shahbal og sa: «Jeg har en plan. Om litt går jeg ut på trappen foran moskeen, som om jeg venter på noen. Jeg vet at det sitter agenter og holder øye med alt i bilene sine, så derfor skal jeg forsøke å tiltrekke meg oppmerksomhet. I mellomtiden tar du med deg denne sak-

102

sen og denne dressen og går over taket til moskeen. Du hjelper Galgal å klippe skjegget kort og ber ham ta på seg dressen og hatten. Når solen står opp, kommer folk til bønn, og etter det som skjedde i går, forventer jeg flere enn noensinne. Når de går ut etter bønnen, følger dere med meg. Resten tar jeg meg av. Oppfattet?»

«Oppfattet.»

Det var ikke kaldt, men det blåste en frisk vind fra fjellene og inn i byen denne tidlige morgenen. Āqa Djān gikk ut foran moskeen som avtalt og så at lyspæren i gatelykten foran mos-keen, som lenge hadde vært ødelagt, nå lyste. Oppsynsmannen hadde flere ganger vært inne på byens elektrisitetsbyrå, men ingen hadde kommet for å bytte lampen. Āqa Djān hadde også selv ringt direktøren et par ganger, men aldri fått tak i ham.

Det var ingen ute på gaten, men et stykke unna sto det to menn på fortauet og røykte. Da de merket at Āqa Djān kikket på dem, trakk de inn i mørket.

En personbil med fire menn kjørte forbi moskeen, snudde og kjørte tilbake igjen uten å stoppe.

Mennene i mørket dukket opp i lyset fra lykten og kom røykende bortover mot Āqa Djān. De passerte ham uten å hilse. Det var folk utenbysfra, ellers ville de ha gjenkjent Āqa Djān og hilst ham selv i mørket.

Nå som han sto der, slo det ham hvor voldsomt byen hadde forandret seg de siste årene. Byens administrasjon hadde falt i hendene på fremmede. Inntil for et par år siden hadde alle byens autoriteter vært mennesker han kjente, mennesker fra byens bedre familier, sønner av kjøpmennene i basaren. Og hvis han, Āqa Djān, gikk inn på et av byadministrasjonens kontorer, ble han umiddelbart tatt imot av direktøren. Nå kjente han ikke direktørene lenger. Det var folk som ikke ønsket kontakt med moskeen. De hadde på seg stramme dresser, slips og røykte tykke sigarer. Byen var virkelig blitt delt i to: på den ene siden sto de gammeldagse menneskene og de tradisjonelle bygningene og basaren, på den andre siden sto de nye direktørene, de nye agentene, de moderne bygningene og menneskene som gikk i teateret og på kino. Tidligere hadde han vært i stand til å ordne alt i en håndvending, i dag lyktes det ham ikke engang å få byttet en ødelagt lyspære.

Først nå skjønte Āqa Djān borgermesterens advarsel: «Husk det, Āqa Djān! Jeg kan ikke lenger hjelpe deg slik som før.»

Han kjente angsten komme, selv om han ikke var så lett-skremt. Inntil for et par timer siden hadde han trodd at alt uansett ville ordne seg, om så agentene arresterte Galgal. Han hadde vært overbevist om at han ville fått løslatt Galgal igjen, at han ville kunne ta ham med hjem igjen om han bare ringte politimesteren. Nå skjønte han at han hadde tatt feil.

Det var som om han trengte den friske brisen fra fjellene for å klarne tankene og se tydeligere. Det gikk opp for ham at Galgal var en fremmed og dertil en upålitelig mann. Hvem var han egentlig? En fullstendig ukjent imam som hadde kommet fra Qom og bedt om datterens hånd. Og så? Ut over det visste han ingenting om ham.

Fjelluften gjorde sitt, tåken lettet, og Āqa Djān så på alt klarere. Galgal hadde smidd en farlig plan, han hadde visst at Farah Diba befant seg på kinoen, men han hadde ikke sagt det til ham. Han hadde ønsket å forårsake en katastrofe i byen og hadde lokket med seg de uvitende moskégjengerne til kinoen for å få Farah Diba til å gå i en felle. Han hadde villet sette landet på hodet og skape verdensnyheter. Og Āqa Djān hadde ikke skjønt det. Heldigvis hadde han gjennomskuet Galgals planer i tide. Galgal hadde lurt ham, og nå satt han i det gamle gravkammeret. Hans skjebne lå i Āqa Djāns hender. Han hadde bedt Shahbal om å klippe Galgals skjegg kort.

Selv om det var kaldt, kunne han kjenne svetten på pannen. For å dempe angsten, begynte han å nynne:

«Ved formiddagens glød!
Ved nattens stillhet!
Ikke har din Herre forlatt deg.
Fant Han deg ikke foreldreløs og gav deg ly?

Han fant deg trengende og gjorde deg uavhengig!
Har Vi ikke tatt fra deg din byrde?
Som tynget på din rygg?
Og Vi har hevet din anseelse.
Motgang og medgang følges ad.»

Han snudde seg og merket at det var blitt lyst. En rekke mennesker kom gående i retning av moskeen. Han følte seg lett til sinns, rettet ryggen og gikk inn i moskeen.

Det hadde aldri vært så fullt ved morgenbønnen før, og fremdeles strømmet det på med mennesker. Āqa Djān hadde ikke fått det med seg, men de aller fleste hadde hørt på radioen at det hadde brutt ut opptøyer i Sandjān, at en fanatisk imam hadde satt byen på hodet.

Alle morgenavisene rapporterte om det kongelige besøket på klinikken og om Farahs tilstedeværelse ved åpningen av den nye kinoen. Noen steder ble det antydet at imamen hadde mobilisert moskégjengerne med svært suspekte hensikter.

Derfor kom alle til moskeen nå, for å oppleve resten av uroen.

Oppsynsmannen dukket opp, gikk bort til Āqa Djān og hilste på ham. Āqa Djān spaserte sammen med ham et lite stykke for å gå gjennom alt en gang til. Da de kom tilbake til moskeen, snek Āqa Djān seg ned i kjelleren og inn i det gamle gravkammeret. Shahbal dukket frem fra mørket.

«Hvor er han?» spurte Āqa Djān.

«På lagerrommet.»

«Gå opp og be faren din begynne med azān!» Han gikk mot lagerrommet, åpnet døren forsiktig og sa: «Det er meg! »

I det sparsomme skinnet fra stearinlyset var Galgal totalt ugjenkjennelig. Han hadde på seg hatt og dress, og skjegget var kortklippet.

«Politiet har satt alt inn på å få tak i deg. Og du kjenner årsaken til det bedre enn meg. Jeg skal gjøre alt som står i min makt for å hjelpe deg å flykte, men la dette være sagt: Jeg likte ikke aksjonen din. Mye tyder på at du har lurt meg. Du burde ha fortalt meg hva du planla, i stedet har du bevisst latt det være, men dette er ikke riktig tidspunkt å ta opp slikt på. Når

105

bønnen er over, kommer Shahbal og henter deg. Vi forlater moskeen sammen med de andre. Nevøen til oppsynsmannen venter på deg med motorsykkelen sin ute i basaren. Når vi kommer dit, setter du deg bak ham, og så frakter han deg til landsbyen Vartje. Imamen i Vartje vil hjelpe deg til Kāshān, og imamen i Kāshān vil organisere reisen din til Qom. Her har du litt penger. Nå går jeg,» sa Āqa Djān og gikk uten å vente på Galgals reaksjon.

Han hadde villet snakke hardere til ham: «Du var i ferd med å sette byen, moskeen, huset og familien i fare. Du har krenket min tillit. Jeg skjønte tidlig at jeg ikke burde stole på deg, men heldigvis har alt gått bra. Nå kan du bare ha deg vekk, jeg vil ikke se deg mer.» Men han hadde ikke sagt det, han var glad for at han hadde greid å kontrollere raseriet og dempe ordene.

Da Āqa Djān gikk inn på bønnerommet, reiste folk seg for ham. Alle visste at politiet hadde vært hjemme hos dem natten før, og at Galgal hadde unnsluppet.

En gruppe prominente menn fra basaren fulgte Āqa Djān bort til det stedet hvor imamen vanligvis forrettet sin bønn.

«Jeg vil snart trenge deres hjelp,» hvisket Āqa Djān til dem, «dette er en avgjørende tid for moskeen. Galgal er i fare. Jeg skal lede bønnen i dag, det er ikke vanlig, men dette er en nødsituasjon. Deretter vil jeg at dere venter her, så går vi sammen til basaren.»

Etter å ha sagt dette, gikk Āqa Djān bort til prekestolen, stilte seg på det nederste trinnet og ropte: «Godtfolk, i dag har vi ingen imam til å forrette bønnen. Galgal måtte dra til Qom. Jeg vet at det ikke er vanlig, men i dag skal jeg innta imamens plass. Morgenbønnen blir kort, følg meg!»

Det var litt urolig i moskeen, men da Muezzin ropte «Hayye alas-salāt», ble det stille, og alle vendte seg mot Mekka.

Morgenbønnen er den korteste bønnen i løpet av dagen. Den består av at man reiser seg to ganger, bøyer seg frem to ganger og legger pannen mot bakken to ganger.

Etter bønnen gikk mennene høytidelig bort til Āqa Djān og fulgte ham ut. Da de kom ut på gårdsplassen, så Āqa Djān Shahbal og Galgal komme ut av kjelleren og slutte seg til mengden. Āqa Djān hadde bare bedt en liten gruppe om å følge ham til basaren, men mange hadde åpenbart innsett øyeblikkets alvor og fulgte nå taust etter Āqa Djān.

Overalt sto det politifolk som ikke skjønte hva som foregikk, og hvorfor folk gikk fredsommelig mot basaren.

Nevøen til oppsynsmannen sto klar på hjørnet av basarplassen under en gatelykt. Galgal rev seg løs fra mengden, gikk bort til motorsykkelen og satte seg bakpå. Mannen ga gass og de kjørte bort uten å se seg om. Shahbal ventet til motorsykkelen hadde forsvunnet ut av syne, så vendte han tilbake til mengden igjen, gikk opp på siden av Āqa Djān og hvisket: «Han er borte.»

FUGLER

Hā mim. Høsten var akkurat over. Sediq hadde dratt til Qom for å være sammen med sin mann før vinteren kom. Den første snøen dekket fjelltoppene. Overalt kunne man se hvite topper over landsbyen. I huset snakket man ikke lenger så ofte om Galgal. Alle var opptatt av andre ting. Snart kom trekkfuglene. Kanskje fantes det en unik en blant dem denne gangen.

Da Āqa Djān våknet, sa han til sin kone: «Faqri, i natt hadde jeg en vakker drøm igjen. Du tror kanskje ikke noe på det, men jeg har ofte kontakt med mine døde, og i natt så jeg faren min. Jeg husker ikke lenger når han døde, men han kommer alltid til meg i drømmene. Det er uforklarlige drømmer omgitt av en egen atmosfære, i omgivelser som står helt i stil. I nattens drøm hadde faren min akkurat dødd, og vi brakte ham til gravstedet og begravet ham, men da jeg kom hjem, lå han fremdeles på sengen under et hvitt laken. Jeg visste at det var faren min, selv om vi akkurat hadde begravet ham. Jeg knelte ved sengen og skjønte at han ikke var død, at han snart kom til å reise seg. Og så rørte han på seg, og hodet dukket frem fra lakenet. Han forsøkte å sette seg opp, og jeg ilte til og hjalp ham opp, ga ham stokken og hatten. Så forlot han rommet, gikk langsomt ut til bassenget og satte seg på benken og kikket på fiskene.»

«Du tenker på ham, du tenker hele tiden på de døde,» sa Faqri Sādāt, «derfor drømmer du så ofte om dem.»

«Jeg tenker i grunnen ikke på dem, jo, jeg tenker på faren min iblant, men jeg drømmer om nesten alle døde, til og med mennesker som jeg ikke har kjent, min fars far, for eksempel, eller min farfars far. Det er rart. Om dagen befinner jeg meg i de levendes verden og om natten i de dødes.»

«Kanskje har det sammenheng med moskéjournalene dine.»

Han reiste seg og gikk bort til vinduet.

«Faqri Sādāt!» sa han plutselig.

«Hva er det?»

«Tammuz-solen er her.»

Faqri Sādāt kikket på solen som hang som en rød kule over toppen av Zardku, det gule fjellet.

«Jeg har kikket opp på Zardku hver eneste dag, men den kom aldri. Jeg trodde ikke at vi skulle få oppleve det i år,» sa Faqri Sādāt.

«Jeg har tenkt så mye på Galgal i det siste at jeg helt hadde glemt tammuz.»

Vinteren hadde kommet. En sjelden gang skinte plutselig en rød varm sol over Zardku på høstens siste dag eller vinterens første: tammuz-solen. Tammuz betyr sommer.

I Sandjān ventet man alltid på denne uventet milde dagen. Trekkfuglene visste om den før menneskene. Denne dagen fløy de over det snødekte fjellet. De kom fra de kalde russisk-asiatiske områdene, fra gammelt av tok de Silkeveien, hvor luften var varmest, og fløy over store deler av ørkenen i ett strekk. Når de ankom til Sandjān, hadde de lagt den vanskeligste delen av ferden bak seg. Derfra fløy de etappevis mot varmere strøk til de endelig nådde sine reir i de gamle daddeltrærne ved Persia-bukten.

Tammuz-dagen var en viktig dag for familien. Dagen hadde også betydning for basaren og for den nasjonale teppehandelen. Faqri Sādāt og bestemødrene holdt seg hjemme for å fange fugler.

Huset fikk inspirasjon til teppenes farger og figurer fra trekk-fuglenes fjær.

Tiden hadde lært beboerne av huset at det alltid fantes et par eksemplarer blant trekkfuglene med en bemerkelsesverdig farge og et ukjent fjærmønster.

Ingen visste hvordan Āqa Djān utviklet disse unike figurene, og hvordan han fant frem til den praktfulle blandingen av farger. Dette var husets hemmelighet. Og det var husets kvinner som hadde gjort det mulig opp gjennom århundrene.

Som alltid satte bestemødrene straks i gang. De hentet de gamle kurvfellene opp fra kjelleren og plasserte dem på gårdsplassen utenfor biblioteket og opiumsværelset.

Når trekkfuglene forlot ørkenen og siktet seg inn mot Sandjān, fløy de vanligvis i retning av moskeens minareter, hvor det alltid bodde fire storker. To på hver minaret. Ingen visste når de gamle storkene døde og når de unge storkene tok over. Men de var alltid der. De var en del av Sandjāns ånd, og trekkfuglene så dem som et første tegn på at de nærmet seg byen.

Når fuglene nådde byen, fløy de et par støyende runder over husene før de landet på moskeens tak. Den gamle kråka satt på kuppelen og holdt øye med dem.

Oppsynsmannen hadde allerede strødd hvetekorn på taket og satt ut skåler med vann til trekkfuglene. Alle i byen visste at fuglene fikk hvete og vann fra moskeen, men ingen visste at Faqri Sādat satte ut kurvfeller.

Hun satt i en stol ved siden av bassenget og hadde tauene til kurvfellene i hånden. Bestemødrene hadde gjemt seg bak gardinene i biblioteket og kikket forsiktig ut gjennom en sprekk.

En fugleflokk landet ved kurvfellene hvor det lå hvetekorn strødd utover, og mens de spiste spankulerte de inn og ut av kurvene, hvor det lå røde rosiner.

Så snart fuglene var vel plassert under kurvene, trakk Faqri Sādāt i tauene. Lokkene falt igjen, og fuglene var fanget. Bestemødrene kom.

Begge knelte ned ved den første fellen. Golebeh åpnet toppen av kurven, hentet frem en fugl og leverte den til Faqri Sādāt, som studerte fuglens fjær.

Fangsten inneholdt syv nye sorter. De plasserte fuglene i syv ulike bur og bar dem inn på Āqa Djāns arbeidsværelse.

*

Da det mørknet og Āqa Djān kom hjem, gikk han rett inn på arbeidsværelset, hvor Faqri Sādāt allerede ventet på ham.

«Og hvordan har det gått i dag? Har dere fanget noe spesielt?»

«Fuglene er praktfulle, vi har studert svært mange på nært hold i dag.» svarte Faqri Sādāt.

«Jeg er nysgjerrig. Hvor er bestemødrene?» sa han.

«De kommer snart,» svarte Faqri. Og så arbeidet de fire sammen til den tidlige morgen.

Golbānu hentet en fugl frem fra buret og trakk en svart hette over det lille hodet, slik at den ikke skulle bli skremt av det skarpe lyset.

Āqa Djān studerte fuglen og fuglens fjær andektig.

«Denne har praktfulle fjær, men eksepsjonelle er de dessverre ikke,» sa han og viste Faqri Sādāt tegningen av fjærene med blyantspissen.

«Kan ikke dere også se på den?» sa han til bestemødrene.

De satte på seg brillene og betraktet fjærene på nært hold. «Fargene skiller seg ut, men mønsteret forekommer meg kjent,» sa Golbānu. De tok imot fuglen fra Āqa Djān, satte den tilbake i buret, hentet frem den neste og ga den til ham.

«Disse fjærene er nydelige, ser dere disse små figurene ytterst på fjærene? Her krysses røde og grønne linjer. Jeg tror designerne våre kan få noe ut av dette på tegnebordet.»

Faqri Sādāt studerte fjærene med forstørrelsesglass: «De er virkelig spesielle, glansen i fjærene gjør dem enda vakrere. Hvordan kan det ha seg at disse fuglene har så ulik fjærdrakt? De har unike mønstre alle sammen.»

Āqa Djān kikket i forstørrelsesglasset til Faqri Sādāt og nikket: «Sett denne for seg selv.»

På denne måten undersøkte de to fugler til, men måtte konstatere at fjærene ikke skilte seg ut. Så hentet bestemødrene frem neste fugl. Dette var åpenbart et unikt eksemplar. Fuglen ville ikke holde seg i ro. Den slåss for å komme seg fri. «Denne er sterk! Fjærene er dessuten tykkere enn normalt, bare se her,» sa Golebeh.

«Denne fuglen er virkelig annerledes, flekkene glitrer som blå edelstener,» bifalt Golbānu.

111

«Jeg har sett den i dagslyset,» sa Faqri Sādāt, «men nå som den står her på bordet under lyset, ser den mye vakrere ut.»

«Et mesterverk!» sa Āqa Djān. «Hvor kommer all denne skjønnheten fra?»

Faqri Sādāt grep blyanten, kikket i forstørrelsesglasset og begynte å tegne av en av de små figurene på fuglens fjær. Da hun var ferdig, la bestemødrene en gammel palett og pensel på bordet foran henne. De hadde ingen begreper om at de var kunstnere. De anså sitt verk som en forlengelse av husets tradisjoner, noe som hadde med teppene og med butikken å gjøre. De ønsket å lage de vakreste teppene i landet, i Midtøsten. De anså det som sin plikt og reflekterte ikke noe videre over det. Faqri Sādāt tegnet av figurene og forsøkte å få festet fjærenes magiske farger til papiret. Hun malte med tynne pensler og med fingrene, og fulgte bestemødrenes råd.

«Prøv denne fargen, Faqri, denne mørkeblå, ved siden av den lysegrønne, ikke bland dem, trekk en tynn strek over det blå,» sa Golebeh.

Faqri gjorde akkurat som bestemødrene sa.

«Men jeg vil gjerne få frem den lilla glansen. Hvordan kan vi arbeide denne lilla gløden inn i teppene med ulltråd?» sa hun.

«På papiret greier du ikke å etterape det,» sa Āqa Djān, «maling fungerer annerledes enn ull.»

«Hent garnrullene,» sa Faqri Sādāt til bestemødrene.

De gikk inn på teppeværelset og vendte tilbake med et par garnruller som de la på bordet.

«Kan jeg få litt av det blå garnet?»

«Med bare litt garn, vil det ikke lykkes, er jeg redd,» bemerket Āqa Djān, «du må ta en håndfull av det blå og kombinere det med tynne røde tråder.»

Han hentet ut store mengder blått og la det på bordet, så forsøkte han å kombinere de røde trådene med det blå. «Ser du?»

«Nei,» svarte Faqri.

«Vent litt,» sa Golbānu og vevde enda noen flere røde tråder inn i det blå.

«Og nå?»

112

«Nå begynner det å ligne noe,» sa Faqri.

«Vi greier neppe å etterligne effekten fullstendig på bordet her, man kan først se det i teppet. Når tusenvis av røde ulltråder blir knyttet sammen med det blå, vil den lilla gløden fremstå som noe uhåndgripelig i teppet. Slik er det alltid. Se på fjærene enda en gang med forstørrelsesglasset ditt. Hvis du ser dem på kloss hold, ser du ikke noe annet enn en mengde blå tråder og titalls røde og et par grønne, og ellers går det av seg selv,» sa Āqa Djān.

De så taust på hverandre.

«Jeg tør ikke vise min glede ennå, men jeg tror vi har funnet noe,» sa han.

Faqri Sādāt gjorde ferdig tegningene og Āqa Djān ordnet notatene han hadde gjort seg. Bestemødrene la rullene tilbake i kjelleren og ryddet på arbeidsværelset.

Mens de andre hadde vært travelt opptatt med fuglene, hadde Zinat jobbet på kjøkkenet. Nå leverte hun maten til bestemødrene i døren og tok med resten av familien til spisestuen. For å holde dem i ro, fortalte hun dem en historie. Alle lyttet interessert til henne, og Zinat nøt oppmerksomheten. Hun ble stadig oftere bedt om å fortelle en historie, og hun ble stadig flinkere til det.

Tidlig om morgenen, da morgenlyset skinte inn i huset, feide bestemødrene gårdsplassen og brakte fuglene til bassenget. De matet dem og lot dem drikke av vannet. Så kysset de dem på hodet og kastet dem opp i luften.

Fuglene fløy en halv runde over moskeen før de vendte sydover. De måtte skynde seg for å ta igjen de andre fuglene.

Hvis de fløy uavbrutt, ville de nå Persiabukten mot kvelden. Der var det varmt, og der beveget de store haiene seg som underlige båter i vannet.

DJĀNESHIN

Mine tørste lepper
Søker deg
Ta av meg klærne
Omfavn meg
Her er mine lepper
Her er min hals og brennende bryster
Her er min myke kropp!

Āqa Djān gjemte diktet i skrivebordsskuffen i basaren, etter at han hadde gått med det på innerlommen en stund. Et par ganger hadde han vært i ferd med å kaste det i søppelbøtten, men han hadde ikke gjort det. Selv om det var et syndig dikt, tvang noe ham til å lese det på nytt. Og mot hans vilje var diktet blitt lagret i hukommelsen hans, slik at han allerede kunne det utenat.

Han kjente flere titalls klassiske dikt utenat, men dette diktet var annerledes, det ga ikke slipp på ham, ordene lå stadig på tungen hans. Hvordan torde en kvinne sette slike ting på papiret? Hva het hun?

Dikteren het Forugh Farrokhzād. Og på dette tidspunktet var hun allerede temmelig kjent i Teheran. Hun var en ung, vakker kvinne som hadde skapt furore med sin debut. Et av diktene hennes hadde forårsaket et jordskjelv i den tradisjonelle manne-poesiens verden:

Jeg så ham inn i øynene hvor
Det skjulte seg en hemmelighet

Hjertet mitt hamret
Ved hans spørrende øyne

Allah o Allah
Leppene hans tvang lengselen
Frem på leppene mine

Og jeg sa:
Jeg vil ha deg.
Å gud, jeg begikk en synd
Min nakne kropp
I den myke sengen
Trakk over brystet hans
Støtvis.

For noen var hun en glitrende ny stjerne på den persiske poesiens himmel, for andre en hore som solgte kroppen sin både i sengen og på papiret.

I Qom hadde en ayatolla uttalt seg nedsettende om forleggeren som hadde gitt ut den blasfemiske samlingen. I en av prekenene sine hadde han brukt utgivelsen som bevis på at regimets lakeier undergravet islam.

«Hun krenker våre kvinner,» hadde han ropt, «våre døtre er ikke lenger trygge i dette syndige landet!»

Teheran var ufølsom overfor slik kritikk, Teheran hadde sin egen agenda. Avisene fløt over av tilsvarende blasfemisaker, og på kinolerretet poserte kvinner med store bryster og lite undertøy.

Hver dag åpnet Farah Diba et nytt kultursentrum hvor jenter danset for henne med bare bein, og hvor unge kvinner leste opp dikt om kroppen sin.

Āqa Djān, som akkurat hadde gjemt diktet til Farough i skuffen under alle papirene, hentet det frem igjen og sa til seg selv: Dette diktet hører egentlig til i moskéjournalen min, jeg legger det i kladdeboken.

Da banket det på døren, og assistenten hans kom inn.

«Imamen er her, kan han komme inn?» spurte han.

Āqa Djān husket plutselig at han hadde en avtale med Djāneshin, den faste imamvikaren. Han la diktet tilbake i skuffen og sa: «Slipp ham inn.»

Det var første gang Āqa Djān tok imot imamen i butikken i basaren.

Mannen var rundt de femti og grå ved tinningene og i skjegget. Av den ubehjelpelige holdningen kunne man raskt slutte at han var en imam fra landsbygda.

«Vær så god og sett deg,» sa Āqa Djān og pekte på en stol foran skrivebordet.

Imamen tok beskjedent plass og gjemte armene i drakten. Assistenten kom med te til ham på et sølvfat og bød ham sjokolade fra en elegant farget eske.

Imamen tok en sjokoladebit, stakk den straks i munnen og tygget på den.

Han var tydelig imponert over det nesten kongelige arbeidsværelset med skinnmøbler, antikke stoler, en stor krystallysekrone og et stort skrivebord. Āqa Djān, sjefen over alle teppehusene rundt omkring i landsbyene og byen, satt bak.

Selv var han moskeens imam i fjellandsbyen Djirja.

Āqa Djān hadde tillit til ham.

Tidligere, når imam As-sāberi hadde vært syk eller skulle ut og reise, hadde Djāneshin fungert som vikar for ham, men det hadde alltid vært i en begrenset periode. Nå som Galgal hadde måttet flykte, måtte imamen trolig være der lenger. Āqa Djān hadde hentet ham med jeep like etter Galgals flukt. Han hadde ledet bønnen allerede samme kveld.

Så langt hadde han benyttet seg av gjesteværelset i moskeen, men siden han nå skulle bo der i en lengre periode, trengte han bedre vilkår. Derfor hadde Āqa Djān bedt ham komme og ta en prat.

«Hvordan går det ellers med deg?» spurte Āqa Djān.

«Bra, alhamdo lellāh.»

«Og med familien, kona og barna? Synes de ikke at det er vanskelig at du må være her såpass lenge?»

«Kvinnene klager alltid, men jeg skal dra hjemom iblant.»

«Er du tilfreds med moskeen?»

«Jeg er tilfreds hvis du er det.»

«Jeg er tilfreds ...»

Det banket på døren.

«Kom inn!»

Syv gamle menn med briller og arbeidsklær kom inn. De hadde farge på hendene og klærne. Den eldste rullet ut et farget papir på skrivebordet og sa: «Her er det første resultatet. Som du ser, virker lillafargen tåkete i skissen, men vi tror den vil komme bedre frem i teppet.»

Āqa Djān studerte tegningen mens de syv mennene lente seg frem og kikket sammen med ham.

«Vanvittig, dette hadde jeg ikke forventet!» sa han. «Det er blitt akkurat slik jeg ønsket. Jeg vil ikke vente lenger, hvis dere rekker å få det ferdig, vil jeg gjerne registrere det allerede i ettermiddag. Går det?»

«Vi skal gjøre vårt beste,» sa mennene og gikk.

«Tilgi meg,» sa Āqa Djān til vikarimamen, «jeg har ventet i spenning på dette utkastet i flere uker. De syv mennene er tegnerne mine. De er originale teppedesignere. Trollmenn. De er berømt i hele Midtøsten. Teppene som lages fra tegningene deres, er gull verdt. Godt, la oss vende tilbake til samtalen vår. Du vil altså fortsette her hos oss?»

«Ja.»

«Du er klar over at det kan ta et par år? As-sāberis sønn er ikke på langt nær ferdig med imamopplæringen sin.»

«Jeg er klar over det, men jeg ser på det som en fin mulighet. Jeg har alltid ønsket å være imam for en moské i byen, men det har aldri lyktes meg før nå. Derfor er jeg veldig takknemlig for denne muligheten, men jeg greier det ikke uten din hjelp.»

«Det trenger du ikke å bekymre deg for, jeg skal hjelpe deg.»

«Gjerne. Jeg mener, en preken i landsbyen er noe helt annet enn en preken i byen. I landsbyen snakker man om de små hverdagslige tingene, kyrne, beitemarkene. I byen må man snakke om de store tingene, om politikk, for eksempel. Jeg synes det er interessant å snakke om slike ting og vil gjerne snakke med mer kraft hvis det befinner seg prominente menn i moskeen. Jeg vil også gjerne snakke en tone høyere, jeg ønsker at tilhørerne skal lytte til meg med beundring.»

Āqa Djān smilte. Han skjønte godt hva imamen mente, men så ikke helt potensialet i ham. Han hadde ikke riktig holdning, han manglet elegante vendinger og karisma. Han var en landsbyimam med store hender og høy panne. Man måtte hete Galgal for å greie å rive med seg både gamle menn og unge kvinner.

«Det kommer nok,» sa Āqa Djān. «På den annen side synes jeg ikke det er så dumt å la freden vende tilbake til moskeen, etter denne forvirrende tiden, etter As-sāberis død og Galgals flukt. Du kan trygt snakke om trærne i byen, om plantene og om dine erfaringer på landet, slikt appellerer til byboerne. Vær deg selv, så blir det bra.»

Imamen smilte og senket haken ned på brystet.

«Jeg mener det,» sa Āqa Djān, «jeg er nysgjerrig på hva du kommer til å si til oss på torsdag. Snakk om Djirja, for eksempel, om fjellene, mandeltærne, de sjeldne fjellbukkene, og om safranen. Hvis du har spørsmål, kan du alltid få tak i meg via oppsynsmannen. Jeg har forresten bedt ham om å ordne alt du trenger til oppholdet. Er det noe annet du lurer på?»

«Nei, egentlig ikke.»

Assistenten kom og fulgte imamen ut.

Om kvelden, da Āqa Djān lå ved siden av Faqri Sādāt, begynte han plutselig å le høyt.

«Hva er det?» spurte Faqri Sādāt.

«Ikke noe. Jeg tenkte på vikarimamen. Han er enkel, men ambisiøs, han vet bare ikke hvordan han skal realisere drømmene sine.»

«Og derfor ler du av ham?»

«Nei, absolutt ikke, jeg setter pris på at han vil mer. Men hendene og musklene hans er for grove.»

«Du kan ikke si det på den måten!» sa Faqri Sādāt med et smil.

«Du har rett, men jeg snakker av erfaring, man må ha noe, det holder ikke med en lampe, det må finnes en ånd i lampen. Jeg påpekte det ikke, men vet du hva, han satte turbanen litt på skakke og sa: 'Jeg vil gjerne snakke en tone høyere,'» sa Āqa Djān og lo høyt.

«Du ler av ham,» sa Faqri Sādāt.

«Nei, jeg ler ikke av ham. Jeg er lykkelig. Alt går som det skal. Det går bra med moskeen, imamen er vel egnet for jobben, det går bra med butikken, og vi har utarbeidet et nytt mønster, og det er blitt praktfullt. Jeg har fått inn en ny stabel med kontrakter, og markedet venter spent på teppene våre. Alle vil ha dem, det blir et flott år. I tillegg er alle friske. Hva mer kan man ønske seg?»

Han snudde seg og la hånden på brystene til Faqri Sādāt og sa: «Og jeg har deg, og jeg har lyst på deg akkurat nå, hva mer kan en mann ønske seg?»

Faqri Sādāt skjøv hånden hans forsiktig bort og snudde ryggen mot ham. Han stakk hånden under nattkjolen hennes, kjærtegnet lårene og sa ømt: «Ta av deg alt. Jeg vil ha deg naken.»

Faqri Sādāt trakk dynen over hodet og sa: «Er du gal. Hva har herren spist siden han nå plutselig vil ha meg naken?»

Han presset hånden inn mellom de varme lårene hennes og hvisket:

Mine tørste lepper
Søker deg
Ta av meg klærne
Omfavn meg
Her er mine lepper
Her er min hals og brennende bryster
Her er min myke kropp!

«Hva er det du sier?» sa Faqri Sādāt forbløffet, skjøv av seg dynen og satte seg opp.

«Det er et moderne dikt,» sa han og kysset henne på halsen og kledde forsiktig av henne. Så hjalp han henne over på ryggen og hvisket: «Jeg resiterer diktet, gjentar du det for meg?»

«Nei, det gjør jeg ikke, du skremmer meg, hva vil du?»

«Jeg vil ha deg.»

Faqri Sādāt lukket øynene.

119

ZINAT

«Og Allah ble forelsket i alt han hadde skapt. Han var forelsket i stjernene, i Melkeveien, i solen, i månen og fremfor alt i den vakre jorden sin.

Han var så stolt av jorden at han selv ønsket å bo der. Men hvordan skulle han kunne bo der?

En natt fikk han en god idé.

Han ba budbringeren Djebräil om å dra til jorden og hente leire.

Djebräil hentet leiren.

Allah laget et menneske. Akkurat slik han ønsket.

Han ba ånden ta plass i kroppen. Ånden nektet. Den syntes at den var av for høy stand, den ville ikke oppholde seg i en kropp laget av leire.

Allah benyttet Djebräil som mellommann.

Djebräil sa: 'Stig inn i kroppen!'

Ånden nektet.

'Stig inn i kroppen i Hans navn!' sa Djebräil.

'Siden Hans navn ble nevnt, gjør jeg det,' sa ånden.

Med avsky steg ånden inn i menneskets kropp. Da han fylte brystet, reiste mennesket seg uventet. Men det greide ikke å holde balansen og falt.

'Det kjenner ingen tålmodighet,' sa Allah og smilte til Djebräil.

Mennesket fikk et navn: Adam!

Adam ble sittende i ro i syv dager og vente. Allah sendte ham en juvelbesatt stol av rødt gull. Og et klede av silke. Og en krone.

Adam kledde på seg, plasserte kronen på hodet og satte seg på stolen.

Englene løftet Adam opp på skuldrene sine og brakte ham til jorden. På den tiden var skaperverket tolv hundre og førti år gammelt.»

Dette var en historie Zinat hadde fortalt på magisk vis til dem alle en onsdag kveld da hele familien var samlet.

Hver onsdag var det fortellerkveld. Husets beboere spiste sammen og lyttet til Zinat etter maten.

Bestemødrene delte ut nøtter i små skåler, tente et par stearinlys og slo av det elektriske lyset.

Zinat Khānom viste seg å være den fødte forteller. Varmen i stemmen hennes fikk en til å lytte. Hun fortalte historier fra gamle bøker og aller helst fra bøker som ga en utvidet fortolkning av Koranens tekster. Koranen er en nøktern og megetsigende bok. I historiene går man sjelden inn på detaljer. Derfor var det skrevet mange bøker som ga en utvidet forklaring på de megetsigende historiene, og det var fra disse bøkene Zinat hentet sine historier.

Vanligvis var Zinat en rolig, litt distansert kvinne. Ingen visste at hun hadde anlegg for å fortelle historier. Inntil hun en gang tilfeldigvis skulle gjenfortelle en kort historie utenat til et par unger.

Etter at sønnen hennes Abbās hadde druknet, trakk Zinat seg tilbake til rommet sitt. Først da hun ble gravid med Sediq, kom hun oftere ut, og man kunne iblant se henne på gårdsplassen. Hun var stadig på kjøkkenet og hjalp bestemødrene.

Etter at Sediq ble født, var hun så engstelig at hun ikke greide å sove. Bestemødrene var alltid i nærheten av henne i denne perioden. De var hennes støtte i ett og alt. De satt hos henne helt til hun sovnet.

Da hun fødte Ahmad, vendte angsten tilbake. En dag la hun lille Ahmad på Golbānus fang og sa: «Pass på ham! Jeg er redd jeg skal komme til å miste denne også. Jeg går til moskeen, jeg har behov for å be.»

Siden gikk Zinat hver dag trofast til moskeen.

*

121

Da As-sāberi var i live, hadde han trukket seg tilbake i sin egen verden inne på biblioteket og ikke engasjert seg i livet til kona og barna.

Zinats barn anså Āqa Djān som mannen i huset, derfor kalte alle ham far.

Etter As-sāberis død tilbrakte Zinat all sin tid i moskeen. Alle trodde at Zinat satt i moskeens bibliotek for å bearbeide savnet etter mannen, men hun gikk dit for å forberede seg på en ny fase i livet.

Til å begynne med var hun ofte alene i moskeen, men senere kom hun i kontakt med et par kvinner som tok henne med på religiøse samlinger.

Det var som om det hadde skjedd noe rart med Zinat Khānom etter at mannen hennes gikk bort. Det var som om hun plutselig var fri fra noe, men hva det var, kunne ingen si. Tidligere hadde hun følt seg som en ballong med en snor som hadde viklet seg inn i en grein, nå følte hun seg plutselig befridd fra greinen, og hun steg høyt opp i luften. Det var en god følelse, samtidig gjorde den henne redd. Da sommerferien startet, tok hun med seg barna og søkte ro i det store huset til foreldrene oppe i fjellene.

Zinat hadde aldri sett på As-sāberi som en ekte mann, eller som en ektemann. Han var moskeens imam i langt større grad enn han var familiens far.

Hvis hun sammenlignet ekteskapet sitt med Faqri Sādāts, hadde ikke Zinat et familieliv. Hun var bare en kvinne som hadde født en sønn, en etterfølger, til huset.

Faqri Sādāt hadde Āqa Djān, og hun hadde et ordentlig liv. Zinat bodde også i andre etasje. Sent på kvelden, når hun passerte Faqris rom, så hun alltid Āqa Djān ved siden av Faqri i det gulrøde lyset fra nattlampen. Noen ganger kunne hun høre Faqri knise i natten.

As-sāberi hadde aldri lagt seg ned ved siden av Zinat. Han lå med henne bare når han trengte henne. Og han trengte henne ikke ofte.

Etter at Ahmad ble født, besøkte aldri As-sāberi Zinat i sengen mer.

Zinat hadde akseptert at Faqri var kvinnen i huset. kjøpmennenes koner tok imot Faqri som en prinsesse, ingen interesserte seg for Zinat.

Faqri var kvinnen som fanget fugler. Og hun var kvinnen som fikk ta del i teppenes hemmelighet. Mens Zinat måtte stå på kjøkkenet og tilberede mat til dem.

Slik var det blitt, og det hadde blitt slik uten at hun ville det. Zinat hadde akseptert det og funnet ro i bønnen. Men hun visste at det ikke skulle fortsette på denne måten i all evighet. Hun visste at hun en gang skulle tre tydelig frem. At alle skulle si: «Se, der går Zinat.»

Da Zinat begynte å gå til de religiøse sammenkomstene, tok hun del som lærling, men litt etter litt samlet det seg en krets av likesinnede kvinner rundt henne. Hun brukte mer og mer tid på disse kvinnene og på å forklare de religiøse tekstene for dem.

Hun var blitt deres fortrolige. De lyttet til henne og fulgte hennes råd.

Zinat var lykkelig med sin nye posisjon. Men fullstendig fred hadde hun ikke funnet. Hun var fremdeles på leting etter noe.

En ettermiddag da hun var på vei hjem fra hamamen, gikk hun inn i moskeen. Det var sent, på denne tiden var det sjelden noen der. Hun gikk til det tomme bønnerommet og vendte så tilbake. Hun vasket hendene i bassenget og skvettet litt vann i ansiktet.

Hva gjorde hun egentlig i moskeen så sent på ettermiddagen, mens det ennå var lenge igjen til bønnen? Hvorfor vasket hun hendene i bassenget? Det hadde hun aldri gjort før, ikke på alle de årene hennes mann hadde vært imam i moskeen. Dessuten kom hun direkte fra hamamen, så det var ikke engang nødvendig.

Vikarimamen som bodde i moskeen, kom ut. Zinat hørte ham bak seg og skvatt til.

«Salām aleikom, Zinat Khānom!» sa han.

Zinat sa salām uten å snu seg. Hun tørket ansiktet med chadoren og flyktet ut, bort fra sine syndige tanker, tilbake til gatens travelhet.

Da hun hadde ligget i sengen kvelden før, hadde hun ufrivillig tenkt på vikarimamen.

Hun hadde tenkt på ham før også, men denne gangen hadde tanken vært svært sterk, hun greide ikke å beskytte seg mot den. Det var første gang hun tenkte på en annen mann. Siden hun var seksten år, hadde As-sāberi vært den eneste for henne. Hun hadde viet sitt liv til ham, hun så ikke engang på andre menn. For å kvitte seg med tanken på vikarimamen, trakk hun dynen over hodet og mumlet:

«Qol a'uzo be-rabbe-n-nās
Maleke-n-nās
Elāhe-n-nās
Jeg søker tilflukt hos
Menneskenes Herre,
Menneskenes Konge,
Menneskenes Gud.
Jeg søker beskyttelse mot det onde
Fra den hemmelige fristeren
Som hvisker i mitt innerste
Han er en djinn
Han er en djinn
Han er en djinn.
Menneskenes konge
Beskyttelse, beskyttelse.»

Men så snart hun var stille igjen, dukket vikarimamen opp ved siden av sengen hennes. Han betraktet henne. Blikket gled fra ansiktet ned til brystene hennes.

Ikke engang As-sāberi hadde noen gang sett på henne på den måten.

Zinat dekket til brystene med armene. Hun mumlet noe, noe

som kunne vært begynnelsen på et flott dikt, noe som kom rett fra hjertet. Hun visste ingenting om kvinnelige dikteres poesi, som den siste tiden hadde satt Teheran på hodet, dikt om følelser og kropp. Ellers hadde hun grepet en penn og satt sine egne ord på papiret:

Noen skal komme
Noen som betrakter meg
Som spør:
Vil du ta av deg
Chadoren for meg?
Vil du vise meg
Ditt hår?

Zinat visste ikke akkurat når vikarimamen hadde dukket opp i hodet hennes første gang. Hun hadde hatt en del kontakt med ham, de hadde diskutert religiøse tekster, og hun hadde rådspurt ham i forbindelse med spørsmålene kvinnene stilte henne, som hun selv ikke hadde noe svar på. Han tok imot henne etter bønnen i bønnerommet, ga henne råd og tok seg tid til å svare på spørsmålene hennes.

Hun hadde ofte møtt ham utenfor, når han gikk over moskeens gårdsplass mens han røykte en sigarett.

Hun hadde ikke oppsøkt ham, men hun støtte på ham overalt, det var som om han visste når hun gikk til moskeen. For så snart hun gikk inn i en av de mørke gangene, fikk hun øye på ham.

Noen ganger når hun gikk forbi værelset hans, la hun merke til at døren sto på gløtt og at han satt på stolen sin og leste i Koranen uten turban. Hun ville ikke se inn på værelset hans, men hun greide ikke å motstå fristelsen, hun kikket, og han møtte alltid blikket hennes. Hun følte at han hadde satt opp døren for henne med fullt overlegg.

Hun fikk selvfølgelig lov til å snakke med ham, for han var moskeens imam og han vikarierte for hennes avdøde mann og for hennes sønn Ahmad, som fulgte imamopplæringen i Qom.

Hun var heller ikke den eneste som kom til værelset hans, også andre kvinner oppsøkte ham.

Det hørte til imamens oppgaver å ta imot kvinnene, lytte til dem og gi dem råd.

Men ved deres andre møte merket Zinat at han hadde tatt på seg en godlukt spesielt for henne, den ble kalt Mekka-duften. Hun gjenkjente denne duften, for hennes avdøde mann hadde også tatt med seg en av disse flaskene fra Mekka. Det var en duft man bare tok på seg ved spesielle anledninger.

Imamen satt i stolen sin, Zinat satt overfor ham, og døren sto på gløtt. Han hadde for vane å la døren stå litt åpen hvis det var en kvinne hos ham.

Kvinnene snakket alltid om sine personlige problemer med moskeens imam, de fortalte ham ting de ikke engang fortalte sin mann eller sin lege. Men Zinat kom til imamen for å diskutere tekster hun ikke skjønte.

En kveld besøkte hun ham på værelset etter bønnen for å snakke med ham om et par ayater fra suren Al'adiyat. Hun skjønte suren, men hun mente hun fornemmet at det lå noe dypt, noe hemmelighetsfullt på bunnen av teksten som hun ikke skjønte, som hun ikke fikk tak i.

Imamen satte seg som vanlig overfor henne, og Zinat la koranen på bordet, fant suren og skjøv boken bort til ham.

Imamen satte på seg brillene og fulgte ayatene med fingeren.

«Kan du lese det høyt for meg? Jeg vil gjerne høre det med din stemme,» sa han. Og han skjøv boken forsiktig bort til henne.

Zinat begynte nølende å lese:

«Ved dem som pruster i galopp,
som slår gnister med hovene sine,
som stormer på ved morgengry
og virvler opp støv under dette,
og derved trenger inn i flokkens midte!»

«Du har rett,» sa han, «dette diktet har en skjult betydning. Nå som du leser det høyt, skjønner jeg hva du mener. Stemmen din

126

tvang meg til å lytte oppmerksomt, til å tenke godt etter. Du er en spesiell kvinne, jeg møter sjelden kvinner som deg. Jeg lyttet til deg og ble en del av de prustende, galopperende hestene som slår gnister med hovene sine. Jeg har lest suren flere ganger, men det er første gang jeg opplever den så sterkt. Og det er takket være deg!»

Zinat tok straks til seg ordene hans, som sanden i ørkenen tar til seg uventede vanndråper. Og det siste utsagnet hans gjorde seg gjeldende.

Om kvelden, da hun lå i sengen, tenkte hun på ham: «Det er takket være deg!»

Hun kunne kjenne noe varmt, noe intenst, i ordene hans: «Jeg lyttet til deg og ble en del av de prustende, galopperende hestene som slår gnister med hovene sine.»

Hun slo på lyset, stilte seg opp foran speilet og betraktet håret sitt. Det var ikke svart lenger, men det var heller ikke grått. Øyenbrynene hennes var fremdeles svarte, og de brune øynene så slitne ut, men hadde en uvanlig gnist denne natten. Med fingertuppene berørte hun ansiktet sitt, så la hun hånden over leppene. Hun var kanskje blitt gammel, men hun ville begynne på nytt.

Hun ville gjenerobre en del av sine tapte år i huset.

Likevel besøkte ikke Zinat imamen på en stund, og hun unngikk ham når hun møtte ham. Til han en gang sa til henne i mørket: «Zinat Khānom! Hvorfor kommer du ikke lenger til meg? Jeg tenker alltid på spørsmålene dine.»

Tre dager senere satt Zinat igjen overfor ham og fortalte om sin fortolkning av en tekst, og han betraktet henne taust og lyttet, men i et uventet øyeblikk avbrøt han henne og sa stillferdig: «Zinat Khānom, øynene dine brenner som to lys i natten når du snakker med meg, jeg mener, når du snakker om teksten.»

Zinat lot som om hun ikke hadde hørt ham, og fortsatte bare, selv om hun ikke riktig greide å konsentrere seg. Imamen sa ikke noe mer og oppførte seg som en hvilken som helst annen

127

imam ville ha gjort overfor en kvinne som fortalte om problemene sine. Han visste at han måtte vente enda en stund til hun ville høre resten av ordene hans.

Men han trengte ikke å vente lenge, for to kvelder senere fant han igjen Zinat på gangen utenfor værelset sitt.

«Kom inn, jeg har tilfeldigvis ikke noe å gjøre i kveld, jeg kjeder meg. Har du med deg en tekst?»

Zinat satte seg og begynte å lese opp den medbrakte teksten for ham, han lyttet.

«Du forteller så vakkert,» sa han, «du vekker de døde ordene til live, jeg hører det, jeg føler det, jeg ser det på leppene dine.» Og han pekte på leppene hennes, og hånden hans berørte nesten underleppen hennes.

Zinat pakket kofferten og dro til Djirja for å være i huset til faren en ukes tid, og kvitte seg med tanken på vikarimamen.

Der fikk hun tenkt seg godt om. Hun ville ingenting med imamen. Han var jo gift, hadde barn og dessuten prekte han i moskeen der hennes egen sønn om et par år ville bli imam.

Men da hun kom tilbake til huset, gikk det likevel ikke som planlagt.

Hun sto i basaren foran utstillingsvinduet til en gullsmed. Plutselig så hun speilbildet av vikarimamen i vinduet, han sto bak henne og hvisket: «Zinat Khānom. Jeg savner deg. Stolen du sitter i på værelset mitt, er tom.» Zinat sa ingenting, snudde seg ikke engang, hun sto med ryggen til ham og lyttet.

Det lå en sterk tiltrekningskraft i stemmen hans. Likevel gikk hun ikke til moskeen på to dager, verken til morgenbønnen eller kveldsbønnen. Lenger holdt hun ikke ut. Etter at oppsynsmannen hadde låst døren til moskeen og gått, svøpte hun seg i sin svarte chador og gikk til moskeen over taket.

Hun passerte imamens værelse på vei til bønnerommet.

«Er det deg, Zinat?» sa imamen rolig fra sitt værelse.

«Ja, det er meg, jeg kommer for å hente en bok fra moskeen.»

«Du må bare komme inn hvis du vil, jeg har nytrukket te.»

128

Zinat gikk til bønnerommet og fant boken. Hun tok den med seg og vendte tilbake.

«Jeg hører alltid skrittene dine om natten,» sa imamen fra rommet sitt.

Zinat gikk inn på rommet hans, satte seg i stolen og la boken på bordet.

Vikarimamen reiste seg. Han lukket døren bak henne og låste den.

Han tente et lys, plasserte det på bordet og slo av taklyset.

Zinat satt stille i stolen sin og ventet.

Han hentet koranen og lette frem suren Enkahto, en sure man leser opp hvis man vil ligge med en kvinne som ikke er ens kone. Så snart han hadde lest opp Enkahto og Zinat hadde uttalt ordet «qabalto» (jeg samtykker), kunne han kle av henne umiddelbart.

Han begynte langsomt å lese opp suren.

Zinat lukket øynene.

«Enkahto va zavadjto,» nynnet imamen foroverbøyd.

Zinat var taus.

«Enkahto va zavadjto,» nynnet han enda en gang.

Zinat var taus.

«Enkahto va zavadjto,» nynnet han en tredje gang.

«Qabalto,» sa Zinat langsomt, og hun lot chadoren falle ned på skuldrene.

Imamen la koranen på bordet. Han berørte leppene hennes og strøk hånden over den varme halsen hennes.

KAABA

Bestemødrene hadde akkurat våknet. Nå fant de frem bøttene og kostene og listet seg stille ut. De kastet vann på bakken og begynte å feie. De husket ikke lenger hvor gamle de var da de hadde begynt å koste stien frem til døren, men de gjorde det fordi de ville til Mekka. Og de gjorde det i skjul.

Pilegrimsferden til Mekka var mange millioner muslimers drøm, men ikke alle hadde anledning til å dra, bare velstående muslimer fikk muligheten.

Bestemødrene eide ikke nåla i veggen. De hadde aldri ofret penger en tanke, det hadde de ikke trengt, for huset hadde tatt hånd om alt for dem. Men allerede da de var barn, hadde de skjønt at de som ikke var rike, men som likevel ville til Mekka, bare kunne komme seg dit ved å feie. Men det var tre vilkår knyttet til dette: For det første måtte man feie stien ren hver eneste morgen før soloppgang i tjue år, for det andre måtte man ikke bli sett av noen, og for det tredje måtte ingen oppdage ens hemmelighet.

Om dette ble oppfylt, ville profeten Khezr den siste dagen av de tjue årene komme for å belønne deg. Khezr var en av de første profetene, han levde lenge før Muhammed, Isā, Musā, Ibrāhim, Ya'qub og Davud.

Hvordan Khezr organiserte reisen til Mekka, var en hemmelighet mellom den gamle profeten og dem som feide.

Etter at bestemødrene hadde kostet i tjue år, hadde profeten likevel ikke dukket opp. Kanskje hadde de gjort noe galt. Kanskje hadde de ikke telt årene godt nok. Kanskje hadde de forsovet seg en gang og begynt å koste for sent. Eller kanskje hadde noen sett dem. Kanskje var hemmeligheten deres blitt avslørt.

Derfor hadde de begynt helt på nytt, på nye tjue år.

Kan hende hadde det ikke lenger noe for seg, men hva skulle de ellers gjøre? Tanken på at de en gang skulle dra til Mekka, ga livet deres mening. Det holdt dem oppe. Slik håpet de at de en dag skulle kunne våkne opp til profeten.

Etter deres beregninger hadde de fullført andre runde nå, men det var fremdeles ingen tegn til profeten.

Da de hadde nådd tjue år den første gangen, hadde de fremdeles hatt kraft nok til å dra til Mekka. Men da de begynte på den andre runden, visste de at de kom til å være ordentlig gamle når de nærmet seg slutten og at de kanskje ikke ville ha den kraften som skulle til for å gjennomføre den hellige ferden. Likevel hadde de fortsatt.

Et par dager senere satt de bedrøvet sammen på gulvet i teppe-værelset, i mørket.

«Hvis noen tar fra oss kostene nå, kommer vi til å falle døde om,» sa Golbānu. «Vi kan ikke slutte å koste nå. Vi må fort-sette. Når vi ikke greier det lenger, kryper vi til døren.»

«Jeg tror vi gjør noe galt,» sa Golebeh. «Kanskje vi har telt feil igjen.»

«Det er ikke mulig. Hvert år har vi satt et kryss på veggen. Bare tell etter. Vi er langt forbi de tjue årene.»

«Kanskje vi likevel ikke har fulgt alle reglene.»

«Hvilke regler? Det er ingen regler. Stå opp tidlig, kost og hold munn.»

«Nå tror jeg at jeg vet det.»

«Du har alltid innvendinger, hva er det du vet?»

«Vi har begått en stor feil. Begge to,» sa Golebeh.

«Hvilken feil?»

«Vi fikk ikke lov til å fortelle hemmeligheten vår til noen,» sa hun.

«Det har vi da heller ikke gjort.»

«Jo visst. Vi har fortalt hemmeligheten til hverandre. Du

131

kjenner min hemmelighet, og jeg kjenner din. Og det er ikke
lov, det er ikke lov! Du skal ikke kjenne min hemmelighet, og
jeg skal ikke kjenne din hemmelighet, vi burde ha gjort det hver
for oss.»

«Nei, nå må du holde opp!»

De hadde bestemt seg for å koste stien sammen, møte profeten
Khezr sammen og reise til Mekka sammen, men nå stilte det
hele seg litt annerledes.

Bedrøvet satt de sammen i teppeværelset. De var blitt ett med
mørket og følte seg fullstendig fortapt. Kostene hadde falt ut
av hendene på dem.

De var ikke lenger mennesker, men to skygger inne i det mørke
teppeværelset. Kråka brøt stillheten med et kra, og enfoldige
Qodsi dukket opp. Hun kikket inn på teppeværelset og sa: «Jeg
syntes jeg hørte bestemødrene. Hvor er bestemødrene? Eller har
jeg hørt feil? Jeg syntes da tydelig at jeg hørte dem!»

Bestemødrene skvatt til og reiste seg. Hvis enfoldige Qodsi
hadde hørt dem, kom hun til å fortelle det til alle, for det var
det eneste hun gjorde: fortalte hemmeligheter videre.

«Hvordan går det med deg, Qodsi?» spurte de forsiktig.

«Bra!»

«Hvordan er det med moren din?»

«Bra!»

«Og søsteren din?»

«Søsteren min? Hun er gal. Hun er i ferd med å bli gal.»

«Vil du ha noe å spise, Qodsi?» spurte Golbānu, og hun tok
henne med inn på kjøkkenet for å finne ut hvor mye hun hadde
hørt av samtalen deres. Men da de kom til kjøkkenet, vendte
Qodsi på hælene og gikk derfra.

«Qodsi?» ropte bestemødrene, men hun hadde allerede gått.

Hvor gammel var Qodsi?

Tretti? Førti? Eldre, yngre? Ingen visste det.

Hun så i alle fall ung ut, ung og enfoldig.

Hun kom fra en tradisjonsrik familie, og faren hennes var
en fjern slektning av Āqa Djān. Mannen var rik, en adelsmann

132

som eide et par landsbyer i fjellene. Men det var noe galt med familien hans, de var blitt gale alle sammen.

Kona hans fikk psykiske problemer etter at hun hadde født sitt første barn, og hun ble aldri frisk igjen. Sønnen ble født tilbakestående, den eldste datteren hans var slett ikke normal, og Qodsi gikk rundt som en landstryker i byen.

Da mannen døde, var det ingen som kunne ta seg av familien. Āqa Djān holdt imidlertid et øye med dem. Han hadde ordnet et og annet for dem og besøkte dem regelmessig.

De bodde fremdeles i barndomshjemmet. Når moren innimellom måtte gå til basaren for å skaffe noe helt nødvendig, gikk hun ut som en gammel prinsesse. Man kunne se det på ganglaget at hun stammet fra en rik familie, men så man nøyere etter, kunne man se at hun ikke var helt god. Qodsi og den eldre søsteren hennes fulgte henne når hun måtte inn til byen. Hvis hun skulle krysse en gate, løp søstrene ut foran henne og blokkerte gaten slik at ingen kjerrer, biler, busser eller sykler kunne kjøre, til moren hadde satt foten på fortauskanten på den andre siden.

Broren til Qodsi het Hashem. Han var eldre enn henne og gikk alltid ut av døren kledd som en oberst, med en stokk under armen.

Uniformen var alltid ren, og den nasjonale persiske bronseløven glitret på militærluen hans. Fra tidlig om morgenen til sent på kveld sto han vakt foran inngangen til basaren. Når det gikk en agent forbi, hilste han med én gang. Resten av tiden sto han stille. Ingen lot seg forstyrre av ham, og ingen barn plaget ham. Han var blitt akseptert som et monument i basaren. Når han så Āqa Djān gå inn i basaren gjorde han honnør og ropte på militært vis: «Hiiiiiils!»

Og når Āqa Djān forlot basaren, gjorde han det samme. Āqa Djān gikk alltid bort til ham etter å ha hilst på ham, tok ham i hånden og slo av en prat.

«Hvordan er det med deg, Hashem?»

«Bra!»

«Og med moren din?»

«Bra!»

133

«Og med søsteren din?»

«Bra!»

«Hils din mor fra meg. Hvis dere trenger meg, sender dere bare Qodsi til meg.»

«Det skal jeg gjøre.»

«Veldig bra!» sa Āqa Djān.

Qodsi var nesten allvitende.

«Har det skjedd noe nytt, Qodsi?» spurte alle som møtte henne.

Men først måtte man alltid spørre henne om hvordan det gikk med moren hennes og hvordan det gikk med søsteren hennes. Ellers svarte hun ikke.

Hun fortalte heller ikke gratis. Man måtte først betale henne noen mynter, dem stakk hun i munnen og så fortalte hun sine nyheter: «Gamle Gasem er død, Mirjam har fått en datter, og høna til Sultan har fått syv kyllinger.»

Om morgenen startet Qodsi med tom munn. Så gikk hun fra det ene huset til det andre og fortalte sine nyheter. Hun fortsatte til munnen var så full av mynter at hun ikke greide å prate.

Hva hun gjorde med pengene var det ingen som visste. Det ble sagt at hun oppbevarte dem i krukker som hun gjemte i kjelleren. For hvis moren hadde funnet ut at hun tigget, ville hun ha falt død om i sin dårskap.

«Qodsi,» pleide Āqa Djān å si til henne, «du kommer fra en god familie, du er en dame, du kan ikke bare gå inn overalt.»

Men hun hørte ikke etter, bare fortsatte å gå inn gjennom alle dører som sto åpne.

Hun satte seg aldri ned, gikk bare inn, lyttet til folk og fortsatte til neste hus. På den måten samlet hun nyheter.

Iblant krysset hun broen til den andre siden av elven, til druehagene.

«Det må du aldri gjøre!» hadde Āqa Djān sagt til henne. «En ung kvinne har ingenting i druehagene å gjøre.»

«Jeg skal ikke gjøre det,» sa hun medgjørlig, men hun gjorde det likevel.

134

Hun krysset broen og gikk rett til druehagene, som tvilsomme menn frekventerte, menn som dyttet enda en håndfull gule mynter i munnen hennes.

Når en mann fikk øye på henne, tok han henne med seg inn bak trærne. Han stakk et par mynter i munnen hennes og kysset henne, og Qodsi sa ingenting. Han tok på de fulle brystene hennes uten at Qodsi reagerte. Han skjøv hånden sin under klærne hennes og kjente på kroppen hennes uten at Qodsi leet på seg. Men så snart han prøvde å trekke av henne trusen, rev hun seg løs og løp tilbake over broen.

Qodsi kom ofte innom Āqa Djān i basaren. Am Ramazān, assistenten, stoppet henne ikke så fremt Āqa Djān ikke hadde besøk. Hun satte seg i stolen ved skrivebordet.

«Te til Qodsi Khānom!» ropte alltid Āqa Djān da.

Assistenten kom med et glass te og litt sjokolade til henne på et sølvfat.

«Har du noen nyheter til meg?» spurte Āqa Djān.

Qodsi lente seg frem og fortalte dempet alt det hun ønsket å fortelle ham.

«Jeg krysset broen og gikk til druehagene,» sa hun.

«Igjen?»

«Det var to menn der. De holdt meg. Jeg hylte og hylte og hylte så høyt at mennene løp opp i fjellet.»

«Har jeg ikke sagt at du ikke må gå til druehagene? Hvis du gjør det en gang til, kommer jeg til å si det til din mor. Du må ikke gjøre det. Hører du meg?»

«Ja, jeg skal ikke gjøre det mer.»

«Bra! Har du noe annet å fortelle meg?»

«Ja,» sa hun, og så fortalte hun resten av nyhetene i ett åndedrag: «Agent Rogani slår kona si hver natt, og han røyker de ekle greiene, og skomakeren har stengt moren sin inne i kyllingburet, og hun gråter for hun vil ut derfra, og Azam Azam tar alltid med seg en kniv når hun legger seg med mannen sin, og eselet til Am Ramazān er sykt, og bestemødrene trodde at de skulle til Mekka i år, men han har ikke dukket opp, og det er den andre gangen han ikke har dukket opp, og bestemødrene gråter.»

135

«Hva sa du om bestemødrene? Hvem er det som ikke er kommet?» spurte Āqa Djān.

«Profeten Khezr, det er den andre gangen han ikke har dukket opp.»

Āqa Djān for opp.

«Hva er det du snakker om? Hva mener du?»

«Jeg må gå,» sa hun.

Hun reiste seg, dyttet en sjokoladebit i munnen, tok en slurk te og gikk sin vei.

«Vent nå litt!» ropte Āqa Djān.

I sengen om kvelden fortalte Āqa Djān sin kone at Qodsi hadde vært innom.

«Hva fortalte hun?»

«Bare tøys, hun babler i vei, blander sammen alt.»

«Jeg vet det, hun finner på mye, hun kan minne litt om Zinat Khānom.»

«Uff, du må ikke sammenligne henne med Zinat, Qodsi er ikke helt god.»

«Du misforstår meg, jeg sammenligner dem ikke, jeg mener bare at Zinat heller ikke kan sitte stille, og at hun har et hode fylt av fantasi.»

«Det er riktig, men Qodsis fortellinger er bare vrøvl.»

«Vrøvl eller ei, hun forteller vakkert, men hun forteller ikke alt. Man får bare høre en liten del av historien, og hun haker alt sammen i en lang rekke, men det gjør det selvfølgelig bare enda mer spennende. Hva fortalte hun i dag?»

Āqa Djān tenkte seg om, bestemødrene hadde opptatt ham hele dagen, men han ville ikke snakke med Faqri om det.

«Hun provoserer meg, hun har vært over på den andre siden av elven igjen,» sa han. «Hun fortalte at to menn hadde holdt henne fast, og at hun hadde hylt og hylt og hylt så høyt at mennene løp opp i fjellene.»

«Gode gud, de mennene igjen. Jeg er redd de kommer til å gjøre henne noe, og hvis det skjer noe med henne, er ansvaret ditt, det vet du. Kanskje jeg også må ta det opp med henne, skremme henne litt, slik at hun holder seg unna disse karene.»

«Hun fortalte at eselet til Am Ramazān er sykt, og at Azam Azam har en kniv med seg når hun legger seg med mannen sin.»

Faqri Sādāt lo: «Hva mente hun med det?»

«Det vet jeg ikke. Hun dikter opp alle disse historiene, hun går inn overalt, ser noe og lager en historie av det. Hun har sannsynligvis sett en kniv i sengen til Azam Azam, eller noe slikt. Hun fortalte også at agent Rogani slår sin kone hver natt.»

«Det kan fort være sant. Du burde virkelig gjøre noe for den stakkars kvinnen. Den mannen er avhengig, og han er en fæl agent. Fortell det til Zinat. Hun har kontakt med disse menneskene i moskeen. Hun kan kanskje hjelpe. Kanskje hun han gå innom kvinnen og forhøre seg om hva som skjer. Du må definitivt be Zinat om det. Noe annet?»

«Skomakeren har satt moren sin i hønseburet, sa hun.»

«Det er ikke mulig. Hvem setter sin tilårskomne mor i hønseburet?»

«Folk kan være så sinte at de er i stand til alt.»

«Be Zinat gå innom dem, kanskje hun kan finne ut av det.»

«Qodsi husker alt som har gjort inntrykk på henne, og gjenforteller det på sin egen måte, men nå som jeg forteller det til deg, virker det annerledes. Jeg tror hun alltid ønsker å fortelle meg noe viktig når hun kommer til meg, noe hun ikke kan fortelle til andre. Men du har rett, hun fantaserer akkurat som Zinat. Det er likevel en forskjell: Zinat forteller gamle historier. Qodsi henter ut en del av virkeligheten og spinner en historie rundt den. Det sitter en del fakta i oppspinnet hennes, det er vel det jeg mener å si.»

Faqri Sādāt la hodet på brystet hans, lukket øynene og sa: «Jeg vil ikke høre noe mer om Qodsi nå, fortell meg noe annet, noe vakkert, noe søtt ... Jeg vil ikke klage, men du tar deg ikke tid til meg lenger. Før dro vi ofte bort sammen, da tok du meg med til Mashhadd, og så overnattet vi en uke på herberget ved tomben til imam Reza. Du tok meg med til Isfahan. Dette har vi ikke gjort på årevis. Du reiser mye alene, og jeg er hjemme. Noen ganger tenker jeg at jeg er blitt gammel, og at du ...»

«Hun sa én ting til.»

«Hører du overhodet hva jeg sier? Tenker du fremdeles på Qodsi?»

«Hun sa noe om profeten Khezr, at han har latt bestemødrene i stikken.»

«Hvem har latt bestemødrene i stikken?» sa Faqri og satte seg opp.

«Profeten Khezr! Det var de ordene Qodsi brukte. Og det er ikke tilfeldig valgte ord. Jeg tror hun har overhørt en samtale mellom bestemødrene. Jeg tror de har en hemmelighet.»

«Hvorfor tror du det?»

«Jeg føler det bare på meg. Qodsi sa: 'Khezr har ikke dukket opp, og det er den andre gangen han ikke har dukket opp, og bestemødrene gråter.»

Han innså først nå at han ofte hadde sett bestemødrene med en kost i hånden tidlig om morgenen, men det hadde aldri slått ham at de drev med noe i hemmelighet.

Før soloppgang forlot Āqa Djān sengen, gikk bort til vinduet og holdt øye med bestemødrenes hus.

Det gikk ikke lang tid før døren til værelset deres åpnet seg, og de dukket opp som to skygger med kost i hånden.

Han hadde tenkt på dem hele natten, nå visste han hva han burde gjøre. Han smilte og gikk tilbake til sengen.

Blikket hans falt på Faqri Sādāts nakne bein, en del av hennes granateplefargede truse var synlig i lyset fra nattlampen. Hun hadde rett, han brukte mindre tid på henne og det var lenge siden de hadde vært ute og reist sammen. Og han hadde ikke lenger med seg personlige gaver til henne når han vendte tilbake fra sine reiser. Det virket som en evighet siden han hadde tatt med en eske truser i syv ulike farger til henne fra Damaskus. Han krøp forsiktig under dynene, holdt henne inntil seg og trakk trusen forsiktig ned.

«Nei!» sa Faqri Sādāt søvnig.

Han hørte som vanlig ikke etter og fortsatte.

«Nei,» sa hun mildt en gang til.

Så sa hun ikke mer.

EQRA!

En tid senere, da bestemødrene igjen drev og kostet, hørte de en uvanlig lyd fra gaten. De kikket inn i mørket, men så ingenting og gjenopptok kostingen. Plutselig vrinsket en hest. Igjen stirret de inn i mørket, men de gamle øynene deres så ingenting.

«Hørte du også en hest?» sa Golbānu.

«Ja, og jeg hørte hestehover,» sa Golebeh.

Lydene nærmet seg. Bestemødrene holdt hverandre i hendene, stirret inn i gaten og ble stående. Det dukket opp en svart hest i lyset fra gatelykten. En araber i hvit drakt satt høyt i salen. Bestemødrene bøyde seg ærbødig frem.

Rytteren ropte på arabisk: «Yā ayyoha-n-nabi va salām-o namāz-o Khezr va-l-Mekka!»

Selv om bestemødrene ikke skjønte arabisk, visste de med en gang hva rytteren snakket om, ordene Mekka og Khezr sa nok.

Igjen bukket de for araberen på hesten.

«Va enni vadjalhā,» fortsatte rytteren, «va enni yā, Golbānu. Va enni yā, Golebeh!»

Bestemødrene skalv av spenning. Rytteren hadde kalt dem ved deres pikenavn. Hadde de hørt riktig?

«Yā eyyoha-n-nabi. Eqra esmi, Golbānu!» sa rytteren.

Nei, de tok ikke feil. Rytteren ropte nå tydelig: «Golbānu!» Hva skulle de gjøre nå?

Golbānu tok et skritt frem og bøyde hodet. Rytteren trakk et brev opp fra lommen og ga det til henne.

Golbānu gikk forsiktig bort til rytteren og tok imot konvolutten.

«Golebeh!» ropte rytteren.

Den andre bestemoren gikk frem, og også hun fikk en hvit konvolutt.

«Va ennā lellāh va-llāho samad,» sa rytteren, så trakk han i tøylene, vendte om og forsvant.

Dagen tok til. Bestemødrene sto forbauset med konvoluttene i hånden.

De torde ikke bevege seg, fryktet at det de hadde opplevd, var en drøm. Men det var ingen drøm, for kråka satte seg på gatelykten og kraet av full hals.

Tilbake på værelset lukket de døren, slo på lyset og åpnet konvoluttene. De hadde fått samme brev, men de greide ikke å tyde håndskriften til profeten, det var åpenbart skrevet på et hemmelig språk. De måtte vise brevene til noen, men til hvem? Til Āqa Djān? Faqri Sādāt? Zinat Khānom? Nei.

«La oss spørre Shahbal hva dette betyr,» sa Golebeh.

De gikk til værelset hans.

«Du må våkne! Ligger du fremdeles i sengen? Har du ikke engang bedt ennå? Skam deg. Jeg skal si til Āqa Djān at du ligger som en synder i sengen. Eqra, her! Les dette brevet, les brevene for oss,» sa Golbānu.

Søvnig studerte Shahbal brevene: «Jeg kan lese dem, men jeg skjønner ikke hva som står her. De er skrevet på arabisk.»

Kanskje måtte de likevel vise brevene til Āqa Djān, men han hadde dratt til Djirja, og de kunne ikke vente til han var tilbake. De tok på seg chadorene og gikk til moskeen for å vise brevene til vikarimamen.

Vikarimamen hadde akkurat forrettet morgenbønnen og hadde gått tilbake til værelset sitt for å sove en time til. Da det banket på døren, trodde han at det var Zinat Khānom og ropte søvnig: «Kom inn!» Bestemødrene gikk inn. Imamen sa forbauset: «Hva står på, mine damer? Hva kan jeg gjøre for dere?»

«Vi har mottatt et brev, egentlig to fortrolige brev. Kan du lese dem høyt for oss?»

«Med største fornøyelse, sett dere!»

De ga brevene til ham.

Han grep turbanen som sto på nattbordet, plasserte den på hodet, satte seg i stolen med den lange bomullskjortelen sin og sa: «Vær så god og sitt, damer. Jeg skal bare sette på meg brillene.»

Han satte på seg brillene og begynte å lese et av brevene: «Et arabisk brev?»

«Kan du ikke lese det?» spurte Golbānu.

«Jeg burde kunne lese det, men det er ikke sånn at jeg leser et brev på arabisk hver dag. Jeg leser selvfølgelig Koranen, men språket i Koranen er annerledes, det er Guds språk. Jeg leser Koranen og skjønner det som står der, men hvis dere gir meg en arabisk avis, vet jeg ikke om jeg ville skjønt hva som sto der. La oss si det på følgende måte, hvis jeg hadde dratt til Mekka, vet jeg ikke om jeg hadde greid å kommunisere med menneskene på gaten. Vent litt nå, nederst i brevet står det en adresse. Skal dere noe sted? Hvordan har dere egentlig fått tak i disse brevene? Det ser ut som svært formelle dokumenter. Det står også et navn her: Hādji Āqa Mostafā Mohādjer.»

«Det kan stemme. Hādji Āqa Mostafā Mohādjer, ham kjenner vi,» sa Golbānu, «han jobber i basaren.»

«Det virker helt åpenbart. Dere må oppsøke denne hādjien. Vas-salām!»

Bestemødrene, som ikke greide å sitte stille av ren lykke, rev brevene ut av hånden på ham.

Da de kom ut, ville de straks dra til basaren, men Golbānu sa: «Jeg tror det er for tidlig å gå til basaren. Vi burde la solen komme litt høyere først. Dessuten er det nok lurt om vi tar på oss litt finere klær nå som vi skal til basaren med disse viktige brevene.»

Hjemme så alt plutselig helt annerledes ut. Huset lå badet i klart sollys. Det var som om alt smilte og alle visste om hemmeligheten deres. Kanskje hadde det gamle treet hørt skrittene til hesten og bassenget registrert stemmen til Khezr.

Blomstene i hagen så med beundring på bestemødrene, og solen glitret på rutene i biblioteket, kråka fløy en runde over

141

hodet deres og kraet muntert. «Takk, takk, kråke,» mumlet bestemødrene. De gamle, røde fiskene hoppet opp fra vannet og opp i luften. «Takk, takk,» sa bestemødrene.

«Jeg hører muntre skritt. Hva er det for noe vidunderlig som har skjedd?» lød Muezzins stemme fra keramikkverkstedet i kjelleren.

Golbānu og Golebeh gikk til kjelleren for å hilse ham, han sto bak arbeidsbordet og knadde leiren for å gjøre den myk.

Burde de fortelle ham om det? Hadde de lov til å avsløre deler av hemmeligheten sin? Nei, de måtte først oppsøke Hādji Mostafā. Først da visste de om den gamle drømmen deres hadde gått i oppfyllelse.

«God morgen!» ropte bestemødrene muntert.

«God morgen til dere, mine damer, jeg vet at dere har noe å fortelle,» sa Muezzin.

«Det er sant, vi har noe vidunderlig å fortelle deg,» sa Golebeh, men Golbānu avbrøt henne og sa: «Muezzin, for noen praktfulle vaser. De er visst nye, alle sammen.»

«Du må ikke overdrive, jeg har laget krukker og vaser hele livet, dere ser dem bare på en annen måte i dag enn ellers.»

Bestemødrene så smilende på hverandre.

«Vi har akkurat fått gode nyheter, og vi kommer nok til å fortelle deg om det, og da kan du rope det fra moskeens tak.»

«For et hemmelighetskremmeri,» sa Muezzin.

Bestemødrene klatret nærmest som ungjenter opp trappen fra kjelleren og vendte tilbake til gårdsplassen.

De visste ikke helt hva de skulle gjøre i sin lykkerus, hvor de skulle gå, og hvem de kunne oppsøke. De så Faqri Sādāt gå mot kjøkkenet. De vinket klosset til henne, noe de aldri ville ha gjort til vanlig. Moskeens gamle katt strøk forbi, og de løp etter den. Katten, som ikke hadde vært utsatt for noe slikt før, flyktet opp på taket.

Bestemødrene tok på seg fintøyet, la litt pudder på kinnene, svøpte seg i chadoren og gikk ut døren, mot basaren.

Hādji Mostafā var en gammel venn av Āqa Djān, en mektig mann i byen, som hadde monopol på hellige turer til fjerne steder og organiserte pilegrimsturer til Karbala, Nadjaf, Medina, Damaskus og Mekka.

Kontoret hans sto midt i basaren og ble hver dag besøkt av hundrevis av kommende hādjier som kom for å planlegge sin ferd. Bestemødrene gikk inn i lokalet hans, men de trengte ikke å stå i kø sammen med de andre pilegrimene, de hadde jo begge et personlig brev til Hādji Mostafā.

De kikket gjennom vinduet inn på arbeidsværelset hans, og selv om de bare hadde sett ham én gang i moskeen, gjenkjente de ham umiddelbart. Han satt bak skrivebordet og snakket i telefonen. Da han fikk øye på dem, vinket han dem inn. De åpnet døren forsiktig.

«Hva kan jeg gjøre for dere?» sa Hādji så snart han hadde avsluttet telefonsamtalen. Bestemødrene ga ham hvert sitt brev samtidig. «Vi har en beskjed til deg,» sa Golbānu.

Han satte på seg brillene, brettet ut et av brevene og begynte å lese det oppmerksomt, iblant kikket han på dem over brillene. Etter at han hadde lest det andre brevet, ble han sittende stille med brillene i hånden et minutt.

Bestemødrene så spørrende på hverandre.

Han la brevene tilbake i konvoluttene, trykket dem ærbødig mot hodet og la dem i skuffen.

«Vær så god og sett dere,» sa han høytidelig.

Bestemødrene satte seg ned i to gammeldagse skinnstoler som sto ved siden av skrivebordet.

Hādji Mostafā lette i papirene sine, noterte seg et par ting og tok en hemmelighetsfull telefon. Deretter forlot han kontoret og etterlot bestemødrene alene, uten å si et ord til dem. Etter et kvarters tid kom han tilbake og hentet en stor bok fra det mørkebrune arkivskapet sitt. Han åpnet boken og sa høytidelig: «Golbānu.»

«Det er meg,» sa den ene bestemoren og reiste seg.

Han plasserte en gammeldags fargepute foran henne og sa: «Vil du først trykke pekefingeren din i fargeputen og siden mot denne kladdeboken?»

Golbānu trykket pekefingeren skjelvende ned på de stedene Hādji hadde anvist.

«Du kan sette deg igjen,» sa han.

Han noterte et par ting, og så sa han: «Golebeh.»

«Det er meg,» sa den andre bestemoren med ustø stemme og reiste seg.

«Først må du trykke her og så her, er du snill.»

Hun trykket fingeren mot fargeputen og siden mot det stedet Hādji hadde pekt ut med pennespissen.

«Hva er adressen deres?» spurte han.

«Huset ved moskeen,» svarte Golbānu.

«Bor dere der begge to?»

«Ja,» svarte hun.

Da han var ferdig med å skrive, trykket han et par stempler i boken, reiste seg og sa: «Bare følg meg.»

Bestemødrene fulgte ham gjennom en gang, så et smalt værelse, deretter et større værelse og til slutt gjennom en halvmørk gang, til Hādji stoppet foran en dør. Han hentet frem en nøkkel fra lommen, åpnet døren og sa: «Ta av dere skoene og gå videre.»

Golbānu og Golebeh gikk inn i et underlig værelse hvor det hang lange tøystykker med hellige tekster på veggene og hvor det sto stablet hundrevis av gamle, slitte, gulbrune kofferter i treskap som nådde helt opp til taket. Den kjente lukten av bøker og skinn ga rommet en hellig atmosfære. På gulvet lå et gammelt teppe som dekket hele gulvflaten.

På en av veggene var det en nisje hvor det lå stablet et titalls registreringsbøker. Den øverste boken var dekket av et tykt lag støv.

Bestemødrenes hender skalv under chadoren. De tok av seg skoene og gikk videre.

«Sett dere,» sa Hādji og pekte på to stoler ved et gammelt trebord.

En masseprodusert sølvlysekrone med syv gamle, halvt nedbrente stearinlys hang over bordet. Håp fylte bestemødrenes hjerter.

«Det vi har gjort nå, det vi har fortalt hverandre, og det dere har sett så langt, forblir mellom oss. Hvis noen får høre om denne hemmeligheten, opphører kontrakten,» sa Hādji med ettertrykk.

«Det er vi helt på det rene med,» sa Golbānu.

Han forsvant bak en gardin og kom tilbake med to splitter nye skinnkofferter med bilde av Kaaba. Han plasserte koffertene foran bestemødrene med en så formell bevegelse at de nesten besvimte av spenning.

Hādji satte seg overfor dem.

«Dere kommer til å bli møtt med spørsmål hjemme,» sa han rolig, «men da skal dere ikke gi noe svar. Jeg understreker: Dere skal ikke gi noe svar.»

«Det skjønner vi,» sa Golbānu urørlig.

«På den hellige Fātemes fødselsdag skal begge stå klar med disse koffertene i basaren,» sa Hādji.

«Ok,» sa Golbānu.

«Hvis dere har spørsmål, kan dere stille dem nå, for så snart dere har dratt, er det ikke lenger rom for spørsmål,» sa han.

Bestemødrene så usikkert på hverandre. Hadde de spørsmål? Nei, de hadde ingen spørsmål.

«Å jo, når må vi være i basaren?» spurte Golbānu nølende.

«Tidlig om morgenen, før solen står opp,» svarte Hādji.

Golebeh hadde enda et spørsmål, men hun torde ikke stille det, hun hvisket det i øret på Golbānu.

«Tilgi oss,» sa Golbānu, «men vi har fremdeles ikke fått noe bevis fra deg. Kanskje det er praktisk om vi får noe, en lapp for eksempel, hvor navnene våre står.»

«Koffertene!» sa Hādji. «De er beviset. Og navnene deres står på dem!»

De så på koffertene og så til sin forbauselse at navnene deres sto skrevet med store bokstaver på en liten lapp i plastlommen på siden av kofferten.

«Ja visst!» sa Golbānu og så irettesettende på Golebeh for det upassende spørsmålet.

«Og reisedokumentene får dere på selve dagen,» sa Hādji, «flere spørsmål?»

Bestemødrene så på hverandre. Nei, de hadde ikke flere spørsmål.

De strålte av lykke, dekket smilet med chadoren, grep koffertene, gikk ut av lokalet og bega seg på hjemveien gjennom basarens travelhet.

Da de kom hjem, gjemte de koffertene i en av de gamle kistene i kjelleren og lot som om ingenting hadde hendt, men hemmeligheten presset på i brystet deres. De greide ikke å sove og lå lenge våkne i sengen. Dagene var blitt lengre, og nettene virket uendelige. Kunne det være sant? Skulle det virkelig komme en dag da de kunne pakke koffertene og legge ut på reise? Og ville de tåle den lange reisen?

De var redd for at de ikke skulle få oppleve denne dagen, at de skulle bli utsatt for en ulykke, brekke et bein eller dø. Men de hadde vært tålmodige i førti år, og da kunne de sannelig holde ut enda et par måneder.

SKATTKAMMERET

Du som ligger innhyllet i din kappe
stå opp og advar!
Lovpris din Herre!
Hold dine klær rene!
Vis standhaftighet!

En gruppe på syv menn kom ut fra bakgaten som førte opp til huset. Fire av dem bar en kurv med to stokker på skuldrene, de andre gikk foran. Det var landsbyboere fra Djirja, og de bar Kāzem Khān i kurven.

En av dem banket på døren. Det tok litt tid før Golebeh åpnet for dem.

«Mine herrer?» sa hun forbløffet da hun så kurven.

«Vi har med oss Kāzem Khān,» sa en av dem og pekte på kurven.

«Golbānu! Kāzem Khān!» ropte Golebeh bekymret. Så snart hun så kurven, visste Golbānu hva hun skulle gjøre. Hun fulgte mennene til opiumsværelset. Der løftet de Kāzem Khān forsiktig ut av kurven og la ham på sengen. Øynene hans var lukket, ansiktet var blekt, og han var blitt mager. Mennene forlot værelset og gikk til bassenget for å røyke pipe. Golebeh gråt dempet mens Golbānu tok seg av alt sammen. Hun trakk en dyne over ham, la et lite speil og en koran på en liten hylle over hodet hans og gikk ut på kjøkkenet for å gjøre i stand frokost til landsbyboerne. Hun satte frem en kanne te, ost, brød, syltetøy og en skål med frukt og ropte: «Mine herrer, kommer dere og spiser frokost?»

I mellomtiden hadde også Āqa Djān dukket opp. Han gikk

147

rett inn på opiumsværelset. Han så Kāzem Khān i sengen og skjønte at det ikke var noen vits i å sende ham på sykehuset. Han gikk tilbake til kjøkkenet for å hilse på landsbyboerne.

De reiste seg for ham, og en av dem fortalte hva som hadde skjedd: «Han kom ikke til tehuset på et par dager. Vi tenkte at han kanskje var på reise. En natt hørte vi hesten hans og antok at han hadde kommet tilbake, men hesten sluttet ikke å vrinske. Vi dro straks hjem til ham og fant ham i sengen, døden nær. Neste dag la vi ham i kurven og tok bussen hit.»

«Jeg takker dere og verdsetter det dere har gjort for onkelen min,» svarte Āqa Djān.

Om kvelden satte Āqa Djān seg i en stol ved sengen til Kāzem Khān. Han ble sittende lenge ved siden av ham. Langsomt leste han opp suren Alfatihah for ham.

Kāzem Khān var husets ånd, men han var den typen mann som ikke kunne binde seg til huset ved moskeen. Han var det Āqa Djān ikke kunne være. Āqa Djān var mannen i huset, i moskeen, i basaren, og han hadde et stort ansvar i byen, men Kāzem Khān var fri som fuglen, og nå var han i ferd med å dø som en fugl. Gamle fugler faller helt plutselig ned fra himmelen, de legger hodet mot bakken, lukker øynene og våkner aldri igjen. Kāzem Khān var en dikter, han kjente ingen grenser. Han hadde gjort alt, ting Āqa Djān ikke engang torde tenke på.

Āqa Djān lette etter Kāzem Khāns diktsamling i innerlommen. Han bladde gjennom den, lette etter hans siste dikt. Da han fant det, leste han det langsomt opp:

«Mens den søte munnen, begeret med vin,
Ja, alt, ender i et ikke-væren,
Husk, så lenge du er, er du bare det
Du skal være, ingenting: Mindre kan du ikke være.»

I sytti år hadde det alltid vært noen som satte frem opiumssettet til Kāzem Khān når han kom. Nå var det ikke lenger nødvendig.

På kjøkkenet satt bestemødrene. De snakket sammen og gråt

stille. Mannen de var så glad i, var borte. Når hadde de møtt ham første gang? For mer enn et halvt århundre siden, da de ennå var ungjenter. En ettermiddag hadde Kāzem Khān, dikteren, kommet ridende inn på gårdsplassen. Jentene hadde aldri hørt et dikt før. Noen dager senere hadde han skrevet to dikt til dem, et til Golbānu og et til Golebeh. Diktene handlet om øynene deres, de lange flettene, smilene og de deilige hendene som var så varme når de tente opp opiumssettet. Neste gang han kom, tilhørte de ham, begge to, til evig tid.

Am Ramazān dukket opp i døråpningen. Det var han som tok seg av hagen, og som hver kveld besøkte Muezzin på keramikkverkstedet. Han holdt også et øye med leirebeholdningen og bestilte fersk leire når det var nødvendig. Am Ramazān bodde alene, kona var død, og han hadde ingen barn. Han hadde bare et esel som han tjente til livets opphold med. Han utvant sand fra elven og fraktet det til kundene sine med eselet.

Am Ramazān hilste dempet på Āqa Djān som hilste tilbake og vinket ham inn.

«Nå skal du høre. Kāzem Khān har ikke røykt opium på en stund. Kroppen hans er anspent. Bestemødrene skal gjøre i stand et sett til ham. Hvis du røyker opiumen og blåser røyken i ansiktet på ham, vil han slappe bedre av.»

Am Ramazān var bare festrøyker, han hadde egentlig ikke råd til opium. Han satte stor pris på Āqa Djāns forespørsel, for han visste at Kāzem Khān røykte fjellets beste opium. Opiumen Am Ramazān pleide å røyke hos vennene sine, var mørkebrun og stinket litt, Kāzem Khāns opium var gulbrun og luktet som ville fjellblomster.

Āqa Djān tok en halv rull opium og ga den til Am Ramazān. Han stakk den i jakkelommen og gikk for å hjelpe til med opptenningen.

Snart kom Golebeh med en panne blåglødende kull og en kanne te. Med tårevåte øyne kikket hun bort på Kāzem Khān, så satte hun pannen ned på gulvet. Am Ramazān la pipen i den varme asken og delte opiumsrullen i stykker.

Da pipen var varm, festet han et stykke opium i enden med

en nål. Han holdt et glødende kullstykke ved opiumen med en tang. Så begynte han langsomt å røyke. Han inhalerte stadig dypere. Et øyeblikk glemte han at han røykte for Kāzem Khān, men da blikket hans falt på Āqa Djān, reiste han seg straks opp med pipen i venstre hånd og tangen med den glødende kullbiten i høyre.

Han bøyde seg over Kāzem Khān, holdt den glødende kullbiten ved opiumen i pipen, røykte, inhalerte dypt og blåste røyk i ansiktet på ham.

Han røykte tålmodig i en halv time. Det hang en mørkeblå sky av røyk i rommet.

Så ble døren åpnet, og enfoldige Qodsi kom inn. Bestemødrene forsøkte å holde henne igjen, men Āqa Djān gestikulerte at de skulle la henne være i fred. Hun gikk bort til sengen, bøyde seg frem, gransket ansiktet til Kāzem Khān, mumlet noe og gikk sin vei, uten å ha sagt et eneste ord til Āqa Djān.

«Det får greie seg,» sa Golbānu til Am Ramazān. «Hvis dere er så snille å forlate værelset, så skal vi lese opp Koranen for Kāzem Khān.» Āqa Djān, som var blitt litt søvnig av opiumsrøyken, reiste seg og forlot værelset sammen med Am Ramazān.

Golebeh fant frem koranen og satte seg ved siden av Golbanu på gulvet. De hadde ingen problemer med å lese vanlige bøker, men å lese Koranen gikk langsommere. Heldigvis kunne de et par surer utenat. Golbānu åpnet boken og kikket på siden, men begynte å fremsi en sure fra sitt eget hode. Golebeh gjentok ordene hennes:

«Ved pennen, og det man skriver!
Vi har satt dem på prøve, som
Vi satte haveeierne på prøve,
da de bedyret at de visselig skulle høste den om morgenen ...
Om morgenen ropte de til hverandre:
'Kom dere tidlig av gårde til deres marker, om dere skal høste.' ...
Men da de fikk se den, sa de:
'Vi må ha gått feil,

150

– nei, vi er blitt plyndret!'»
(Sure 68, Pennen)

Så la hun munnen inntil øret hans og hvisket: «Kāzem Khān, du har begynt på din reise. Vi følger snart etter deg. Vi har en hemmelighet som vi ikke kan fortelle til noen ennå, men vi forteller det til deg. Snart drar vi til Mekka. Alt er organisert av profeten Khezr. Vi hadde tenkt å dra til Djirja for å ta farvel med deg. Jeg kysser deg, Kāzem Khān, vi kysser deg, begge to. Vi var lykkelige med deg.»

Begge kysset Kāzem Khān på pannen og forlot værelset.

Den tredje kvelden så Āqa Djān at Kāzem Khān var i ferd med å dø. Han gikk alene inn i værelset, lukket døren, kysset onkelen på pannen og hvisket: «Nå kan du dra, hvis du vil. Vi kommer alltid til å tenke på deg, og jeg skal oppbevare skoene dine og diktene dine i skattkammeret. Jeg sitter ved siden av deg, jeg holder hånden din.»

Shahbal kom rolig inn og ble stående ved døren.

«Kan du hente et glass mørk te og en liten skje?» spurte Āqa Djān.

Han la litt finhakket opium i teglasset Shahbal kom med, og løste det opp med teskjeen. «Her,» sa han til Shahbal, «gi det til ham med teskje. Kroppen hans ber om det. På den måten kan ånden lettere forlate kroppen.»

Shahbal brakte den gulbrune materien skje for skje inn i Kāzem Khāns munn.

Āqa Djān la hånden på onkelens nakne skulder og sa: «Han drar.» Han bøyde seg frem og kysset ham på pannen igjen. Langsomt gled livet ut av den gamle mannen. «Han er borte,» sa han bedrøvet, «gir du beskjed til huset?»

Bestemødrene var de første som kom inn i værelset, de kondolerte Āqa Djān og ble stående helt tause. Deretter kom en gråtende Faqri, Zinat og Muezzin. Āqa Djān tok med seg skoene og diktsamlingen til Kāzem Khān og gikk mot moskeen i mørket.

*

Moskeen hadde et skattkammer, et hemmelig sted i gravkammeret, hvor husets verdier var blitt oppbevart i alle århundrer.

Pergamentdokumenter, kontrakter, brev og personlige gjenstander som hadde tilhørt de døde imamene fra langt tilbake i tid og frem til i dag. Og hundrevis av skrivebøker med moskéjournaler, som ledende menn som Āqa Djān hadde holdt oppdatert de siste århundrene. Alt var ordnet og plassert i kronologisk rekkefølge i kister.

Skattkammeret var en gullgruve av historiske fakta. Arkivene gjenspeilte landets religiøse historie. Det lå også mange helt unike private gjenstander fra husets beboere der.

Arkivet og gjenstandene burde egentlig blitt fraktet til et museum og utstilt der, men de var en helt unik og fremfor alt personlig del av huset og moskeen.

Husets ledende menn hadde alltid båret nøkkelen til skattkammeret.

I tillegg til Āqa Djān var også Shahbal informert om skattkammerets eksistens og innhold. Āqa Djān hadde fortalt ham om skrivebøkene.

«Bare Gud vet når vi skal dø. Men hvis jeg skulle dø, har *du* nøkkelen. *Du* skriver i boken. Og *du* bestemmer,» hadde han sagt til Shahbal.

Han hadde selv vært bare tjuesju da han besøkte skattkammeret for første gang.

Da faren døde, tok han med seg en lykt og gikk ned i moskeens gravkammer midt på natten. Med skjelvende hender stakk han nøkkelen i den gamle låsen, åpnet døren og gikk inn.

Det var som om han drømte, for værelset lignet overhodet ikke på vanlige værelser. Det lå et gammelt granateplefarget teppe på gulvet. Det sto en stol der og et bord med en oppslått bok på. En gåsefjær var dyppet i et blekkhus ved siden av. Langs veggen sto det et titalls skopar dekket av et tynt lag støv, og på hvert par hang det en liten lapp som tilkjennega hvem de tilhørte. Det var skoene til de døde imamene. Overfor raden med sko sto det en rekke stumtjenere, og på hver stumtjener hang bønnedrakten og den svarte turbanen til en imam. Ved noen stumtjenere sto det dessuten en stokk og iblant en kiste som inneholdt imamens personlige gjenstander og viktige papirer fra hans samtid.

Āqa Djān visste ikke nøyaktig hvor gammel moskeen og huset var. Hvis han ville, kunne han finne ut av det her. Han kunne gå langs stumtjenerne med lykten sin, inn i værelsets dyp, inn til den eldste kisten med de første moskéjournalene. Det fantes en liten mulighet for at denne kisten ville inneholde tegninger av huset og av moskeen. Innerst i rommet var det en mørk gang. Āqa Djān antok at det kunne finnes flere skjulte steder med enda eldre kister. Han ville gjerne ta en titt. Han løftet lykten høyt opp og så at det hang en rekke pergamenter med tekster på veggen. Lyset var imidlertid for sparsomt til at han kunne tyde det som sto der. Da han skulle til å gå ut i gangen, så han at det lå et tykkere lag støv på det røde teppet enn det han hadde sett på kistene og klærne og de andre tingene. Ingen hadde gått lenger enn akkurat hit i det forrige århundret. Derfor skulle heller ikke Āqa Djān ta et skritt videre.

Det var som om alt var dekket med et lag støv, og det var umulig å bryte seglet. Han skulle så gjerne ha gått langs draktene og gransket navnene til gamle imamer og beboere. Hvem var de? Hva slags klær brukte de? Hvilke ringer bar de? Han ville åpne en av kistene, granske tingene, lukte på klærne, sette på seg en av ringene og lese opp en moskéjournal. Hva skrev man om på den tiden? Hva skjedde i huset, i moskeen, i basaren? Hvilken farge hadde de første fiskene i bassenget? Og hvilket tre sto på gårdsplassen før sedertreet? Og hvilken kråke var forgjengeren til dagens kråke? Han kunne tenkt seg å være i kjelleren i ukevis, månedsvis. Foreta en reise i fortiden. Få svar på sine spørsmål. Men det var umulig. Skattkammeret var en mørklagt hemmelighet, en hemmelighet som tilhørte moskeen, Koranen og den svunne tid.

Man hadde ikke tilgang til tiden som var forbi. Āqa Djān skjønte det og lot nysgjerrigheten fare. Han la diktene til Kāzem Khān i kisten, satte skoene bakerst i rekken og blåste ut lyset.

Kāzem Khān hadde ført opp i testamentet sitt at han ikke ville gravlegges i gravkammeret. Derfor fant landsbyboerne et vakkert sted å begrave ham. De valgte et sted på toppen av åsen, like overfor huset hans, hvor et gammelt mandeltre lot tusenvis av blomster falle om våren.

Neste dag kom et titalls landsbyboere til byen for å ta med seg dikterens lik til Djirja.

Āqa Djān, Faqri Sādāt, Zinat Khānom, Muezzin og bestemødrene fulgte dem.

Nøyaktig førti dager etter Kāzem Khāns død opprant den dagen bestemødrene skulle dra til Mekka. Etter morgenbønnen svøpte de seg i chadoren, grep koffertene og gikk til bassenget.

«Vi drar!» ropte Golbānu.

«Vi legger ut på vårt livs reise!» ropte Golebeh.

Bestemødrene hadde alltid fryktet at kontraktene deres ville bli opphevet hvis noen fikk vite om hemmeligheten deres. Men i dag orket de ikke spenningen lenger. Muezzin var den første som reagerte. Han kom straks ut av værelset sitt og ropte: «Hvor skal dere hen?»

«Til Mekka!» svarte de.

«Virkelig, til Mekka?» sa han.

«Vi har egentlig ikke lov til å si noe, Muezzin, du får bare ta vårt ord for det.»

Han kjente på koffertene deres, det var de hellige Kaabakoffertene. Så ropte han høyt: «Bestemødrene skal til Mekka!» Alle var visst våkne, for da Āqa Djān tente lyktene på gårdsplassen, dukket alle opp i finklærne sine. De lo og gråt, omfavnet bestemødrene og ga dem inderlige kyss.

Faqri Sādāt gikk bort til dem med en panne velduftende esfand, døtrene Nasrin og Ensi fulgte etter med et speil og røde epler. Zinat Khānom brakte ifølge tradisjonen en skål vann som tegn på hell og lykke for de reisende.

Shahbal hentet den antikke koranen fra biblioteket og ga boken til Āqa Djān. Golbānu og Golebeh pakket alt ned i koffertene sine, så kysset Āqa Djān dem, holdt koranen over hodet deres og fulgte dem til døren.

Zinat kastet vannet etter dem. Alle gråt som om bestemødrene aldri mer skulle vende tilbake.

154

SĀJE

Āqa Djān hadde allerede ved et par anledninger merket at Zinat forlot værelset sitt om natten, men han visste ikke hvor hun gikk. Zinats værelse lå i tredje etasje, og når hun gikk ned, måtte hun passere soverommet til Faqri og Āqa Djān.

Sent en kveld da Āqa Djān satt på arbeidsværelset sitt og leste, hørte han at det gikk i døren ut til trappen i tredje etasje. Han trodde at det var Faqri, men da skrittene forsvant, kikket han gjennom en glipe i gardinen og så at noen beveget seg gjennom mørket.

Han åpnet døren og gikk ut på gårdsplassen. Et kort øyeblikk så han en flik av en svart chador ved trappen. Kanskje det var Zinat, men hva gjorde hun ute så sent på kvelden?

Han gikk inn i værelset sitt igjen. Kråka kraet uventet.

Kråkas advarsel fikk Āqa Djān til å tenke på kvinnen fra Sarandib:

«Det var en gang en kjøpmann fra Sarandib, han hadde en kone som het Djamis. Ingen kunne skjønne hvordan det kunne finnes en så vakker kvinne. Ansiktet hennes glitret som seierens dag, og håret hennes var mørkere og lengre enn den natten man venter på en kjæreste som ikke kommer.

Djamis hadde et hemmelig forhold til en berømt tegner som kunne trylle med penselen. Noen netter oppsøkte hun ham i smug, og sammen skapte de den vakreste persiske natt. En natt sa hun til ham: 'Det blir stadig vanskeligere for meg å komme til deg, og enda vanskeligere å vente på en passende natt. Du må tenke ut en måte jeg kan være sammen med deg oftere på. Er du kanskje ikke kunstner?'

155

'Nå vet jeg det,' sa kunstneren, 'jeg skal lage et slør til deg som er like lyst som morgenstjernen i vannet på den ene siden og så svart som natten på den andre. Om natten svøper du deg i sløret med den mørke siden ut og kommer til meg som en del av natten. Om morgenen vrenger du sløret og går hjem igjen med den lyse siden ut, som en del av morgenen.'»

Nå som bestemødrene var dratt, hadde en ny fase tatt til i huset. Rytmen var borte. Man kunne se det på husets gamle klokke, som plutselig hadde stoppet. Da bestemødrene var der, hadde kjøkkenet vært et levende sted. Kråka hadde kraet når det kom besøk, og biblioteket hadde vært ryddig. Den tiden var åpenbart forbi.

Før hadde bestemødrene vekket barna og hjulpet Faqri Sādāt med å rydde på værelset sitt. De hadde holdt Āqa Djān informert om alle husets viderverdigheter og holdt et øye med Muezzins keramikkverksted. Nå var det ikke lenger noen som påtok seg disse oppgavene.

Ingen greide å fylle tomrommet etter dem. Hadde de fortsatt vært der, hadde de fulgt etter Zinat opp på taket for lenge siden.

Āqa Djān var tilfreds med vikarimamen. Han gjorde jobben sin med stor entusiasme og så svært lykkelig ut. I løpet av deres første samtale hadde Āqa Djān merket at mannen hadde ambisjoner, men han hadde tvilt på hans potensial.

Fremdeles kunne han ikke snakke om noe annet enn landsens temaer, men han gjorde det på en flott måte. Her om dagen hadde han kritisert landbruksministeren for hans kortsiktige planer for de fattige landsbyene.

Vikarimamen hadde aldri vært i Teheran, men i en av prekenene kom han med en uttalelse som nådde forsiden i lokalavisen: «I Teheran har alle en telefon hjemme, sies det. I de mange hundre landsbyene i fjellet, finnes det ikke ett eneste apparat. I Teheran kan man ringe etter ambulanse hvis man kutter seg på kjøkkenet, men hva skal jeg gjøre hvis faren min ligger dødssyk i sengen? Jeg advarer Teheran. Tenk dere om! Gud har skapt alle like.»

156

Politiet og sikkerhetspolitiet smilte bare av det uskyldige angrepet hans. De satte pris på det, den slags kritikk ble til og med stimulert.

Vikarimamens uttalelser ble stadig mer populære og nådde stadig oftere lokalavisene. Āqa Djān var fornøyd og ga ham mer spillerom. En gang da et foto av imamen og en del av prekenen sto i avisen, sa en kollega til Āqa Djān: «Han er naiv, men han slår ofte skarpt til fra uventet hold.»

Aldri før hadde man publisert et bilde av en imam i avisen. Avisen hadde sendt en fotograf til moskeen, spesielt i dette ærendet. Han hadde fotografert imamen på taket mellom de to minaretene.

Da imamen så bildet sitt i avisen neste dag, ble han så oppglødd at han knapt greide å sitte stille. Drømmen hans hadde gått i oppfyllelse. For det hadde vært hans drøm som barn: Én gang å holde en preken i en stor moské. Nå sto både prekenen og bildet av ham i avisen, og han var blitt en kjent person i Sandjān.

Ifølge shariaen gjorde ikke Zinat og vikarimamen noe galt, og de trengte altså ikke å frykte noe. Hvis en troende oppholder seg et annet sted en stund, langt fra sin kone, kan han ta seg en kvinne som sighe. Men imamen visste at han tok en stor risiko med Zinat. Og at Āqa Djān ville kaste ham ut av huset umiddelbart hvis han oppdaget det.

Zinat følte seg utilpass i rollen som den andre kvinnen. Hun skammet seg over å gå til sengs med moskeens vikarimam, når hennes mann og flere titalls andre imamer lå i gravkammeret. Vikarimamen kunne tenkt seg å ha henne i sengen hver eneste natt, men Zinat nektet av frykt for at Āqa Djān skulle oppdage det.

Når hun så ham i dagslys, kunne hun ikke tro at hun hadde ligget med ham, og at han hadde kledd av henne. Men i mørket var alt annerledes, da så hun ham ikke, kunne bare kjenne hendene hans, skuldrene, ryggen og bevegelsene i sengen. Han var sterk som en hest.

Når de hadde elsket, tok Zinat med seg chadoren og gikk

raskt derfra. Da ville hun ikke ha noe mer med ham å gjøre, ikke høre et ord fra ham. Men neste natt, så snart hun slo av lyset og krøp ned i sengen, savnet hun kroppen hans.

Hennes avdøde mann, As-sāberi, hadde aldri kysset brystene hennes, han hadde aldri bitt henne i rumpa som et dyr. Vikarimamen brakte henne til en høyde av nytelse som fikk henne til å glemme alt og alle.

Nylig hadde han tatt henne med til gravkammeret. Han hadde kledd av henne og elsket med henne på de kalde, harde gravsteinene. Hun hadde protestert og sagt at hun ikke ville gjøre det på gravsteinene, men han hadde insistert, og hun hadde omfavnet ham, holdt ham og gitt seg hen.

«Jeg skal ikke gjøre det mer, jeg skal aldri oppsøke den mannen igjen,» tenkte Zinat hver gang hun gikk hjem. «Det har vært vidunderlig, og jeg har vært utrolig heldig som ikke er blitt oppdaget. Men nå må jeg stoppe, og jeg stopper. Jeg drar bort, jeg drar til Qom, til datteren min og blir hos henne en stund. Jeg skal oppsøke graven til den hellige Fāteme og vise min anger, jeg skal be om tilgivelse. Jeg gjør det, jeg gjør det i morgen, jeg pakker koffertene og drar.» Men hun gjorde det ikke, og nå var hun atter en gang på vei til ham.

Vikarimamen hørte de myke skrittene hennes i trappen. Hun forsvant inn i mørket et øyeblikk, men så var hun der, vasket hendene i moskeens basseng og skvettet vann i ansiktet.

Vikarimamen ville ta henne med ned i gravkammeret igjen, men hun nektet. Da han holdt rundt henne med de store hendene sine og trykket hodet mot brystene hennes, ga hun seg hen. Han løftet henne opp, åpnet døren til kjelleren med foten og gikk ned trappen.

Dypt nede i kjellermørket brant et stearinlys på en høy gravstein. Han tok av henne klærne, skoene og sokkene og førte henne barbeint bort til lyset. Uventet tryllet han frem en klase blå druer, og han la dem på de nakne brystene hennes og spiste dem derfra. Saften fra druene rant nedover brystene og magen hennes, han slikket den i seg, og Zinat holdt på å forgå av nytelse.

158

De var så oppslukte at de ikke la merke til at noen passerte kjellervinduene med en håndlykt.

Vikarimamen var beruset av Zinat og av saften. Han resiterte Alfalq høyt mens han lå oppå henne:

«Jeg søker tilflukt hos morgengryets Herre,
mot ondt fra det Han har skapt,
mot ondt fra mørket
når det bryter inn ...»

Han snakket, og Zinat lyttet med lukkede øyne. De merket ikke at noen kom ned kjellertrappen med en håndlykt.

Så så de lyset og hørte skrittene. Zinat skjøv imamen bort, trev til seg den svarte chadoren og skjulte seg i mørket.

Vikarimamen snudde seg og så en silhuett med en håndlykt over hodet sitt.

«Imam! Pakk kofferten!»

HĀDJI

Āqa Djān hentet inn en annen imam, en gammel mann fra Saroeg. Han var rolig, og prekenene hans handlet ofte om de helliges liv. Āqa Djān var fornøyd med ham. Det var ikke så farlig om moskeen tok det litt med ro nå.

Tre måneder passerte. Snart ville pilegrimene som hadde dratt til Mekka, vende hjem igjen.

Āqa Djān planla en stor fest i forbindelse med bestemødrenes hjemkomst, med hele familien til stede.

Mottagelsesfesten til pilegrimene var alltid en spesiell anledning. Huset til pilegrimen ble pyntet med fargede smålys, på gårdsplassen rullet man ut tepper og brakte et offer. I en hel uke kom familiemedlemmer, bekjente og naboer innom for å gratulere pilegrimen, og alle ble tatt imot med et festmåltid. I løpet av denne festen fikk pilegrimen ærestittelen «Hādji» hvis det var snakk om en mann, og «Hādjije» hvis det var snakk om en kvinne. Denne tittelen kunne de siden bære med stolthet.

Āqa Djān skrev et brev til broren Nosrat:

«Kjære bror, du har ikke vært her på lenge. Kom oftere hjem. Jeg har invitert alle til bestemødrenes hjemkomst, jeg vil at du også skal komme, forsøk å være hjemme i tide. De har lagt hele livet sitt i dette huset, det er din plikt å være til stede ved den viktigste festen i deres liv. Her savner alle onkel Nosrat! På snarlig gjensyn!»

Noen dager senere ringte Nosrat: «Beklager, jeg kan ikke komme, jeg har en viktig avtale, men jeg lover å komme senere, jeg skal gjøre det godt igjen.» Den kvelden bestemødrene skulle komme hjem, måtte Nosrat til Teherans største teater, i Lale-zaar-gaten, hvor Mahvash skulle synge. Han hadde en kontrakt med teateret om å ta en serie kunstneriske bilder av den berømte sangerinnen fra Teheran. Det var et viktig oppdrag som han for enhver pris aktet å utføre, han ville få et navn som kunstner hvis han kunne ta et par vakre portretter av henne.

Mahvash var en stjerne som hadde forandret nettene i Teheran, det handlet ikke om stemmen hennes, men om bevegelsene, armene, brystene og rumpa. Hun var alle iranske menns drømmekvinne. Hun var symbolet på en tid da kvinnene frivillig la igjen chadoren hjemme og gikk ut uten slør.

Mennene holdt på å forgå av lengsel når de så Mahvash på scenen. Hun forhekset dem med de nakne armene sine, og brystene som stakk opp av utringningen. Med høye hæler, blanke, trange kjoler og rødsminkede lepper gjorde hun dem desperate. Hun blottstilte de tradisjonelle iranske kvinnenes hemmeligheter for mennene som strømmet til teateret for å se henne. Hun ble tatt imot som en gudinne av teatersjefene i Teheran, og fotografene flokket seg om henne.

Hun var den første kvinnen i landets historie som viste frem rumpa og brystene i en så påfallende trang kjole på podiet. Hun strakte de lubne, nakne armene i været, og vrikket på den praktfulle rumpa. Hun vrei på rompa og sang med erotisk stemme:

«Dishab ke az Hend āmadam
Bā māshin-e Benz āmadam
Djān-e man bodu
In kun kadj-e?
I går kveld
Da jeg kom hjem fra India,
Kom jeg kjørende i en Mercedes-Benz
Fortell meg, min kjære,
Er rompa mi vridd?»

«Nei, nei, hvem har sagt det?» ropte mennene lykkelig.
«Mādar-e shouhar, svigermor!» ropte hun tilbake.

«Bā to ladj-e ... hun er sjalu på stussen din!» ropte mennene i kor.

Hver dag sto det et bilde av henne i avisen, men fortsatt hadde ingen tatt et personlig portrettbilde av henne. Nosrat, som hadde god forbindelse med teatersjefen for Moulin Rouge, klarte å overbevise ham om at han skulle ta et par portretter av henne som kunne motstå tidens tann.

Når hun hadde gått med på å ta imot ham i sin egen bolig, var det bare fordi teatersjefen hadde sagt at denne fotografen var noe utenom det vanlige, at han ikke gjorde det for pengenes skyld, men for hennes.

Da Nosrat steg inn i Mahvashs bolig, kjørte Āqa Djān til stasjonen for å ta imot bestemødrene. Ved siden av ham satt Faqri Sādāt, og bak ham kjørte en kolonne biler med familiemedlemmer og venner.

Toget som snart skulle ankomme, var fullt av pilegrimer fra Mekka. De hadde reist i tre uker, først med buss fra Mekka til Medina, hvor profeten Muhammed lå begravet, deretter hadde de forlatt Saudi-Arabia og dratt til Irak for å besøke de hellige byene Nadjaf og Karbala. I Karbala lå den hellige Hussein begravet og i Nadjaf den hellige Ali. Til slutt hadde de krysset grenseelven Arvandrud og vendt tilbake til fedrelandet med tog.

Alle tenkte på bestemødrene, spesielt de yngre var glade for at de kom tilbake. Tradisjonen tro ville de ha med gaver til dem fra Mekka. Armbåndsur som brant som lys i natten, og vekkeklokker som spilte av hellige tekster. De ville ha med ringer og armbånd til jentene, og armbånd med ordtak til guttene. Gavene fra Mekka var uforglemmelige presanger, dyrebare for dem alle, de var ikke bare gaver fra en butikk, de var gaver fra byen Mekka, hvor Guds hus, Kaaba, sto. Byen hvor Muhammed var født og hvor Khadidja, Mekkas rikeste kvinne, en gang hadde eid tre tusen kameler.

Toget som skulle ankomme, var et spesielt tog. Det kjørte innom alle de viktige byene og satte av de reisende på stasjonene.

Sporveien hadde viet utformingen av kupeene ekstra stor opp-merksomhet. Ettersom grønt var islams farge, var vognene pyntet med små grønne flagg. Det hang grønne kleder med hellige tekster ut av vinduene, og alle hādjiene bar grønne sjal. Toget tutet lenge før det nådde byen og kjørte med lysende lykter inn på stasjonen. Så snart toget stoppet, satte militær-korpset i en høylytt velkomstmelodi.

Āqa Djāns bil stoppet utenfor stasjonen. Stasjonsmesteren, som sto øverst i trappen i finstasen, hilste ham. Han ventet til hele familien hadde ankommet før han tok dem med til stasjons-hallen, hvor han pleide å ta imot spesielle gjester. Assistentene bød dem te og småkaker fra et fat som var laget spesielt for sporveiene. Moskésangerne sang melodiøse hellige tekster inn i en mikrofon. De gamle kvinnene gikk rundt med en panne glø-dende kull som de kastet esfand på, slik at det oppsto en vel-duftende røyk. Familiene bød hverandre på søtsaker og drikke, og overalt gikk stasjonsassistentene rundt og dynket rosevann fra sølvkanner i hendene på de besøkende.

Så kjørte toget bestemødrene skulle komme med, inn på sta-sjonen. Hundrevis av pilegrimer vinket med grønne sjal til folke-mengden på perrongen. Vognene med pilegrimer som kom fra Sandjān og omliggende landsbyer, stoppet foran døren til stasjonshallen. Hādjiene og hādjijene steg ut en etter en med store kofferter, og stasjonsmesteren ønsket dem velkommen i høyttaleren.

«Hvor er bestemødrene?» bemerket Faqri Sādāt.

«De er nok fremdeles inne på toget,» sa Zinat Khānom. «Du kjenner jo dem: Først må de rydde alt og etterlate kupeen i den skjønneste orden.»

«Shahbal, kan du gå og sjekke hvor det blir av dem?» spurte Āqa Djān. «Jeg er redd toget snart vil gå, mens de fremdeles holder på i kupeen.»

Shahbal lette etter bestemødrene, men kunne ikke finne dem.

«De er ikke her!» ropte han ut av et vindu.

«Gå og se i de andre kupeene, kanskje de har gått seg bort.»

163

Toget var veldig langt, og Shahbal måtte løpe fra den ene vognen til den andre.

Āqa Djān informerte stasjonsmesteren: «Passasjerene jeg venter på, har ennå ikke kommet. De sitter muligens i feil kupé, eller kanskje vet de ikke at de skal gå av her.»

Direktøren noterte seg navnene deres, gikk til kontoret, slo på mikrofonen og ropte: «En viktig beskjed! Denne meldingen er til Hādjij Golbānu og Hādjij Golebeh. De må gå av her. Jeg gjentar: Hādjij Golbānu og Hadjij Golebeh! Gå av her!»

Etter ti minutter var det fremdeles ikke tegn til bestemødrene.

Shahbal kom løpende: «Jeg har gjennomsøkt alle kupeer, de er ingen steder. Kanskje de har gått av tidligere, i en annen by.»

Pilegrimene dro hjem, og perrongen tømtes for folk. Maskinisten gikk på toget, og dørene ble lukket. Direktørens stemme lød over perrongen nok en gang: «En særdeles viktig melding! Fru Golbānu og fru Golebeh, ta kontakt med ledelsen!»

Konduktøren ventet litt til, så kikket han på klokken og blåste i fløyten. Toget satte seg i bevegelse, forlot stasjonen og etterlot Āqa Djān og hele familien på perrongen.

Den neste uken ringte Āqa Djān og stasjonsmesteren til alle stasjonene som lå mellom grenseelven Arvandrud og Sandjān, men ingen hadde sett bestemødrene.

Āqa Djān oppsøkte alle hādjier og hādjijer som akkurat hadde kommet tilbake fra Mekka, men de hadde heller ikke så mye å tilføye. De hadde sist sett dem i Mekka og hadde antatt at de hadde reist med en annen karavane.

Āqa Djān kunne ikke gjøre annet enn å vente til han fikk offisiell beskjed fra de som var i reiseselskapets følge, men de kom ikke tilbake før om et par uker, når alle administrative saker var ordnet.

Vanligvis regnet det ikke om sommeren, men nå drev et par mørke skyer over byen i retning av ørkenen. Det tok akkurat til å regne da det banket på døren.

Shahbal tente lyset og åpnet døren. Hādji Mostafā, mannen

som organiserte pilegrimsreisene, sto utenfor døren med to kofferter i hånden.

«God kveld. Er Āqa Djān hjemme?» spurte hādjien.

«Kan du vente et øyeblikk? Jeg skal si ifra til ham.»

Shahbal forsvant og vendte straks tilbake for å følge Hādji Mostafā til Āqa Djāns værelse.

Der satte Hādji Mostafā fra seg koffertene og omfavnet Āqa Djān.

«Jeg har aldri opplevd noe slikt før,» sa han. «Det er en underlig historie, jeg vet ikke om jeg skal kalle det en velsignelse eller en tragedie. Det er en velsignelse hvis de har gått seg bort i Guds hus, men en tragedie hvis de befinner seg et annet sted,» fortsatte han bedrøvet.

«Hva er det som har skjedd?»

«Her er koffertene deres. Bestemødrene forsvant, som to dråper vann i ørkenen, i Mekka. Jeg har lett etter dem overalt, i Mekka, på politistasjonene, på sykehusene, i moskeene, men det finnes ikke et eneste spor etter dem. De fulgte karavanen helt til siste dag, og det gikk bra med dem, begge var friske og lykkelige. Men så skjedde det noe eiendommelig: En time før vi skulle reise fra Mekka til Medina, kom de til meg, satte fra seg koffertene ved skrivebordet mitt, svøpte seg i chadoren og gikk uten å si et ord. Jeg trodde kanskje at de skulle til markedet en siste gang for å kjøpe suvenirer, men de vendte aldri tilbake. Her er koffertene deres. Jeg er skrekkelig lei meg, kanskje burde jeg ha holdt bedre øye med dem. Tilgi meg. Jeg skal gjøre alt som står i min makt. Jeg holder deg informert.»

Hādji Mostafā gikk og Āqa Djān var alene med Shahbal.

«Jeg tror ikke at de har gått seg bort, eller at de ikke fant veien i Mekka,» sa han til Shahbal.

«Hva tror du, da?»

«De har gjemt seg bak det gamle hellige forhenget i Kaaba. De ville ikke, eller vil ikke, vende hjem igjen.»

«Hvorfor skulle de gjemme seg?» sa Shahbal forbløffet.

«De ønsker å ende sine dager i Mekka, det er den vakreste døden en muslim kan tenke seg. Jeg tror at de er blitt enige om

165

at de har levd sitt liv. De sto overfor et valg: Vente på en vanlig død hjemme, eller ende sine dager i Kaaba, Guds hus. Dør man i Kaaba, kommer man rett til paradis. Hva ville egentlig du ha valgt hvis du var i bestemødrenes sko?»

«Jeg kan ikke tro at de er blitt igjen der med vilje. Hva får deg til å tenke slik?»

«Det kan jeg ikke forklare deg. De har bodd hos oss i dette huset i mer enn seksti år, i mer enn seksti år har de lyttet til de samme gamle historiene, nå ønsket de å lage sin egen historie.»

Shahbal smilte.

«La oss åpne koffertene. Kanskje ligger det et brev i dem,» sa Āqa Djān.

Shahbal åpnet koffertene. De var fulle av gaver: Armbåndsur, gullarmbånd, ringer og fargerike klær som glitret i lyset av hengelampen, all verdens praktfulle presanger fra Mekka til husets beboere.

«Dette er beviset,» sa Āqa Djān. «De har ikke lagt noen av sine egne ting i koffertene, de har ikke engang lagt sine Mekka-likkleder i dem. For det er alles drøm: å hente likkledet sitt i Mekka. Det er det første en hādji kjøper. I dette likkledet blir man begravet. De har tatt dem med seg, kanskje har de dem på seg under klærne.»

«Virkelig?» sa Shahbal. «Hva skal vi si til de andre?»

«Sannheten. Kan du legge koffertene bak skrivebordet og be alle om å komme hit?»

Shahbal gjorde som han ble bedt om, og gikk for å si ifra til alle.

«Hādji Mostafā var akkurat her,» sa Āqa Djān da de hadde samlet seg i værelset, «men han hadde dessverre ikke noe nytt å fortelle meg. Han har hatt daglig kontakt med politiet i Mekka, og hvis han hører noe, skal han informere meg umiddelbart.»

Alle var beveget og lyttet taust til Āqa Djān.

«Betyr dette at vi aldri kommer til å se dem igjen?» sa Nasrin, Āqa Djāns eldste datter.

«De kommer seg ingen steder. Politiet må da kunne finne dem,» sa Djavād, Āqa Djāns sønn.

«Sant nok. Hādji Mostafā har gjort alt som står i hans makt.

Hvem vet, kanskje de har tatt et tog til en annen by. Det kommer millioner av mennesker til Mekka, det kan ha skjedd så mangt. Men bestemødrene har gjort noe veldig søtt. De har sendt gaver til dere ved Hādji Mustafās hjelp. Og det er etter min mening beviset på at alt er som det skal. Shahbal, koffertene!» sa Āqa Djān.

Shahbal satte koffertene på skrivebordet og åpnet dem. Alle var overveldet av den pomp og prakt de fant: armbåndsur, vekkeklokker, gullsmykker, truser, hårbånd, parfymer, fargerike slør, spesielle bluser og vesker. På hver gave hang et kort som fortalte hvem det var til. Til Nasrin og Ensi, døtrene til Āqa Djān, hadde de kjøpt muntre bluser og til sønnen, Djavād, en lue og et armbåndsur, til Faqri Sādāt hadde de kjøpt en sminkepung, til Muezzin en sammenleggbar stokk, noe ingen hadde sett før. Zinat Khānom fikk en diktsamling fra dikterne i Mekka. Āqa Djān fikk en fyllepenn med et bilde av den hellige Ali på korken, Shahbal fikk et armbåndsur og et stort stykke mørkeblått stoff med tynne hvite striper som han kunne lage en dress av.

Alle var fornøyde, alle beundret bestemødrene for deres gode smak. Høylytt kommenterte de gavene til hverandre. Så hørte de plutselig et skrik utenfra. En kvinne hylte, og en annen kvinne kjeftet på henne med skingrende stemme. Man hørte aldri kvinner krangle, det var i alle fall svært uvanlig. Men nå sto to kvinner på naboenes tak, på samme side som biblioteket, og kjeftet.

«Det er de to konene til Hādji Shishegar,» sa Zinat Khānom.

Hādji Shishegar var rundt de seksti. Han hadde dratt sammen med bestemødrene til Mekka og hadde nylig kommet tilbake. Han handlet i glass og hadde en stor butikk i basaren.

Hādji hadde to koner, den eldste het Akram og den yngste Tala.

Akram hadde gitt ham syv døtre, men han ville gjerne ha en sønn, og derfor hadde han lenge lett etter en kone til.

Til slutt hadde han funnet en ung kvinne og hadde giftet seg med henne, men så viste det seg at hun ikke kunne få barn.

«Ikke gjør det! Ikke slå! Tilgi meg! Jeg visste det ikke, jeg visste det virkelig ikke,» tryglet Tala.

Akram ga seg ikke, hun hylte og trakk i Talas hår og slo henne på nytt.

«Ikke gjør det! Jeg har ikke gjort noe galt. Dine barn er mine barn. Jeg bønnfaller deg, ikke gjør dette!»

Zinat Khānom, som hadde gått opp trappen til taket, gikk mellom dem.

«Hva er dette? Hva krangler dere om?»

«Ingenting,» sa Tala, Hādjis unge kone.

«Hvorfor slår hun deg, da? Og hvorfor i herrens navn må dere krangle på taket?»

«Hādji har kommet hjem, derfor, og han har besøk,» sa hun, «og jeg ... jeg er ...»

«Hva er du?»

«Jeg er gravid,» sa hun dempet.

Akram, Hādjis eldste kone, forsvant gråtende i mørket.

«Tala er gravid!» ropte Zinat.

«Mobārak! Mobārak!» ropte døtrene til Āqa Djān fra mørket på gårdsplassen.

Da Hādji Shishegar hadde vært i Kaaba i Mekka, hadde han bedt Gud om å skjenke ham en sønn. Gud hadde skjenket ham tvillinger, to sønner samtidig.

I huset ved moskeen passerte månedene. Fra bestemødrene hørte de ingenting.

TILBAKEVENDING

En morgen da Shahbal gikk for å spise frokost på kjøkkenet, så han at det satt en kvinne med en koffert på benken ved bassenget. Først da hun lot chadoren gli ned på skuldrene, kjente han henne igjen. «Er det deg, Sediq?»

Da Galgal dagen etter hendelsen utenfor kinoen hadde flyktet fra Sandjān, hadde også Sediq reist av gårde til Qom for å være sammen med ham. Siden den dagen hadde hun ikke vært hjemme.

Zinat omfavnet henne, kysset henne og spurte hva som hadde skjedd, hvorfor hun hadde kommet så bedrøvet hjem. Sediq la hodet mot skulderen hennes og gråt, men sa ingenting.

Zinat visste at datteren ikke var lykkelig med Galgal, at han aldri hadde gitt henne et normalt familieliv, at hun ikke fikk ta imot noen hjemme og alltid levde i angst med ham.

Han dro ofte bort, lot henne være alene hjemme, fortalte henne aldri om sine aktiviteter og forbød henne å si noe til familien sin.

Smilet som alltid hadde ligget på leppene hennes, var borte. Et slør av sorg dekket ansiktet.

«Hva har skjedd?»

Sediq ville ikke si noe.

«Har du kanskje rømt?»

«Har dere kranglet?»

Hun ristet på hodet.

«Fortell meg hva som har skjedd, da.»

Men hun sa ingenting.

*

Sediq gikk rundt på gårdsplassen og tenkte igjennom den siste tiden. Galgal hadde dratt bort et par måneder og hadde etterlatt henne alene hjemme, hun visste ikke hvor han var, eller når han skulle komme tilbake. Hun hadde mottatt et brev fra ham en dag der han skrev: «Jeg kommer ikke hjem på en stund, mitt fravær kommer til å bli langvarig. Dra tilbake til familien din. Du må ikke snakke med noen om dette!»

Sediq sa ingenting, men alle visste at hun hadde kommet tilbake på grunn av sitt ødelagte ekteskap. Hun kjempet med et dilemma: Ønsket hun å dra hjem igjen hvis han noen gang skulle komme tilbake? Hjem til det fryktelige huset i Qom? Ønsket hun å bo sammen med ham igjen, dele seng med ham? Men hun visste at hun ikke hadde noe valg som kvinne. Hun måtte dra tilbake, hvis det var det han ville.

Nei, jeg blir ikke med ham, tenkte hun, og hvis han tvinger meg, kommer jeg til å hyle helt til alle moskégjengerne står på taket.

Hun gikk inn på kjøkkenet og kjente på tomheten bestemødrene hadde etterlatt.

Så lenge de hadde vært der, hadde kjøkkenet alltid vært ryddig, men nå var ingenting der det hørte hjemme, og det var rotete overalt. Søppelbøtten var full, og krydderkrukkene som hadde en fast plass i skapet, var spredt utover hyllene. Den herlige lukten av frisk frukt som alltid lå på et fat på kjøkkenbenken, var borte. Sediq begynte å rydde på kjøkkenet. Hun satte ut søppelbøtten, vasket av krydderkrukkene og satte dem tilbake på hyllen. Hun ryddet bort kasserollene, kostet gulvet, vasket vinduene og vannet plantene.

Deretter satte hun en kasserolle på ovnen og begynte å lage mat.

Da alle kom hjem om kvelden, så de lyset i kjøkkenet og kjente lukten av mat.

Sediq dekket bordet i spisestuen, og for første gang på lang tid spiste familien sammen.

Ingen stilte spørsmål, og ingen snakket om Galgal. Alle visste at Āqa Djān ville ta det opp med henne, om nødvendig.

Alle nøt kvelden og sa at de hadde savnet den deilige maten. Etter at de hadde spist, jobbet Sediq på kjøkkenet til sent på kveld. Da hun var ferdig med oppvasken, satt hun ved vinduet en stund og kikket på kofferten i mørket. Den sto fremdeles ved bassenget. Zinat hadde bedt Sediq komme og bo inne hos henne, men hun hadde avslått tilbudet.

Hun kikket i det gamle kjøkkenspeilet bestemødrene hadde pleid å kikke i. Det medtatte speilet fortalte henne at en ny fase hadde tatt til. Hun hadde nølt hele dagen, nå nølte hun ikke lenger. Hun reiste seg, slo av kjøkkenlyset og gikk ned i kjelleren.

«Hvem der?» ropte Muezzin.

Hun skvatt til.

«Er det deg, Sediq? Hører jeg riktig?»

«Ja, det er meg.»

«Først ble jeg litt i tvil, skrittene dine lød annerledes, jeg kjente deg nesten ikke igjen. Hva gjør du her i kjelleren midt på natten?»

«Leter etter en nøkkel. Den skal ligge i en av de gamle kistene.»

«Hvilken nøkkel?»

«Nøkkelen til værelset ved siden av trappen i moskeen, værelset mellom trappen og Āqa Djāns arbeidsværelse.»

«Vil du så gjerne ha den nøkkelen?»

Hun lette etter nøkkelen i de gamle kistene, men fant den ikke.

«Se bak buegangen også, der står det enda en kiste. Ta med deg håndlykten, ellers ser du ingenting,» sa Muezzin.

Det sto en håndlykt i en nisje, ved siden av lå det en fyrstikkeske. Sediq tente lyset i lykten og bar den bort til kisten, hun lette, men fant ingen nøkkel der heller.

«Jeg vet om én kiste til, den står i dette skapet. Kanskje nøkkelen ligger der,» sa Muezzin.

Hun tente lyset i verkstedet og så at Muezzin sto ved ovnen og holdt på med en vase.

«Vær forsiktig,» sa han, «jeg har akkurat satt fra meg et par vaser der.»

Forsiktig smøg hun seg mellom de ferske vasene mot skapet og åpnet det.

Det hang noen gamle herrejakker og spaserstokker der.

«Fant du den?»

«Nei, det er bare klær her.»

«Den må være der, jeg hørte raslingen av nøkler da beste-mødrene ryddet i skapene en gang.»

Hun flyttet på jakkene. Uventet hørte hun den dempede lyden av nøkler. «Der er de,» sa Muezzin.

Sediq vendte tilbake til gårdsplassen, passerte værelset til Āqa Djān og stoppet opp ved det tredje rommet. Hun stakk den ene nøkkelen etter den andre i låsen. Én nøkkel passet i låsen, men den lot seg ikke vri om.

Hun gikk ned i kjelleren igjen og hentet Muezzin.

Han sprutet olje i låsen og prøvde nøkkelen en gang til, men det lot seg ikke gjøre.

«Jeg husker ikke når dette værelset var i bruk sist. Både låsen og nøkkelen er rustet,» sa han.

Han hadde lyst til å spørre: Hvorfor må du få opp låsen akkurat nå, midt på natten? Vil du sove, kan du ta gjesteværel-set. I stedet sprutet han mer olje i låsen og prøvde en gang til.

«Nå går det bedre, ja, nå går det, den rikker seg. Vent litt, den sitter fremdeles fast. Jeg blir nødt til å gi den et par slag med hammeren, men alle sover, jeg er redd jeg kommer til å vekke dem.»

Likevel gikk han til værelset sitt og fant en hammer. Han slo på låsen et par ganger, så ga den etter.

«Det gikk! Selv om jeg ikke fatter hva du skal i dette værelset så sent,» sa han. Men han ventet ikke på svar, gikk bare inn i sitt eget værelse og lukket døren etter seg.

Sediq skjøv døren forsiktig opp.

Værelset lå i mørke. Hun lette etter lysbryteren, men den virket ikke. Hun hentet håndlykten i kjelleren og gikk inn i værelset igjen.

Alt var dekket med hvite laken, til og med teppet på gulvet. Det lå et tynt lag støv på lakenene. Forsiktig fjernet hun dem og la dem utenfor.

Det sto en seng der, og ved siden av sengen et gammelt speil. Det hang en chador på stumtjeneren og under lå det et par tøfler. På et lite bord ved sengen lå det en kam, en pudderdåse og en liten sminkepung. På den veggen sengen sto inntil, var det satt opp et par hyller med bøker. På ovnen sto det et teglass og en skål, og i skapet hang det et par kjoler.

Hun hentet to rene laken på vaskeværelset og tok med seg kofferten inn. Så plasserte hun kofferten ved siden av skapet, trakk lakenet over sengen, krøp under dynen, lukket øynene og falt i søvn.

Tidlig om morgenen var hun i full gang i værelset. Hun banket teppet og vasket alle vinduene omhyggelig. Shahbal trakk en ny elektrisitetsledning til rommet.

Om kvelden var det lys bak de fargerike rutene i værelset ved siden av trappen, og det falt et rødt, grønt og gult skinn på bakken.

En kveld da Sediq sto i døråpningen, og det røde, grønne og gule skinnet falt på magen hennes, skrev Åqa Djān i boken sin: «Sediq er gravid.»

GERILJA

Ved inngangen til basaren var noen agenter i ferd med å henge opp et par store svart-hvitt-portretter. Fire portretter av menn med bart og briller.

Det sto en tekst under portrettene: «Rømte fanger! Væpnede kommunister! Tips belønnes med 10 000 toman!»

I lokalavisene sto portrettene av de rømte fangene på forsiden: «Fire farlige terrorister beveger seg fritt omkring i byen.»

Det var stor trengsel foran inngangen, folk sto og snakket sammen i grupper. De visste ingenting om kommunismen, bare at kommunister var farlige mennesker som ikke trodde på Gud.

I avisen sto det et intervju med en gjeter som mente å ha sett de rømte fangene.

«Var de bevæpnet?» spurte intervjueren.

«Ja, de red på hester og hadde tofanger over skulderen.»

«Hvor møtte du dem?»

«Jeg møtte dem ikke, jeg holdt på å samle flokken min og løp akkurat etter en geit, da jeg fikk øye på fire ryttere, jeg skjønte med en gang at det var fremmede. De satt som sultaner i salen. Man møter ikke så ofte sånne folk i fjellet.»

«Snakket du med dem?»

«Ikke med en gang. Jeg så ikke ansiktene deres, for de var på vei oppover fjellet, jeg så bare ryggene. De red opp mot toppen. Jeg tror de ønsket å ta seg over til den andre siden, til grensen mot Afghanistan. Plutselig snudde en av dem og kom tilbake, kom ridende bort til meg og spurte om jeg hadde brød til ham, og om jeg kunne gi ham en skål melk.»

«Ga du dem melk og brød?»

174

«Ja, men jeg visste ikke at de var kommunister, da hadde jeg ikke gjort det.»

«Spurte du ikke mannen hvem han var?»

«Nei, man spør ikke folk hvem de er, sånn uten videre. Jeg fant frem en skål og en geit jeg kunne melke.»

«Hva gjorde han da du ga ham melken og brødet?»

«Han rakte meg hånden og sa: 'Tilgi meg for at jeg ikke kan betale.'»

«Sa han noe mer?»

«Ja, han sa at han skulle huske ansiktet mitt.»

«Hva mente han med det?»

«Det vet jeg ikke, men neste dag så jeg bildene av dem på politistasjonen i landsbyen vår. Fire terrorister. Og så jeg som hadde gitt dem brød.»

Vanlige folk skjønte ikke helt hva som foregikk, men de som lyttet til persisk Radio Moskva, visste alt.

De fire mennene på rømmen, var de fire viktigste medlemmene av en venstreorientert undergrunnsbevegelse. De var blitt arrestert noen år tidligere under et opprør i skogene i den nordlige provinsen Shomāl.

De hadde ledet den såkalte skogsgruppen. Denne venstreorienterte, amerikafiendtlige geriljabevegelsen forsøkte å starte et opprør mot sjahen med utgangspunkt i de nordlige skogene.

De fleste som bodde i fjellene, levde i fattigdom. I landsbyene var tilbudet dårlig: ingen skoler, ingen leger, ingen telefon. Farāhān, Hamid Ashrafs fødeby, fikk overhodet ingen støtte fra myndighetene, de ignorerte landsbyen på grunn av Ashrafs politiske aktiviteter.

Hamid Ashraf studerte fysikk ved det tekniske universitetet i Teheran. Dette universitetet var et arnested for venstreorienterte grupperinger i landet. Ashraf var en ung leder som hadde forlatt det tradisjonelle kommunistiske Tudehpartiet og opprettet en undergrunnsbevegelse som het Fadai, og som kjempet en væpnet kamp mot sjahen.

Landsbyboerne var tradisjonen tro motstandere av regimet,

landsbyen var kjent som Den røde landsbyen, og beboerne var stolte av Ashraf og stolte av stempelet de hadde fått.

Det fantes ikke radioer i landsbyene, men i Den røde landsbyen lyttet man til Radio Moskva.

Så snart de hørte at Ashraf hadde rømt fra fengselet, sørget de for å spre nyheten i fjellene.

Innbyggerne i Den røde landsbyen sa at det som sto i avisen var tøv, og at det ikke fantes en slik gjeter. At politiet og sikkerhetspolitiet løy. Andre hevdet at innbyggerne i Den røde landsbyen hadde brukt gjeteren bevisst for å lure politiet.

I hele landet snakket sympatisører av den venstreorienterte bevegelse om landsbyen. Alle hadde skapt sin egen fantasilandsby av den. De sa at innbyggerne var kommunister, at de hengte opp røde flagg over dørene på høytidsdager, og at sjahens politi aldri torde gå inn i landsbyen alene.

I fjellandsbyene var de fleste voksne analfabeter, men i Den røde landsbyen kunne alle lese og skrive, ble det påstått. Sympatisører hadde visstnok dratt til landsbyen i smug og lært folk å lese.

Radio Amerika sendte en reportasje om Hamid Ashrafs flukt. Det ble antydet at landsbyboerne hadde tilbudt Hamid og kameratene hans et gjemmested.

Neste dag kjørte fjorten panservogner inn i landsbyen, fulgt av et par helikoptre. I fjellet hadde ingen sett et helikopter på nært hold før. Fjellbeboerne la ned arbeidet og klatret opp på åskammen for å studere helikoptrene.

Helikoptrene fløy lavt, og man kunne se de bevæpnede agentene inni dem. I landsbyen hadde folk satt opp dørene til husene sine på vidt gap for å unngå at politiet skulle sparke dem inn, deretter hadde de klatret opp på takene i protest.

Agentene gjennomsøkte alle hus og forhørte beboerne på taket. De sparket for sikkerhets skyld inn noen dører og endevendte landsbyen, men fant ikke spor av de rømte geriljasoldatene.

De arresterte en gruppe unggutter som ikke kunne bevise at de bodde i landsbyen eller hadde familie der. Først da det ble mørkt, avsluttet de leteaksjonen og trakk seg ut av landsbyen.

Den natten kom ikke Shahbal hjem. Muezzin, som hadde hørt nyhetene på radioen, var bekymret. Han gikk til Āqa Djān og gjorde ham oppmerksom på at sønnen ikke hadde kommet hjem.

Āqa Djān hadde sett portrettene av de rømte geriljasoldatene i basaren og var informert om Hamid Ashrafs flukt. Han kjente til Den røde landsbyen – han hadde et par teppehus der – og beboerne kjente til ham og respekterte ham. Men han hadde aldri reflektert over at Shahbal kunne være involvert i landsbyens kommunistiske anliggender. Nå ventet han på ham til langt på natt, men Shahbal kom ikke.

«Har du ingen anelse om hvor han kan være?» spurte han Muezzin.

«I morges kom han til meg i kjelleren og sa at han skulle ut en tur, og at han ikke kom til å komme hjem før sent, men jeg trodde ikke at det skulle bli så sent.»

«Kanskje det er en dum slutning å trekke, men tror du at han har noe med Farāhān å gjøre?»

«Med Den røde landsbyen?»

«Politiet gikk temmelig voldsomt inn, hørte jeg i basaren, mange er blitt arrestert.»

«Hva har det med Shahbal å gjøre?» sa Muezzin forbløffet.

«I disse dager har visst alt med alt å gjøre. Det har vært urolig i byen i hele dag, folk har bare snakket om Den røde landsbyen. Men nå er det midnatt, vi kan ikke gjøre annet enn å vente. Vi må ikke bli urolige, det er bedre at vi legger oss og sover, så får vi se hva morgendagen bringer.»

Muezzin sa ikke noe mer, bare snudde og gikk mot værelset sitt. Plutselig kom Āqa Djān på noe.

«Vent litt!» ropte han. «Sett at han har vært i landsbyen, og at han er blitt arrestert. Hvis dét er tilfellet bør vi øyeblikkelig gå gjennom tingene hans, før politiet gjør det. De kommer til å stå utenfor døren før vi vet ordet av det.»

Āqa Djān gikk inn i Shahbals værelse og begynte å gå gjennom sakene hans. Til sin forbauselse fant han en stabel bøker under sengen og i skapet. Dette var bøker som ikke fantes i biblioteket deres. Romaner, noveller og moderne poesi. Og det var illegale bøker blant dem, hvor sjahens regime ble angrepet som en forlengelse av den amerikanske imperialismen.

Han bladde gjennom bøkene, men hadde ikke tid til å studere alt sammen. Han måtte skynde seg. Han la bøkene i en sekk og slepte sekken ned til elven i mørket.

Shahbal kom ikke hjem den natten, det kom heller ikke noe politi og banket på døren.

Neste morgen dro Āqa Djān på jobb som om ingenting hadde skjedd. Klokken ti ringte telefonen. Det var politimesteren, og han spurte om Āqa Djān ville komme ned på stasjonen.

Āqa Djān tok på seg hatten og ba sjåføren om å kjøre ham. På stasjonen satte han seg rolig ned i den stolen politimesteren bød ham.

«Vi har arrestert nevøen din og en gruppe fremmede,» sa sjefen.

«Arrestert?» sa Āqa Djān. «I hvilken forbindelse?»

«Vi anholdt ham i Den røde landsbyen. I jakken hans lå det en lommeradio og en bok.»

«Hva er det som er galt med en lommeradio? Alle har jo radio i dag.»

«Radioen var innstilt på Moskva.»

«Du er kanskje ikke klar over det, men nevøen min bor i huset ved moskeen. I vårt hus er det ingen grunn til å lytte på Moskva.»

«Jeg trodde heller ikke at dere hadde behov for å lytte på Moskva, det er derfor jeg har bedt deg om å komme.»

«Takk skal du ha, det setter jeg pris på,» sa Āqa Djān.

«Mitt spørsmål er hvilket ærend han hadde i den landsbyen.»

«Vi har et par teppehus i Farāhān, og noen titall av landsbyboerne jobber for oss. Jeg sender ofte mennene mine dit for å inspisere. Det var derfor Shahbal var der.»

«Men boken vi fant i jakken hans, er en illegal bok,» sa politimesteren.

«Hvilken bok er det?»

«En bok om den russiske revolusjon.»

«Hvorfor er den illegal?»

«Den er skrevet av Maksim Gorkij.»

«Hvem er Maksim Gorkij?»

«En russisk forfatter. Finner vi en slik bok i lommen til en student, får han seks måneders ubetinget fengsel, men nevøen din er så heldig at vi kjenner deg. Vi trenger hverandre i denne byen, og derfor lar jeg ham gå denne gangen. For din skyld, bare derfor.»

«Jeg takker deg. Jeg skjønner hva du sier. Jeg skal ta det opp med ham når vi kommer hjem, jeg skal advare ham,» sa Āqa Djān og reiste seg.

Ikke lenge etterpå kom Shahbal hjem. Āqa Djān tilkalte ham.

«Du har en radio, og du lytter på Moskva. Hva betyr det? Hvorfor visste jeg ikke om det?»

«Politiet overdriver det en smule. I dag har alle fjernsyn hjemme, og definitivt en radio. Og man hører på alt mulig. Jeg hører på alle kanaler, på Moskva, Amerika, BBC, men også de persiske.»

«De fant en kommunistisk bok i jakken din.»

«Det jeg leste var en roman, en fortelling, bøker er bøker, uansett. Politimesteren får ikke velge hvilke bøker jeg skal lese!»

«Men det er akkurat det han gjør, han har jo arrestert deg!»

«Han kan arrestere meg, men han kan ikke diktere meg.»

«Hva gjorde du i Den røde landsbyen midt på natten?»

«Det er noe annet. Jeg burde ha fortalt deg det tidligere, men jeg tvilte. Dette er ikke riktig tidspunkt å ta det opp på, jeg er redd jeg kommer til å såre deg. Men det er også ille ikke å si noe.»

«Si det, Shahbal.»

«Jeg har lenge båret på en indre konflikt. Tvilen vokser og tar stadig større plass i hodet mitt.»

«Hva tviler du på?»

«Alt mulig. Jeg vil ikke snakke om det, for jeg tviler ennå, men skjønner du hva jeg mener? Jeg kan ikke gå i moskeen lenger.»

«Men du går i moskeen, jeg ser deg der, du er alltid til stede.»

«Det handler ikke om min fysiske tilstedeværelse. Jeg er fraværende, hodet mitt er opptatt av helt andre ting når jeg vender meg mot Mekka.»

«Hva slags ting?»

«Jeg tør ikke engang å si det høyt. Derfor tenker jeg at det ville vært bedre hvis jeg tok avstand fra moskeen og bønnen.»

«Tvil er menneskelig, du må ikke bli redd hvis tvilen vokser i deg.»

«Jeg tror kanskje at jeg er i ferd med å forlate tvilsfasen, jeg er i ferd med å miste min tro, jeg føler meg ikke lenger hjemme i moskeen,» sa Shahbal i ett åndedrag.

Āqa Djān sank dypt ned i stolen, og Shahbal så at han grep etter koranen i jakken.

«Tilgi meg for at jeg gjør deg ondt,» sa Shahbal dempet.

«Det gjør meg virkelig ondt det du sier, men jeg har også hatt en slik periode i livet mitt,» sa Āqa Djān. «Det går over, det har som oftest med alder å gjøre. I min tid fantes det ingen radio, ikke noe fjernsyn eller slike bøker. Alt dette har en sterk innflytelse på deg, men jeg er ikke redd, for jeg har ikke gitt deg et feil bilde, ingenting som skulle tilsi at du må ignorere Gud. Jeg kan ikke gjøre noe med det, jeg kan bare vente. Men én ting må du aldri glemme. Jeg tar ikke feil, jeg tror på deg, jeg har tillit til deg. Tvil er en del av livet. Nå er du trøtt, hvil deg. Vi kan snakke mer om dette en annen gang.»

Med tårer i øynene skulle Shahbal til å gå, men Āqa Djān overrasket ham med enda et spørsmål: «Vet du kanskje noe om de rømte geriljasoldatene?»

«Nei!» svarte han, men Āqa Djān hørte på stemmen hans at han skjulte noe.

Tidlig neste morgen gikk Āqa Djān til basaren. Da møtte han enfoldige Qodsi på gaten.

«Hvordan går det med deg, Qodsi?»

«Bra!»

«Og hvordan går det med moren din?»

«Bra!»

«Har du noen nyheter til meg?»

«Datteren til Moshiri går rundt med rumpa bar på gata.»

Han skjønte ikke hva hun mente. Moshiri var en av de rikeste teppehandlerne i basaren. Han hadde en datter på 24 år som var psykisk syk, derfor holdt de henne alltid hjemme og lot henne aldri gå ut.

«Hva er det som har skjedd med datteren til Moshiri? Kan du si det en gang til?» spurte Āqa Djān.

Qodsi skjøt hodet frem og hvisket: «Det er spøkelser i moskeen din.»

«Spøkelser? Bare rumper? Ærlig talt, Qodsi. Du må fortelle mer enn det!»

Men hun forsvant inn i det første huset hvor døren sto åpen.

Politiet hadde fått inn et tips om mistenkelige aktiviteter i moskeens gravkammer. Man mente at geriljasoldatene gjemte seg der.

En kveld gikk to agenter forkledd som unge imamer inn i moskeen. I løpet av bønnen tok de plass bak den gamle vikarimamen.

Da bønnen var over, ble de sittende og begynte å snakke med vikarimamen. De sa at de kom fra Isfahan, at de var på vei til den hellige byen Qom, og at de overnattet ved herberget i Sandjān.

Imamen inviterte dem på et glass te på værelset sitt. Han fortalte dem at han var vikarimam, og at hvis alt gikk som det skulle, ville sønnen til avdøde As-sāberi avslutte studiene om et års tid og etterfølge sin far. Agentene drakk te og holdt øye med gårdsplassen.

«Bor det noen andre her, eller er du alene?»

«Jeg bor alene i moskeen, men oppsynsmannen er nesten alltid her, moskeen er hans liv. Jeg setter virkelig pris på det han gjør, han arbeider for ti. Han kommer svært tidlig om morgenen og drar hjem sent på kvelden.»

«Jeg tror jeg hørte lyder fra kjelleren,» sa en av agentene som akkurat hadde gått ut med en dårlig unnskyldning.

«Moskeen er gammel, svært gammel og har mange hemme-

181

ligheter. Dere må ikke spørre meg hvem som går inn og ut av kjelleren. Sånn er gamle moskeer. Noen ganger hører jeg rare lyder eller skritt i natten, dempede stemmer. Moskeen lever sitt eget liv. Man kan ikke ta disse lydene inn over seg hvis man skal sove her, man må presse hodet ned i puten og lukke øynene.»

Sent på kvelden hørte de skritt ute på gårdsplassen. De reiste seg, tok farvel, gjemte seg i mørket og listet seg bort til stein-vinduet hvor man kunne kikke inn i kjelleren.

En silhuett gikk inn i kjelleren med et stearinlys i hånden. Det var som om han lette etter noe, eller kanskje var han engasjert i et ritual. Han holdt noe i venstrehånden, men man kunne ikke se akkurat hva det var eller hva han gjorde. Han snakket med noen eller med seg selv, og så gikk han lenger inn i mørket. En dør ble åpnet, og så forsvant silhuetten.

Agentene gikk forsiktig inn i kjelleren, tok trappen ned og ble stående taust ved siden av hverandre og lytte til stillheten. De torde ikke tenne lommelyktene, gikk bare lenger inn i kjel-leren i den retningen silhuetten hadde forsvunnet. De måtte være forsiktige så de ikke snublet over gravene. Da de nærmet seg døren, hørte de en dempet stemme og så et gult lys skinne under den.

Agentene gikk helt bort til døren. Stemmen eller stemmene var utydelige, det var som om noen leste opp en tekst eller for-talte en historie. Agentene la ørene inntil døren og hørte frag-menterte setninger som de ikke skjønte noe av:

«Gi ham bryst,
og når du blir redd for ham,
så sett ham ut på elven.
Vær ikke redd
og vær ikke bedrøvet!
Vi vil bringe ham tilbake til deg.»

Plutselig hørte de et høyt skrik fra en kvinne. De så på hverandre, angsten spredte seg, de visste ikke om lyden kom fra kjelleren eller fra moskeen. Stille trakk de seg tilbake og forlot moskeen.

*

Kvinnen som hylte, var Sediq. Hun hadde stått ved bassenget da hun ble overfalt av kraftige smerter. Smertene forflyttet seg fra magen til ryggen, det var en voldsom pinsel, som gjorde henne svimmel. Hun hylte og falt sammen på bakken. Āqa Djān, Faqri, Zinat og Muezzin hadde dratt på pilegrimsferd til en nabolandsby den kvelden. De skulle ikke komme hjem før neste dag. Shahbal hørte Sediqs hyl. Han skyndte seg bort til bassenget, hjalp henne på beina og brakte henne til værelset. I lyset så han blodflekker på gulvet. Han ropte på Nasrin, Āqa Djāns eldste datter. «Ring etter lege! Jeg henter jordmoren.» Han hentet sykkelen og tråkket så fort han kunne mot elven.

Da jordmoren kom og så Sediq, sa hun: «Dette er alvorlig, vi trenger en lege, dette greier jeg ikke alene.»

«Legen er på vei,» sa Nasrin, «jeg skal vente på ham.»

Sediq orket ikke mer, hun skrek så høyt at jordmoren likevel gjorde et forsøk på å hjelpe babyen.

«Babyen vil ut, men det går ikke. Jeg ser ingenting i dette mørket. Nasrin, hent en lampe og en haug rene håndklær!»

Nasrin løp av gårde til et av værelsene og kom tilbake med en stålampe og en stabel håndklær.

«Lys her, ikke vær så klossete, konsentrer deg!»

Nasrin tok et skritt frem uten å se på Sediq og holdt lampen over hodet på jordmoren. «Jeg tror legen har kommet,» sa hun.

«Hold munn og hold lampen i ro!»

Det stoppet en bil utenfor. Nasrins hender skalv, hun begynte å nynne noe. Jordmoren oppmuntret Sediq til å presse hardere og fortsette å puste.

«Babyen sitter feil vei, den greier ikke å komme seg ut, det går ikke på denne måten.» Akkurat da skrek Sediq høyt og besvimte.

Legen kom inn i værelset.

«Legene er alltid sene!» ropte jordmoren sint. «De ligger alltid dypt under dynene.»

Ved hjelp av jordmoren, under Nasrins nynning, fikk legen ut babyen et par timer senere, etter store anstrengelser.

«Det er en gutt!» Jordmoren holdt barnet opp ned. «Men

det er noe som ikke stemmer.» Hun ristet babyen, plutselig begynte den å gråte. «Takk, Gud.»

Legen gikk bort til Sediq, hentet stetoskopet frem fra vesken og lyttet til hjertet hennes.

«Utslitt, men det går bra med henne,» sa han og gikk bort til jordmoren, som nå la babyen i et bad Nasrin hadde gjort i stand.

«Det er noe galt med ryggen hans,» sa jordmoren og la babyen forsiktig ned på magen.

Legen satte på seg brillene og lot fingrene gli granskende over babyens ryggrad.

«Dette er et alvorlig avvik,» mumlet han.

«Det var det jeg trodde,» sukket jordmoren.

Legen dro.

«Moren sover, babyen også,» sa jordmoren til Nasrin. «Jeg beklager at jeg var så streng. Slike situasjoner er alltid tøffe. Nå sover jeg et par timer, og så kommer jeg tilbake i morgen tidlig. Det er noe galt med babyen. Legen ringer til Āqa Djān.»

Freden hadde vendt tilbake til huset. På Sediqs værelse brant lyset fremdeles, et farget skinn la seg over steinene på gårdsplassen.

Nattens hendelser hadde beveget Shahbal.

Tidligere når et barn var blitt født i huset, hadde Āqa Djān lest et sitat fra en melodiøs sure i babyens øre. En velsignelse fra profeten Muhammed lød nemlig slik: «De første ordene barnet hører, risses inn i hukommelsen for godt, som en setning hugget i stein.»

Shahbal gikk til biblioteket. Han hentet den eldste koranen ned fra hyllen og listet seg inn på Sediqs rom. Hun sov tungt. Babyen lå i en liten seng ved veggen. Shahbal åpnet koranen og lette etter en melodiøs sure, så ombestemte han seg og la boken i nisjen. Han bøyde seg frem og hvisket et dikt av den kjente persiske samtidsdikteren Ahmad Shamloo i øret til den nyfødte:

«Bar zamin-e sorbi-e sobh
Sāket
Savarān bar asb
In bād bar yālhā-yeshān

Mot den blygrå morgenen
Ubevegelig
Rytteren til hest,
Vinden gjennom manen.

Gud,
Ryttere må ikke stå stille
Når faren kommer mot dem.»

Babyen åpnet øynene.

SALAMANDER

Salamander var blitt ett år gammel. Han krøp bort til bassenget på gårdsplassen, det var første gang han var så langt unna værelset. Han lekte med vannet.

I begynnelsen holdt alle øye med ham, men etter en stund glemte de ham. Han kikket på de røde fiskene i vannet, og de stirret tilbake på ham med tomt blikk. Det var første gang han så fisker. Han beveget munnen som dem og småflirte, han var i godt humør. Han gikk tettere inntil bassenget, og plutselig falt han ut i vannet. Alle skvatt til, og Sediq stormet mot vannet for å få ham opp. Men Salamander ville ikke opp. Mykt beveget han seg gjennom vannet etter fiskene.

Shahbal vasset uti bassenget og løftet Salamander ut. Så ga han ham til Sediq. Hun brakte ham gråtende tilbake til værelset sitt.

Salamander var sønnen til Sediq og Galgal. Barnet var født med svak rygg og var ute av stand til å sitte oppreist. Han vokste raskt og ble snart meget bevegelig. Han krøp under sengen og under dynene som en stor salamander. Snart fant han veien til gårdsplassen og krøp i hagen mellom plantene. Og så oppdaget man at han ikke kunne snakke.

Āqa Djāns barn likte ikke at han kom inn på værelsene deres og krøp under dynen. De låste alltid døren innenfra. De skammet seg over at de følte avsky overfor ham, men klarte ikke å gjøre noe med det. Det tok tid å venne seg til å ta et barn i armene som lignet mer på et dyr enn på et menneske. Men barnet valgte sine egne folk: Når han fikk øye på Am Ramazān, krøp han straks bort til ham.

Am Ramazān løftet ham opp, satte ham på skuldrene og gikk over gårdsplassen med ham og viste ham blomstene, trærne, kråka og kattene.

Salamander følte seg også hjemme hos Muezzin. Han krøp rundt i værelset hans og la seg under sengen.

«Er det du, gutt, eller er det katten?» ropte Muezzin og lo.

Salamander fant frem Muezzins spaserstokk og ga den til ham, på den måten spurte han om de skulle gå tur. Muezzin krysset gårdsplassen og gutten fulgte etter ham.

Ingen visste hvem som hadde gitt barnet kallenavnet «Salamander». Āqa Djān hadde advart ungene mot å ta ordet i sin munn, men kallenavnet var så passende at ingen kom utenom det.

Āqa Djān hadde valgt det flotte navnet «Sejjed Muhammed» til ham, og det var det som sto i legitimasjonspapirene hans. Barnet reagerte ikke på det navnet, men når man ropte «Salamander», kom han straks krypende bort til en.

Han var en skapning som hørte like mye til i kattenes, hønenes og fiskenes verden som i menneskenes.

Alle hadde akseptert det. Moren hans kjempet ikke lenger imot. Hun så på det som skjebnen.

Galgal hadde forsvunnet ut av livet deres, men vendt tilbake i form av Salamander. Salamander hadde Galgals ansiktstrekk. Han krøp opp i Sediqs seng og halte i kroppen hennes, hun ønsket ham ikke, men kunne ikke gjøre noe med det, hun måtte tåle det.

Zinat Khānom, Salamanders bestemor, gråt stille når hun så barnebarnet krype rundt på gårdsplassen. Hun var troende og opptatt av andre troende kvinners skjebne og velferd, men hun var overbevist om at Gud hadde straffet henne med barnet. En straff fordi hun ikke hadde passet godt nok på sin egen sønn Abbās, som derfor hadde druknet. Og en straff for den store synden hun hadde begått i moskeen. Hun hadde gjort noe ingen annen kvinne i hennes posisjon ville gjort. Av henne hadde vikaren krevd alt det en mann kan kreve av en kvinne, i et gravkammer.

Nå kunne hun høste fruktene av det hun en gang hadde sådd: Salamander.

Den dagen Salamander falt i bassenget, var en viktig dag for huset.

Ahmad, avdøde As-sāberis sønn, hadde endelig avsluttet sin imamopplæring og vendt hjem fra Qom for å etterfølge sin far.

Om bare et par dager skulle avslutningsfesten finne sted, og hele slekten var samlet. Det var en fest man bare er med på én gang i livet. Det var begynnelsen på en ny epoke for byen, forholdet mellom moskeen og basaren skulle endres. Alle var nysgjerrig på hvordan Ahmad ville komme til å lede moskeen.

Āqa Djān hadde vært i Qom uken før, for å overvære Ahmads «draktutdeling».

Han overnattet der for å kunne snakke med Ahmad i fred og ro om edsavleggelse, og den viktige oppgaven som lå foran ham som moskeens imam.

Āqa Djān syntes Ahmad var uerfaren, men han var ung og pen, hadde alltid på seg fine klær, var rak i ryggen, brukte parfyme og bar en temmelig moderne turban.

Dessuten hadde han kraftig stemme og en fengslende måte å fortelle på, og han sang de melodiøse korantekstene uten-at med stort talent. Tiden ville vise hvor kompetent han ellers var.

Ahmad ankom kvelden før med en koffert, og Āqa Djān tok ham straks med seg til biblioteket for å snakke med ham om talen han skulle holde ved edsavleggelsen, men Ahmad var opptatt av helt andre ting. Han la kofferten fra seg på bordet, åpnet den, tok frem den nye, fine imamdrakten og så seg om etter en stumtjener å henge den på.

«Hvorfor har vi ingen stumtjener her?» sa han irritert.

«Du kan henge klærne på ditt eget værelse,» svarte Āqa Djān.

Ahmad skjøv en blyant inn mellom plankene i en bokhylle og hengte drakten sin på den. Deretter pakket han ut resten av tingene sine og sa: «Hvor kan jeg legge dem? Jeg trenger et skap på biblioteket.»

«Du kan legge tingene på ditt eget værelse,» sa Āqa Djān tålmodig.

«Jeg vil ha dem her,» svarte Ahmad.

Āqa Djān skjønte at dette ikke var tidspunktet å snakke med Ahmad på.

«Jeg tror du trenger å hvile deg. Jeg kan snakke med deg på arbeidsværelset mitt i morgen,» sa han og forlot biblioteket.

Senere på kvelden skrev han i moskéjournalen: «I morgen begynner den nye imamen. Ahmad har kommet. På ham kan jeg se at tidene har forandret seg. Han er helt annerledes enn faren sin og de andre imamene jeg har kjent. Jeg burde ikke trekke hans kvaliteter i tvil, han er så ung, han kan fremdeles utvikle seg i så mange retninger. Det jeg kan si med sikkerhet, er følgende: Vi har fått en sjarmerende imam i huset. Jeg liker ham og er nysgjerrig på hvor han vil føre oss.»

Fredag klokken ti stengte basaren. Tusenvis av mennesker gikk til moskeen for å høre edsavleggelsen. At en ny imam ble tatt i ed, var en anledning til en liten fest. Bønnen skulle holdes utenfor moskeen, hvor et titalls store tepper var rullet ut.

Det var agenter overalt, og i en av sidegatene sto det et par militære kjøretøyer med væpnede soldater, et uvanlig syn i Sandjān.

De siste to, tre årene hadde situasjonen i landet blitt radikalt endret. På universitetene i Teheran demonstrerte studentene mot sjahen, og «Bort med Amerika!» var blitt et fast slagord.

Regimet fryktet opptøyer.

Āqa Djān gikk igjennom alt med Ahmad en siste gang, så tok han på seg hatten og gikk til moskeen.

«En velsignet dag!» ropte naboen, Hādji Shishegar, som var på vei til moskeen med de to tvillingene sine.

«Om Allah vil!» ropte Āqa Djān muntert tilbake.

«Hvis det er noe jeg kan bidra med, står jeg til din tjeneste i dag,» sa Shishegar.

«Alt er under kontroll. Men ellers takk for tilbudet. Hvordan går det med tvillingene?»

«Jo, unger vokser raskt for tiden, sønnen din også,» sa han.

«Det er sant, Djavād er blitt en ung mann.»

Āqa Djān fikk øye på enfoldige Qodsi, på vei ut av et hus.

«Godt å se deg igjen, Qodsi. Kommer moren din også til festen?» spurte Āqa Djān.

«Hun har til og med kjøpt en ny svart chador.»

«Jeg gleder meg til å se henne,» sa Āqa Djān.

«Men hun kommer ikke.»

«Hvorfor ikke?»

«Hun har mistet den nye chadoren sin,» sa Qodsi.

«Mistet chadoren? Allerede? Har du kanskje gjemt den et sted?» sa han med et smil.

«Nei. Det har jeg ikke.»

«Hvordan kan den nye chadoren plutselig være borte?»

«Jeg vet ikke. Hun har lett i hele natt, men hun finner den ikke.»

«Hun finner den sikkert i tide, og så kommer hun,» sa Āqa Djān og gikk videre.

«Den gale datteren til Moshiri går med rumpa bar ute på gata, hun gjorde det igjen i går,» hvisket Qodsi.

«Vet du hva du burde gjøre,» sa Āqa Djān til henne, «gå hjem til oss. Ahmad har tatt på seg den nye imamdrakten, han gir deg sikkert et par mynter, gå med en gang!»

Qodsi gikk til huset, og Āqa Djān gikk ut på gaten, hvor det allerede sto en folkemengde og ventet på seremonien.

En mann som holdt et kamera på skulderen, rev seg løs fra mengden og rettet linsen mot Āqa Djān. «Du ser elegant ut med hatten og den stripede mørkeblå dressen,» sa kameramannen.

«Er det deg, Nosrat?» sa Āqa Djān glad. «Du aner ikke hvor lykkelig du gjør meg, jeg trodde ikke at du ville komme. Når kom du?»

«Nå nettopp, jeg tok nattoget.»

Viseborgermesteren tok Āqa Djān i hånden og gratulerte ham.

«Hva skal vi med disse militære kjøretøyene?» spurte Āqa Djān.

«Det gir festen mer stil,» sa viseborgermesteren. Han gikk sammen med Āqa Djān bort til inngangen til moskeen hvor politimesteren, representantene for gendarmeriet, provinsens offentlige tjenestemenn, sykehusdirektøren og skolenes rektorer sto.

Nosrat fulgte etter Āqa Djān og filmet alt sammen. Āqa Djān gledet seg over et fulltallig oppmøte av byens autoriteter, men var samtidig forbauset. Tidligere hadde det vært helt selvsagt at de var til stede ved slike høytideligheter i moskeen, men de siste årene hadde de dukket opp stadig sjeldnere. Derfor hadde ikke Āqa Djān forventet at de skulle komme. Underlig nok kjente han ikke en eneste en av dem, det var bare nye ansikter.

Nosrat filmet Āqa Djān mens han snakket med politimesteren. Plutselig trakk enfoldige Qodsi ham i ermet og hvisket i øret hans: «Mor kan ikke komme, den svarte chadoren er stjålet, og den gale datteren til Moshiri går med rumpa bar på gata.»

Āqa Djān ropte på Shahbal: «Shahbal, kan du ikke ta med deg Qodsi til kvinnene?»

I det fjerne dukket det nå opp en kolonne svarte Mercedeser. Āqa Djān varslet Muezzin om at den gamle ayatolla Golpāj-gāni var på vei.

«Allāho Akbar!» ropte Muezzin høyt.

Folkemengden fulgte ham: «Sallā àlā Muhammed va āl-e Muhammed! Velsignet være Muhammed og hans hus.»

Nosrat gikk opp på taket så han kunne få med seg alt.

Ayatolla Golpājgāni var en av de mest autoritære ayatollaene. Nå kom han fra Qom ens ærend for å godkjenne Ahmads edsavleggelse.

Āqa Djān og representantene fra byen gikk mot bilen for å ta imot ham og gruppen med lærlinger.

Āqa Djān hjalp ayatollaen ut av bilen, ga ham stokken, kysset ham og førte ham bort til en fyrstelig stol som sto klar til ham.

Igjen dukket Qodsi opp.

«Shahbal!» ropte Āqa Djān irritert.

Shahbal tok med seg Qodsi under høylytte protester.

Nå som ayatollaen hadde kommet, kunne seremonien begynne.

Fulgt av seks unge imamer dukket Ahmad opp øverst på moskétrappen. Muezzin ropte «Allāho Akbar!»

Ahmad gikk bort til ayatollaen med sitt følge, knelte ned foran ham og kysset hånden hans høytidelig. Ayatollaen la hånden sin forsiktig på Ahmads svarte turban og nynnet:

«Qol a'uzo be rabbel-falaq
Men sharre mā khalaq ...
Jeg søker tilflukt hos morgengryets Herre.
Mot ondt fra det Han har skapt,
Mot ondt fra mørket når det bryter inn.
Mot ondt fra dem som blåser på knuter.»

Āqa Djān ga ham den gamle, tradisjonelle drakten brukt til edsavleggelse, som han hadde hentet opp fra moskeens skattkammer. Drakten var besatt med juveler. Alle imamene i moskeen hadde hatt den på seg under edsavleggelsen de siste århundrene.

Da Ahmad hadde fått på seg drakten, gikk han bort til det gamle bønneteppet. Āqa Djān og den gamle ayatollaen stilte seg opp et stykke bak ham. Folkemengden fulgte deres eksempel.

«Allāho Akbar,» gjentok Muezzin.

Ahmad vendte seg mot Mekka og begynte på sin første offisielle bønn.

Akkurat da dukket det opp en ung kvinne fra bakgaten vis-à-vis moskeen. Hun hadde på seg en ny svart chador og gikk på høyhælte røde sko bort til Ahmad og stoppet opp foran ham.

Āqa Djān så henne, men han kunne ikke avbryte bønnen for å sende henne bort. Kvinnen løsnet chadoren og stakk høyrebeinet ut til siden. Beinet var nakent. Ahmad lukket øynene og forsøkte å konsentrere seg om bønnen.

«Allāho Akbar!» ropte Āqa Djān høyt for å jage henne vekk, men hun gikk ikke.

Kvinnen snurret rundt, og den svarte chadoren løftet seg opp i luften og avdekket beina hennes. Hun var fullstendig naken. «Allāho Akbar!»

Den gamle ayatollaen, som ba med lukkede øyne, var så dypt hensunken i bønnen at han ikke hadde merket noe av det hele. Først da Āqa Djān ropte «Allāho Akbar» høyt for tredje gang, åpnet han øynene. Men fordi han ikke hadde på seg brillene, så han ikke noe annet enn vage, svarte skygger. Kvinnen lot chadoren gli ned på brystene og snurret nok en gang rundt med et stolt blikk. Āqa Djān måtte avbryte bønnen. Han gikk bort til kvinnen og skulle til å trekke chadoren over hodet på henne da kvinnen plutselig lot chadoren gli ned på bakken og løp naken mot folkemengden. Āqa Djān tok to lange skritt frem og grep henne om midjen. Shahbal kastet den svarte chadoren til Āqa Djān, som fanget den i luften og trakk den over hodet på kvinnen i én bevegelse mens han ropte: «Faqri!»

Faqri Sādāt kom allerede løpende, og hun tok med seg kvinnen bort til fortauet hvor kvinnene ba.

Takket være Ahmad, som visste å beherske seg, fortsatte bare bønnen, og folkemengden fulgte ham.

Āqa Djān, som hadde vært i kontakt med den nakne kvinnen, kunne ikke fortsette å be. Han gikk inn i moskeen og bort til bassenget. Han, som aldri noensinne hadde sett på en annen kvinne, hadde nettopp holdt om en naken kvinnemidje. Nå kunne han kjenne varmen fra de myke brystene mot hånden. Han tok av seg jakken, brettet opp ermene, knelte ved bassenget og stakk armene ned i det friske vannet, helt opp til albuene.

Det var ikke nok. Han bøyde seg lenger frem, og så stakk han hele hodet i vannet og holdt det der lenge. Da han omsider kom opp av vannet, pustet han dypt inn, reiste seg, tørket ansiktet med lommetørkleet, trakk på seg jakken og gikk rolig ut.

Nosrat hadde filmet alt.

Opium

Så brant lyset igjen bak vinduene i biblioteket.

Av og til oppsto det uunngåelige konfrontasjoner, spesielt i forbindelse med kravene imamen stilte.

Faqri Sādāt hadde hentet inn en tjenestejente fra Djirja som skulle avlaste Sediq. Nå som hun hadde Salamander rakk hun ikke over alt på egenhånd.

Tjenestejenta het Zara, hun var dyktig og tok straks kontroll.

Bare kjøkkenet var Sediqs terreng, der fant hun roen, og der følte hun seg hjemme. Hun brukte mesteparten av sin tid på å tilberede måltidene.

Nå som de hadde en fast imam i huset igjen, hadde alle merket hvor uerstattelige bestemødrene hadde vært. De hadde alltid ordnet alt i stillhet, huset hadde fungert som en gammel klokke. Nå greide ikke engang fem kvinner å finne tilbake til denne rytmen.

Zinat Khānom hadde opptil flere ganger foreslått at de skulle ta inn Azam Azam, kvinnen som en gang hadde truet sin mann med kniv, som tjenestejente, men Faqri Sādāt ville ikke høre snakk om det.

Nå som Zara hadde kommet, fungerte huset igjen like presist som et urverk. Hun var ivrig, men også distansert og sjenert, så sjenert at hun aldri så noen i øynene når de snakket til henne.

«Det er bra at hun er sjenert,» sa Zinat, «ellers kunne hun ha forårsaket problemer, det er mange unge menn i huset.»

Zara var en vakker jente, eller snarere en ung kvinne, for hun hadde akkurat fylt tjueen. Hun hadde vært seksten da hun giftet seg med en eldre mann. Da hun fortsatt ikke var gravid etter fire år, sendte mannen henne tilbake til foreldrene.

Familien var glad for at jenta var blitt ansatt som tjeneste-jente i huset, de håpet at hun kunne være der lenge.

Tidligere hadde bestemødrene brukt mye tid på imam Assāberi. Ahmad hadde ikke behov for den typen hjelp.

Zara ordnet med alt i stillhet, ingen la merke til at hun var der, hun forstyrret ingen. Hun steg forsiktig inn i alle værelser, ryddet, tok med seg tallerkener, bisto Sediq med Salamander, vasket vinduer, matet fiskene, rakte det tørre løvet og gikk nedom kjelleren for å se om Muezzin trengte henne.

Hun tørket støv av Ahmads skrivebord, byttet på sengen og strøk skjortene hans.

Når han kom hjem fra morgenbønnen, krøp han under dynen igjen og sov til klokken tolv og noen ganger til klokken to, hvilket ingen av husets imamer hadde gjort før ham. Han ble i sengen til Zara banket på døren og sa: «Maten er klar, imam!»

Hver morgen brakte hun ham en skive brød med smør og honning som han spiste før han sto opp for å gå til bønn. Hun pleide å banke forsiktig på døren og hviske: «Er du våken?»

«Kom inn!» ropte Ahmad under dynene. Forlegent satte hun fra seg fatet på det lille bordet ved sengen hans og gikk.

Det var ikke meningen at hun skulle stå Ahmad til tjeneste, men det var blitt slik av seg selv.

Og Ahmad var fornøyd med Zara.

En morgen da Zara vekket ham for å sende ham i moskeen, ble han liggende for lenge og forsov seg. Da hun vekket ham for andre gang, tok han hastig på seg klærne og løp ut. Plutselig stoppet han opp ved bassenget, knelte ved utløpet og tisset i det. Zara så forferdet på ham. Ingen gjorde slikt, det var absolutt ikke lov. Zara skjønte straks at ingen måtte få vite om det.

En gang da Zara brakte frokost til ham og akkurat hadde satt fra seg fatet på det lille bordet ved siden av sengen hans, grep Ahmad hånden hennes og trakk henne forsiktig mot seg. Jenta gjorde motstand et øyeblikk, men så ga hun etter. Da grep han henne om midjen og trakk henne under dynen. Hun presset lårene sammen.

«Enkahto va zavadjto,» hvisket Ahmad i øret hennes under dynen.

Zara var taus.

«Enkahto va zavadjto,» hvisket Ahmad på nytt.

Zara var taus.

«Enkahto va zavadjto,» hvisket Ahmad for tredje gang.

«Qabalto,» sa Zara dempet og tok imot ham.

Litt senere sto hun opp, tok på seg sløret og sa: «Det er sent. Du må til moskeen.»

Under fredagsbønnen var moskeen godt besøkt av unge kvinner som kom spesielt for Ahmad.

Han snakket på en helt annen måte enn faren og Galgal hadde gjort. Han forsøkte å flette inn politikken på en interessant måte i talene sine. Han skremte ikke sitt publikum, men gjorde dem nysgjerrige.

Så vidt sikkerhetspolitiet visste, hadde han ingen kontakt med den religiøse bevegelsen i Qom. Han var snarere en livsnyter enn en rebell, men det var uklart hvordan han ville utvikle seg, og hvordan hans posisjon som byens imam ville forme ham.

I en av sine taler hadde han snakket om den muslimske stat, og hvordan Koranen utgjorde samfunnets hjørnestein. Men han hadde ikke gått nærmere inn på det, og han hadde ikke forklart hva han egentlig mente. Det var mer som om han kastet stein for å bedømme vannets dybde.

I en annen preken foretok han en sublim manøvrering. Helt uventet lot han navnet til storayatolla Khomeini falle. Han gjorde det på en så uskyldig måte at ingen visste om det ble sagt med hensikt.

Men Āqa Djān merket at Ahmad hadde sympati for Khomeini.

Ayatolla Khomeini var en glødende motstander av sjahen. I sin seneste offentlige preken hadde han uttalt: «Sjahen er en krenkelse. Vi skammer oss over denne mannen, han er ingen sjah, han er amerikanernes lakei.»

Like etter denne talen brøt det ut voldsomme opptøyer i Qom, folk hadde gått ut i gatene og ropt slagord mot sjahen.

Hæren hadde kommet, og moskeen hvor Khomeini hadde holdt sin tale, var blitt omringet. Hundrevis av unge imamer hadde hentet geværer opp fra kjelleren i moskeen og klatret opp på taket, og dermed brøt det ut ordentlige gatekamper.

Et titalls imamer omkom og mange andre ble arrestert. Hæren greide å slå ned opprøret, og en general dro til ayatollaens bolig for å arrestere ham personlig.

En gruppe imamer som holdt vakt over ayatollaen, stoppet generalen, han måtte ta av seg støvlene først, ellers var det ikke tillatt å tre inn i ayatollaens arbeidsværelse. Generalen skjønte at her kunne ikke engang den amerikanske hær hjelpe. Derfor tok han av seg støvlene.

«Og lua!» sa en av vaktene.

Generalen stakk lua under armen og gikk inn i værelset. Han bøyde hodet og sa: «Jeg har fått i oppdrag å arrestere deg!»

Samme dag ble Khomeini landsforvist, sjahen sendte ham til Irak. Derfra skulle han flere år senere lede en stor revolusjon mot Amerika og trekke sjahens kongerike opp fra grunnen med røttene.

Den gang hadde ingen tort uttale navnet hans, ingen hadde snakket om Khomeini. Men nå kunne man plutselig høre navnet hans igjen fra tid til annen. Det sirkulerte pamfletter av ham, og i Qom ble det i all hemmelighet hengt opp portretter av ham på veggen i moskeen.

Khomeini var forvist, men hans ånd levde videre i de unge imamene. De gjorde alt de kunne for at navnet hans fortsatt skulle holdes i ære.

Ahmad ble litt etter litt mer kjent, også i andre byer. Han ble stadig oftere bedt om å komme og holde taler andre steder. Nylig hadde han holdt en tale i Khomein, på Khomeinis fødested.

De korte reisene ga prekenene hans farge. Han fortalte med en egen uskyld om turene sine: «Jeg var nylig i Isfahan, det er en vidunderlig by, jeg hilser alle fra Isfahan. Neste stoppested var Kāshān. Kāshān er høyt elsket av innbyggerne, jeg hilser alle fra Kāshān. I forrige uke var jeg i Khomein, det var min første tur til denne velsignede landsbyen. Khomein er et unikt sted, det bor fantastiske mennesker der, jeg hilser alle fra Khomein.»

Han snakket om innbyggere i Khomein, men alle tolket denne gesten og ropte: «Salām baar Khomeini!»

Āqa Djān strålte av lykke.

Han visste at Ahmad ikke hadde kommet med en tilfeldig bemerkning, at det fantes en klar hensikt med den, at dette var noe Qom hadde pålagt ham.

Āqa Djān hadde mottatt et hemmelig notat fra Qom hvor det sto at Galgal hadde reist illegalt til Irak for å slutte seg til Khomeini.

Galgal var smart, han dro ikke uten videre til Irak. Han hadde utvilsomt fornemmet at Khomeini en gang ville ta makten for å realisere sin drøm om en muslimsk republikk.

Āqa Djān skjønte nå hvorfor Galgal hadde latt sin kone og sitt barn i stikken.

Ute i gaten var det ennå ikke tegn til en maktovertakelse eller en kommende revolusjon. Sjahen nøt de beste årene i sin regjeringstid. I et intervju med *The Times* hadde han sagt at han følte seg trygg, og at landet hans var en oase av fred.

Amerika fryktet Sovjetunionen og kunne ikke komme på noen bedre kandidat til å styre landet enn sjahen. Han var alltid den første til å kjøpe de mest moderne flyene og våpnene fra Amerika, og han satte en stor del av inntekten fra de nasjonale oljeressursene inn på amerikanske bankkonti.

Han var overbevist om at han var det beste iranske statsoverhodet for amerikanerne, derfor tok han deres støtte som en selvfølge og var sikker på at de aldri ville la ham i stikken. Han så ikke noen grunn til å bekymre seg for en som Khomeini, ettersom han var forvist til Irak.

Derfor forberedte han sønnen sin i fred og ro på senere å skulle etterfølge ham.

Mens Ahmad var opptatt av moskeens aktiviteter, forberedte Shahbal seg på å begynne på universitetet i Teheran. Han ville studere persisk litteratur, noe Āqa Djān hadde frarådet ham: «Persisk litteratur kan du studere selv, hjemme, det trenger du ikke universitetet til. Du har talent, studer matematikk, teknikk eller bedriftsledelse. Det står nok gamle klassikere i vårt eget bibliotek, huset trenger en moderne ånd.»

Da han forlot huset for godt og dro til Teheran, kjørte Āqa Djān ham til stasjonen med bilen sin.

«Det er en hel del ting jeg ikke vet om jeg burde fortelle deg,» sa Shahbal til Āqa Djān i bilen.

«Hva slags ting?» spurte Āqa Djān.

«Jeg har sett Ahmad på taket et par ganger, han sto og røykte. Han må selv bestemme om han vil røyke eller ikke, men sigarettene luktet annerledes, noe som ikke passer seg for en imam. Dessuten drar han jevnlig til fremmede for å røyke opium i smug. Jeg synes du burde vite det.»

«Det er bra at du sier det,» sa Āqa Djān etter en lang stillhet, «jeg skal se hva jeg kan gjøre med det. Er det noe annet jeg bør vite?»

«Egentlig ikke. Han er veldig svak for kvinner. Jeg har sett at han noen ganger går lengre med kvinnene i moskeen enn det som passer seg for en imam.»

«Jeg har også merket det. Han må være forsiktig. Vi har mange fiender i byen.»

På stasjonen fulgte han Shahbal til toget i taushet.

Siden forrige gang Shahbal hadde snakket med Āqa Djān om sin tro og sin tvil, hadde de ikke nevnt det. Āqa Djān hadde et par ganger prøvd å komme inn på temaet, men han merket Shahbals motvilje. Derfor lot han ham foreløpig i fred. Nå som de sto på perrongen, ville Āqa Djān be ham være forsiktig på universitetet. Men Shahbal ga ham ikke muligheten. Han omfavnet Āqa Djān, kysset ham og gikk til toget.

Āqa Djān ble stående på perrongen helt til toget satte seg i bevegelse og forsvant ut av syne.

Āqa Djān holdt Ahmad under oppsikt.

En kveld da Zara, på et helt uvanlig tidspunkt, bar et fat inn i biblioteket hvor Ahmad satt og leste, fulgte Āqa Djān etter henne. Gjennom en sprekk i gardinen så han jenta bøye seg frem for å sette fra seg fatet med te og dadler på skrivebordet. Ahmad skjøv hånden sin ned i blusen hennes, jenta ble stående og lot ham holde på. Han reiste seg, trakk opp det lange skjørtet hennes og presset henne mot en av bokhyllene.

Neste morgen ba Āqa Djān Zara komme inn på arbeidsværelset sitt.

«Sett deg,» sa han med en vennlig håndbevegelse.

Hun satte seg forlegent ned.

«La meg si det på følgende måte, jeg er svært fornøyd med arbeidet du gjør her. Vi kunne ikke ha ønsket oss en bedre tjenestejente. Men enten så holder du deg unna Ahmad, eller så pakker du kofferten! Er det forstått?»

Zara var forskrekket over den harde tonen til Āqa Djān og greide først ikke å si noe.

«Er det forstått?» gjentok han.

Hun nikket blygt.

«Hva vil du? Vil du være her, eller skal jeg sende deg tilbake til foreldrene dine?»

«Jeg vil være her,» sa hun med skjelvende stemme.

«Det er bra, du kan gå tilbake til arbeidet. Muezzin trenger deg oftere, bruk mer tid på ham når du iblant er arbeidsledig. Du kan gå.»

Etter bønnen om kvelden tok Āqa Djān Ahmad med ut på en spasertur langs elven. Mens de gikk langs vannet i mørket, snakket han, etter en kort innledning, hardt til Ahmad. Han gjorde det klart at han ikke tolererte hans grove oppførsel overfor kvinner, og at opium ikke hadde noe i en moské å gjøre. Og hvis Ahmad ikke ville høre på ham, kom han i stor utstrekning til å begrense hans frihet.

Ahmad lyttet taust til Āqa Djān.

«Har du noe du ønsker å si?»

Ikke engang det hadde han noe svar på.

Et par dager senere forhørte Āqa Djān seg hos den eldste teppehandleren i byen, om han kunne be om datterens hånd på vegne av Ahmad.

En måned senere holdt brudens familie en stor fest. Rundt

midnatt ble bruden brakt til huset i en pyntet vogn. Hun fikk et av værelsene i andre etasje. Gjesteværelser var satt i stand til de syv bryllupsnettene.

Ahmad fikk en uke fri, og familien dro på ferie til Djirja for å la Ahmad og bruden være i fred.

Ahmad hadde på seg vide, komfortable bomullsklær og opp- førte seg som en prins som hadde ført sin unge brud til slottet.

Kona het Samira, var atten år og en klassisk skjønnhet. Den første natten forhekset Ahmad henne og elsket med henne til den tidlige morgen. Først da det lysnet, sovnet han.

Om ettermiddagen, nærmere klokken ett, mottok Am Ramazān ham i opiumsværelset, han hadde satt frem et kongelig opiumssett til ham.

Ahmad hadde bedt Am Ramazān personlig sørge for å holde ham med opium i syv dager, for opium vekket de mannlige lystene. Når man røykte, var man i stand til å holde det gående lenger under elskoven.

Da han hadde røykt opp en kvart rull av den gule opiumen, gikk han opp igjen og krøp under dynen til sin brud, som fremdeles sov sin dypeste søvn.

Samira fødte en datter, Masude. Alle gledet seg over barnet, men huset ventet på en sønn som skulle kunne ta over etter Ahmad.

Moskeen var fremdeles godt besøkt, og Ahmad holdt fascinerende prekener. Han var en fantastisk forteller som la ut om de vidunderligste ting fra historiene i Koranen. Med sine nærmest magiske ord førte han sitt publikum inn i en fjern fortid, inn i en tid da profeten Muhammed levde. For eksempel da han elsket med sin svært unge kjæreste Ajeshe på taket.

På denne tiden hadde Muhammed nedlagt forbud mot alle gatemusikanter: Ingen muslimer fikk lov til å høre på dem. Mens han satt på taket med sin unge Ajeshe hørte han plutselig musikk fra gaten. «Jeg vil se, jeg vil se, jeg vil se, jeg vil se,» gjentok Ajeshe.

Kjærligheten vant, Muhammed ga etter, og Ajeshe satte seg på ryggen hans og kikket over kanten på taket ned på musikantene.

Ingen hadde fortalt slike ting i moskeen før, men Ahmad fant alltid noe spesielt som fascinerte de troende.

Han burde egentlig ikke ha vært imam, men forteller eller skuespiller, en som forførte folk med historiene sine i basaren.

Han dro stadig oftere på reise til viktige religiøse byer som Kāshān, Arāk, Hamadān og Isfahan, og var noen ganger borte en hel uke.

Hver gang kom han tilbake med to vesker: Én veske full av penger og gull og én veske full av kjærlighetsbrev og personlige gaver, som underbukser, sokker, parfyme, såpe, underskjorter og ringer, som de slørkledde kvinnene hadde stukket til ham i smug.

Selv om han hadde lovet Āqa Djān at han ikke skulle røyke mer opium, fortsatte han å røyke på hemmelige steder i byen.

For å få mer frihet tok han imot så mange invitasjoner som mulig og dro langt av gårde, dit Āqa Djān ikke lenger hadde noen kontroll over ham. Han kom i kontakt med menn som inviterte ham inn i sine egne kretser, og som røykte og lå med kvinner til tidlig neste morgen.

I Sandjān hadde han ikke den friheten, og slik kom han i kontakt med byens underverden. Det han ikke visste, var at sikkerhetspolitiet hadde begynt å sette ut en felle for ham.

Det var blitt forbudt å røyke opium for ett år siden. Ved å registrere seg lokalt, kunne de som var opiumsavhengige, to ganger i måneden hente en halv rull lovlig opium på et apotek. Ahmad fikk imidlertid det han ville i underverdenen.

Da han en natt satt og røykte opium sammen med to andre menn i selskap med en rekke kvinner i en kjeller i Sandjān, dukket det plutselig opp et par agenter. De tok et par bilder av Ahmad ved opiumssettet med to kvinner uten slør ved sin side. Agentene la enda et par ulovlige opiumsruller ved settet, fotograferte alt bredt utover, satte Ahmad i håndjern og førte ham til en hemmelig adresse hvor en agent ventet på ham.

Ahmad hadde ingenting å si. Han visste at han hadde gått i en felle som han ikke så lett ville komme seg ut av.

«Du kan sove i din egen seng i natt og gå til moskeen som vanlig i morgen tidlig, under én forutsetning,» sa agenten.

«Hvilken forutsetning?» spurte Ahmad med skjelvende stemme.

«At vi fra og med i dag pleier vennskapelig kontakt med hverandre. Du skjønner sikkert hva jeg mener.»

«Jeg skjønner ikke hva du mener.»

«Hvis du ikke skjønner det, blir det litt mer innviklet. Da må jeg sette deg i fengsel, og da vil du være avbildet på førstesiden av avisene i morgen. Kanskje du skjønner det da?»

Natten ble lang. Ahmad gråt uhørlig. Han hadde ikke ventet at livet plutselig skulle vise et så truende ansikt.

Da morgenen endelig grydde, kom agenten inn i cellen. Han hadde fremkalt bildene, og nå viste han ham ett og sa: «Hva skal vi gjøre? Skal vi sende disse i trykken i dag, eller skal vi sette oss rundt bordet sammen?»

For Ahmad fantes det ingen utvei, hvis de publiserte bildet av ham med to kvinner uten slør, var det ute med ham, og han ville påføre huset skade. Derfor fulgte han agenten til kontoret, hvor han ble tilbudt en stol og et skjema som han måtte fylle ut. Agenten sa: «Hvis vi skjønner hverandre godt, er vi ferdig om fem minutter. Da skal jeg bringe deg hjem personlig! Det vi ønsker av deg, er ganske enkelt: Vi vil bare at du oftere skal ta kontakt med Qom, og at du forsyner oss med den informasjonen vi trenger. Det er alt.»

En halvtime senere ble Ahmad kjørt til moskeen i en person-bil. Han steg ut ved porten.

«Du hører fra oss,» sa agenten og kjørte sin vei.

Et par måneder skjedde det ingenting. Ahmad trodde og håpet at sikkerhetspolitiet bare hadde ønsket å skremme ham og holde ham under kontroll. De hadde fremdeles ikke glemt Galgals aksjon mot kinoen og alt kaoset han hadde forårsaket under Farah Dibas besøk. De ville sannsynligvis ta hevn og holde Ahmad som gissel.

Han håpet at de hadde bestemt seg for ikke å benytte ham som infiltratør, for han kunne aldri bli en informant. Det lå ikke for ham å tyste, dessuten passet det seg ikke for byens imam. Hva skulle han tyste om hvis det var nødvendig?

Han skjønte at sikkerhetspolitiet hadde ønsket å lukke munnen på ham på denne måten, hvilket de hadde lyktes med. Nå torde han ikke si noe mer om sjahen eller noe som hadde tilknytning til Qom. Han hadde en gryende lykkefølelse og kjente angsten sakte, men sikkert sive ut av kroppen. Men så en kveld, da bønnen akkurat var over, knelte agenten fra sikkerhetspolitiet ned ved siden av ham i bønnerommet.

«Hvordan går det med deg?» hvisket han med et truende smil.

Skrekkslagen snudde Ahmad seg og så etter om Āqa Djān fremdeles satt bak ham i rekkene, men han var ikke der.

«Hva vil du meg?» spurte han agenten dempet.

«Du vet vel at det er urolig i Qom igjen. Vi ønsker at du skal dra dit og besøke ayatollaene og finne ut hva som skjer. Du har vel fremdeles telefonnummeret mitt?»

«Ja, jeg har fremdeles telefonnummeret ditt,» svarte Ahmad grå i ansiktet av redsel, han la pannen mot bakken og lot som om han fortsatte med bønnen.

Da han rettet seg opp, var agenten borte.

Han trakk abāen over skuldrene med skjelvende fingrer, kom seg på beina og gikk hjem, sammenkrøpet som om han hadde feber.

Da han kom hjem gikk han rett inn på værelset til Āqa Djān, sank ned på knærne og sa: «Āqa Djān, redd meg! Jeg har gått i en felle.»

Āqa Djān, forbløffet over dette plutselige opptrinnet, så rolig på ham. «De har tatt bilder av meg, skitne bilder av meg med opium og kvinner. Nå vil de sende meg som informant til Qom. Hvis jeg ikke gjør det, kommer de til å trykke bildene i avisen.»

Āqa Djān, som hadde forventet alt annet enn dette, ble sittende målløs i stolen.

«Hvor?» spurte han så.

«I en kjeller i byen.»

204

«Opiumen kan ikke være noe problem, men hvem var kvinnene?»

«Sighe-kvinner.»

«Sikkerhetspolitiet har hevnet seg på oss. Har du samarbeidet med dem, har du jobbet for dem?

«Nei! Aldri!» svarte Ahmad.

«Har du noen gang gitt dem informasjon?»

«Nei, ikke et ord!»

«Jeg spør deg en gang til,» sa Āqa Djān med ettertrykk: «Har du fortalt dem *noe* som helst?»

«Nei, jeg har ikke sagt noe, jeg har ikke gjort noe,» sa Ahmad.

«Du har flaks som ikke har fortalt dem noe, og som ikke har samarbeidet med dem, ellers hadde jeg kastet deg ut av huset umiddelbart. Men det er fremdeles ikke for sent, jeg tror at vi skal kunne begrense skaden. Du sier ingenting, og jeg skal ikke la deg være alene de kommende månedene. Jeg skal se hva jeg kan gjøre. De trenger oss for å bevare roen i byen, derfor kommer de ikke til å trykke bildene i avisen, de vil bare presse oss med dem. Du sier ingenting, og hold deg i nærheten av meg, uansett hva som skjer.»

«Jeg må fortelle deg én ting til,» sa Ahmad, «hvis jeg ikke røyker, kan jeg ikke holde preken. Jeg er lei meg for at jeg gjør deg vondt.»

«Dette gjør meg mer vondt,» sa Āqa Djān bedrøvet, «alle kan gjøre feil, men opiumen ser jeg på som en fornærmelse, en krenkelse for oss alle. Det er forferdelig at moskeens imam ikke kan holde preken uten opium. Du gjør meg vondt, du sårer meg. På dette punktet inngår jeg ingen kompromisser med deg, du må venne deg av med det. Jeg kan sette deg i et bur om nødvendig. Foreløpig setter du ikke foten utenfor døren uten min godkjenning!»

Neste dag avlyste Āqa Djān alle Ahmads avtaler og tok i all fortrolighet kontakt med familiens huslege.

Fra huslegens kontor gikk han direkte til sikkerhetspolitiet og ba om å få snakke med sjefen umiddelbart. Han ble tatt imot, og da han hadde satt seg i den store brune skinnstolen, fikk han se bildene av Ahmad. Han var tvunget til å inngå en avtale med sjefen. Han skulle holde fred i moskeen nå som det var urolig i Qom. I bytte skulle sjefen la bildene ligge i skuffen.

Om kvelden skrev Āqa Djān i boken sin.

«Moskeens imam er avhengig av opium. Vi går vanskelige tider i møte.»

STILLE ÅR

Nå senket roen seg i en lang periode.

Med strenge leveregler fikk Āqa Djān kontroll over Ahmad. Til han var sikker på at Ahmad hadde overvunnet opiumen fikk denne ikke gå noe sted uten følge før prekenene.

Selv om de hadde lagt bildehistorien bak seg, så Āqa Djān det som et vendepunkt i moskeens historie.

I begynnelsen hadde Shahbal kommet hjem minst en gang i måneden, etter hvert ble det sjeldnere. Noen ganger ringte han til basaren for å snakke med Āqa Djān, men det var alltid om saklige ting: «Hvordan går det? Er alt som det burde være?»

«Hva skal jeg si. Verden er forandret, gutt. Vi trenger en mann med nye ideer. Jeg føler at jeg begynner å bli for gammel.»

«Du? Gammel? Du er slett ikke gammel!»

«Kanskje ikke gammel, men gammeldags. I dag kommer man ingen vei i verdenshandelen med gamle basarideer. Studer flittig, jeg trenger deg. Når du kommer hjem, snakker vi om det.»

Men når Shahbal kom hjem, var det som oftest for sent på kveld, og han skulle dra med nattoget allerede neste kveld. På den måten var det nesten aldri tid til å snakke om teppehandelen i basaren.

Shahbal hadde ikke sagt det med rene ord til Āqa Djān, men han var ikke lenger interessert i handel, og slett ikke i tepper. På universitetet var han blitt medlem av en venstreorientert undergrunnbevegelse bestående av studenter. Det var andre kontakter enn dem han hadde hatt i Den røde byen.

På universitetet ble han snart tatt inn i den lille redaksjonen til den illegale studentavisen. Han følte seg hjemme der. Han hadde en mektig penn, og sammenlignet med sine medstudenter, oppførte han seg som en voken. Han ble snart sett på som en leder.

Men det var ikke bare Shahbal som hadde forandret seg. Alt var forandret. En gang hadde basaren spilt en viktig rolle i byen, slik var det ikke nå. Persiske tepper var ikke lenger avgjørende for byens økonomi eller politikk. Nå var det naturgass og olje som hadde den posisjonen.

Tidligere hadde Āqa Djān hatt mye makt i basaren, autoritetene hadde respektert ham. I dag var de blitt så frekke at de torde sende en agent til moskeen, og de planla å bruke imamen som informant. Tidligere hadde borgermesteren ringt minst én gang i uken for å pleie kontakten mellom basaren og resten av byen. Men den nye borgermesteren hadde ikke engang invitert Āqa Djān til innsettelsen, og han ville aldri finne på å ringe ham. Derimot hadde han invitert en rekke andre kjøpmenn fra basaren, noe som var en indikasjon på at regimet hadde til hensikt å bryte ned basarens enhet. Basaren var i ferd med å miste sin fremtredende posisjon innen teppeproduksjon. I byen hadde mange nye teppefabrikker dukket opp av jorden. Tidligere hadde ingen villet kjøpe slike billige fabrikktepper som luktet plast, men nå for tiden ble det reklamert for dem uavlatelig.

Inntil for et par år siden hadde det vært tabu å sette opp en fjernsynsantenne på taket i Sandjān, men også den tiden var forbi. Da en kinosjef bestemte seg for å gjøre om byens gamle hamam til kino, kunne en som Galgal mobilisere alle byens troende og til og med greie å jage bort Farah Diba. Nå hadde noen kjøpt det eldste bilverkstedet i byen og gjort om bygningen til en moderne kino. Hver kveld sto hundrevis av ungdommer i kø for å skaffe seg billetter.

Det hadde kommet så mange attraktive ting til byen at kontakten mellom basaren og den yngre generasjonen var brutt. For et par år siden gikk fortsatt ungdommen til basaren når de skulle ut en tur. Det gjorde de ikke lenger. Nå hadde de lokale myndighetene anlagt en vakker bulevard hvor guttene og jentene spiste is under kveldsbønnen mens de vandret under trærne i det sparsomme lyset fra neonskiltene.

Sjahen hadde endelig erobret byen. På alle offisielle bygninger hang det plakater av ansiktet hans, og på alle radiostasjoner kunne man høre stemmen hans. Tidligere hadde butikkeiere gjemt radioene sine under disken, fordi de var redde for å miste kunder. I dag hadde alle butikkeiere plassert radioen sin synlig på en hylle, slik at alle kunne lytte til den. Selv i basaren hadde noen store tradisjonelle teppehandlere hengt opp portretter av sjahen i butikken sin. For noen år siden hadde dette vært helt utenkelig, men nå hadde alt forandret seg så raskt at man iblant ikke gjenkjente sin egen by.

Det var ikke torget i basaren som var byens midtpunkt lenger, nå var det bulevarden, hvor det sto en diger statue av sjahen til hest midt i bassenget.

Sjahens stemme hadde snart nådd alle husene i Sandjān; ikke engang huset ved moskeen med sine gamle, tykke murer var i stand til å motstå ham.

Når sjahen holdt en ny tale et eller annet sted, plasserte de lokale myndighetene en jeep utenfor inngangen til moskeen og kringkastet talen hans ved hjelp av en stor høyttaler. Sjahens stemme gjallet over gårdsplassen hele dagen. Faqri Sādāt skjønte ikke hvorfor Āqa Djān ikke sa noe, eller hvorfor Ahmad ikke protesterte.

Da sjahen for kort tid siden hadde besøkt graven til Kyros, det gamle perserrikets første konge, hadde han pompøst sagt: «Kyros! Konge over alle konger! Sov i fred! For jeg er våken!»

En hel uke sto det en jeep foran moskeen, og høyttalerne gjentok budskapet dag og natt.

«Det er tunge dager! Det er tunge netter. En stor fornedrelse for oss alle, men jeg kan intet gjøre! Jeg tør ikke lenger gå inn i moskeen av skam,» skrev Āqa Djān i boken sin.

Nei, ingen var lenger i stand til å stenge sjahen ute av huset, til og med vinden blåste inn portretter av ham, flygeblader et helikopter hadde spredt over byen.

Salamander hadde plukket opp et par av dem og lagt dem inn på Āqa Djāns værelse.

Da Āqa Djān sto på gårdsplassen, hørte han høy musikk komme fra Hādji Shishegars bolig.

Musikk i huset til den troende Shishegar? Det måtte være noe spesielt på gang. Blikket hans falt på fjernsynsantennen på Shishegars tak. En fjernsynsantenne på taket til en av de mest respekterte glasshandlerne i basaren? Så han kanskje feil?

Det var trengsel i huset til Hādji.

Āqa Djān gikk forsiktig opp trappen og i mørket tok han seg over til Hādji Shishegars tak for å finne ut av hva det var som skjedde.

Nei, han hadde ikke sett feil, det sto en lang aluminiumsantenne på taket.

Hādji ville ta del i alt det nye sammen med sønnene sine. Han var blitt invitert på festen til den nye borgermesteren, hvor alle gjestene hadde fått et stort portrett av sjahen gratis med seg hjem. Portrettet sto nå i en gullfarget ramme på peishyllen, like ved fjernsynet.

Men hvorfor ble det spilt så høy musikk i huset hans?

Varsomt gikk Āqa Djān ut på kanten av taket og kikket ned på Hādjis gårdsplass.

Det var fest der. Mange familiemedlemmer og venner var til stede. Kvelden var varm, for varm til å være inne. På gårdsplassen utenfor Hādjis hus hadde man derfor plassert en stor treseng. På sengen lå sønnene til Hādji ved siden av hverandre i lange hvite bomullsskjorter. Litt ubehjelpelig spilte en gruppe gatemusikanter en amerikansk låt. Et par menn danset hånd i hånd.

Det så ut til at Hādji hadde latt sønnene sine omskjære. Dette var tydeligvis feiringen av hendelsen. Moren til de omskårne tvillingene hadde latt chadoren falle ned på skuldrene, hun hadde på seg et løst tørkle og snakket muntert med gjestene sine. Hādjis første kone og hennes syv døtre var ikke til stede.

Det sto skåler med småkaker og søtsaker overalt, og barna løp etter hverandre på den store gårdsplassen. Hādji snakket med alle, delte ut småkaker, lånte fotografens kamera og tok bilder av de omskårne sønnene sine. For ørtende gang la han seg ned ved siden av dem på sengen og ropte: «Ta et bilde av oss!» Litt senere gikk han inn på stuen sammen med to menn og kom ut med et digert fjernsynsapparat, som minnet mer om en treeske. De plasserte apparatet ved siden av bassenget, under treet der sønnene hans lå. Hādji slo på fjernsynet og så dukket det opp en gruppe dansende kvinner fra Teheran på skjermen. Alle samlet seg rundt apparatet og så beundrende på danserinnene.

Āqa Djān gikk samme vei tilbake, stoppet opp ved den blå kuppelen og berørte de kalde glaserte flisene et øyeblikk. Så gikk han videre. Han kikket over muren ned på moskeens gårdsplass, på bassenget og på trærne, så løftet han blikket og så etter de gamle storkereirene. Til sin store forundring så han at de ikke var der lenger. Til og med reirene var borte. Han tenkte at det kanskje var for mørkt, at det var derfor han ikke så dem, men så gikk han til den andre siden av taket og kikket opp: Han hadde sett rett, det var ikke spor av storkene.

Han åpnet luken til en av minaretene, klatret opp de smale trappetrinnene og ble stående på toppen. Under føttene hans knakk et par tørre kvister. Det måtte være kvister fra de gamle storkreirene. Han kjente at det var noe som knakk inni ham også, at han var blitt gammel. Denne uventede følelsen overveldet ham. Han kikket ut over byen: Små fargede lys overalt, og ved inngangen til basaren et stort portrett av sjahen, opplyst av et par lyskastere. I byens nye sentrum blinket de røde og gule neonlysene utenfor kinoen. Selv om det var sent på kveld, kunne man høre musikk og kvinnestemmer fra bulevarden.

Når hadde klangen av Koranens surer forsvunnet fra byen? Han visste at moskeen, basaren og Koranen ikke var i stand til å yte særlig sterk motstand, men at regimet skulle erobre Sandjān så fort, hadde han ikke ventet.

Hvor ble det av ayatollaene som kjempet mot sjahen? Hva hadde skjedd med geriljaen som en gang hadde vært i stand til å rømme fra fengselet?

Hva hadde bøkene Shahbal leste i hemmelighet betydd?

Hvor var radioene som talte mot regimet?

Hvor var det blitt av Galgal og hans stridslyst overfor sjahen?

Hvor var studentene som ønsket å forandre verden?

Og hvor ble det av Nosrat som kunne ha filmet alle disse endringene?

Det var stille år. Hvordan skulle Āqa Djān kunne ane at snart, i et ukjent tempo, skulle en ny tid bryte ut? At en ødeleggende storm var på vei? En rasende storm som skulle bøye ham til jorden, dirrende som et gammelt tre.

Sønderknust gikk han ned trappen, stengte luken til minareten og vendte tilbake til gårdsplassen. Han ville gå til Faqri Sādāt og krype oppi sengen hennes og glemme alt, men han gjorde det ikke, i stedet vandret han ned til elven.

Der var det mørkt og rolig. Ikke engang elven laget lyd. Han så bort på druehagene på den andre siden, og opp på fjellene. Alt var stille. Han vandret, tenkte og så tilbake på livet sitt.

Han var født i huset, hadde viet sitt liv til moskeen og alltid jobbet i basaren, lagt sitt talent og sin energi i teppene. Døtrene hans var blitt voksne, og Djavād, hans eneste sønn, var ikke lenger en gutt, men en mann. Han holdt på å avslutte opptaksprøvene ved universitetet. Det gikk opp for Āqa Djān at han ennå ikke hadde vært i Mekka, selv om han som rik mann var forpliktet til å avlegge en slik pilegrimsferd.

Alt var forandret, og i tillegg til disse endringene hadde Ahmad undergravd moskeens rykte.

Kråka kraet uventet mellom druetrærne og fløy over elven. Āqa Djān hørte stemmene til et par menn og så en slørkledd kvinne forlate trærne og gå til broen.

Enfoldige Qodsi, tenkte han.

Silhuetten hennes dukket opp på broen.

«Qodsi!» ropte Āqa Djān.

Hun skyndte seg av gårde. «Qodsi! Vent litt! Hva gjør du her så sent om kvelden?» ropte han og løp etter henne i mørket.

«Alle dør, men du dør ikke,» kunngjorde Qodsi med kråkas stemme.

Television

Salamander vokste opp som en gåtefull skapning i huset. Det var ikke lett å si om han var et handikappet barn eller et dyr. Hodet, hendene og føttene hans var menneskelige, men bevegelsene minte mest om et dyrs.

Etter som han ble eldre, fortsatte dyret å utvikle seg i ham.

Sediq forsøkte å lære ham å snakke, men det lyktes ikke. Han viste ingen interesse.

Han hadde sin egen måte å gjøre ting på og lot seg ikke påvirke av atferden i sine menneskelige omgivelser. Han ville ikke spise sammen med de andre, gikk ikke og la seg i rimelig tid, nektet å bruke bestikk og spiste maten som en katt.

«Jeg orker ikke mer! Jeg er sliten. Jeg vil ikke ha dette rare barnet lenger!»

«Sånt kan du ikke si,» protesterte Āqa Djān.

Sediq begynte å gråte.

«Elendighet på elendighet!» gråt hun. «Hvorfor har alt gått galt i livet mitt?»

«Du er fremdeles ung, jenta mi, du har et langt liv foran deg. Livet viser ikke alltid samme side. Du må ikke glemme at det er en grunn til alt. Hvis noen har grunn til å klage, er det vel Muezzin som er født blind, men han klager ikke, sånn er kroppen hans, han har akseptert det, og det har vi også. Han kan ikke se, men han har to skarpe ører, to usedvanlig følsomme hender og to bein som husker veien for ham. Etter min mening ser han alt, til og med de tingene vi ikke er i stand til å se. Ikke gråt, jenta mi! Sønnen din er en del av livet. Jeg er fornøyd med ham. Jeg ser på ham som en gave til huset, jeg mener virkelig

213

det, vi trenger ham, ellers hadde vi ikke fått ham. Hundrevis av mennesker har bodd i dette huset. Det er ikke første gang et uvanlig vesen blir født her. Tro på livet, vi trenger sønnen din, ellers hadde vi ikke fått ham!»

«Hadde jeg bare vært like sterk i troen som deg,» sa Sediq og hulket.

Neste dag innkalte Āqa Djān Salamander på værelset sitt og forklarte for ham at han måtte komme til arbeidsværelset hver eneste dag etter morgenbønnen. Han hadde bestemt seg for å bruke de neste årene på å lære ham å lese, med tålmodighet og jerndisiplin. Og Salamander reagerte vidunderlig bra. Han krøp bort til Āqa Djān med en bok mellom tennene, la den på fanget hans og tvang ham til å lese den opp for ham, ord for ord.

Da han begynte å lære seg å lese, pleide han å legge seg ned på bakken i hagen, i skyggen av det gamle treet. Ble det for varmt, krøp han opp på taket og la seg i skyggen av kuppelen med boken sin.

Om vinteren gikk han ned i kjelleren og satte seg til å lese ved ovnen til Muezzin.

Ahmad lot ham komme inn på biblioteket, og der fordypet han seg i bøkene i timevis. Ingen visste om han skjønte noe av det han leste, eller om han bare fantaserte på sin egen måte.

Hans verden besto av huset, og han gikk sjelden ut, med mindre Am Ramazān kom og tok ham med til elven på eselet sitt.

Foran matvarehandelen reiste de gamle mennene seg og stoppet eselet for å beundre Salamander. Alle hadde hørt om ham. De tok av seg hatten for ham og satte den tilbake og tullet med ham. Salamander likte det og reagerte entusiastisk.

Senere tok Am Ramazān ham oftere med til elven hvor han utvant sand. Han gravet en kulp i den varme sanden, her la Salamander seg og leste boken sin.

Salamander følte seg komfortabel med Am Ramazān.

Et par ganger hadde Sediq stoppet Am Ramazān og forsøkt å hindre ham i å ta med seg Salamander.

«Hvorfor?» hadde Am Ramazān sagt. «Du får ikke lov til å gjemme ham bort.»

*

På den tiden var Zinat sjelden hjemme. Hun dro ofte ut på landet for å gi bondekonene koranundervisning. Men når hun kom hjem, gikk hun straks på leting etter Salamander for å fortelle ham noen gamle historier, noe han aldri fikk nok av.

Zinat tok seg mer av Salamander enn de andre. Hun så på ham som sin straff. Salamander lærte seg aldri å snakke, men han hadde to skarpe ører og kunne forflytte seg usedvanlig raskt. Han tvang omgivelsene til å ha kontakt med ham.

Nosrat unngikk ham alltid når han kom hjem på besøk. Han klappet ham på hodet eller ga ham et par søtsaker, men lenger gikk han ikke. Og når han sov, sørget han alltid for at døren var godt lukket, slik at Salamander ikke kunne krype inn.

En natt krøp Salamander likevel inn. Han la seg i et hjørne av rommet og fant frem en bok fra lommen.

Nosrat visste ikke hva han skulle gjøre med ham. En stund satt han oppreist i sengen og kikket på ham. Han ville gjerne gjøre noe for ham, men han visste ikke hva. Plutselig kom han på noe.

«Blir du med?» sa han.

Salamander krøp etter Nosrat ut på gårdsplassen og ned i kjelleren.

«Nå skal du høre: En gang brakte Shahbal et fjernsynsapparat inn i huset for å vise Agā Djān og As-sāberi månen. As-sāberi var en naiv imam som en dag falt oppi bassenget og døde. Men apparatet må fremdeles være her et eller annet sted. Du kan få det, hvis jeg greier å finne det. Vet du, du er blitt født inn i feil hus. Verden forandrer seg, men i dette huset er alt forbudt. Skjønner du hva jeg sier?»

Salamander så uforstående på ham og skjønte overhodet ikke hva han snakket om.

«Likevel har du hatt flaks. Hvis du hadde havnet i en annen familie, hadde de solgt deg til et sirkus for lenge siden. Denne familien gir deg kjærlighet, og kjærlighet er svært viktig for et menneske. Men det er et bakstreversk hus. Fordi alle er gudfryktige, frykter de også alt, radioen, fjernsynet, musikken, kinoen, teateret, munterheten, andre kvinner, andre menn. De liker i grunnen bare gravsteder. Der føler de seg hjemme, jeg mener det, har du noensinne vært med dem til et gravsted? Plutselig blir de oppglødde, virker muntrere. Jeg tror de føler seg hjemme blant de døde. Derfor rømte jeg fra dette huset da jeg var ung. Kom, la oss gå og lete etter fjernsynsapparatet. Det må da være her et eller annet sted, under alt rotet. Hvis bestemødrene ikke har kastet det. Å, de bestemødrene, du møtte dem aldri, det var stilfulle damer, det. De likte ikke meg, men det spiller ingen rolle. De dro til Mekka og kom aldri tilbake, smarte gamlinger. Hei, jeg tror jeg har funnet det. Se! Et lite fjernsyn til deg! Med denne antennen kommer jeg snart til å forandre livet ditt. Skal vi se, hvor skal jeg plassere det slik at det ikke plager noen? Ser du den boden bak kuppelen på taket? En gang var den boden gjemmestedet mitt, jeg leste skitne bøker der. Så satte Shahbal inn en seng der. Men siden han ikke er her, er boden din.

Salamander krøp bak Nosrat opp på taket. Nosrat plasserte fjernsynet på det lille bordet ved Shahbals seng.

«Fra nå av er denne sengen din, bare legg deg i den, jeg skal vise deg hvordan du kan bruke fjernsynet.»

Salamander krøp oppi sengen. Nosrat trakk ledningen ut og skrudde den lille antennen forsiktig fast ytterst på en bjelke, hvor ingen kunne se den.

«Følg med nå,» sa han og slo på fjernsynet.

Det dukket opp en ung, sminket kvinne i en ermeløs, rød kjole.

«Ikke vær redd, gutt! Verden utenfor dette huset er helt annerledes. Liker du kvinner? Å, ikke se på meg. Jeg skal ta deg med til Teheran en gang. Egentlig er dette fjernsynet for lite, jeg skal ta med et større til deg. Men foreløpig må du ta godt vare på dette, det er ditt, og ingen får lov til å ta det fra deg. Hvis noen prøver å ta fra deg fjernsynet, biter du dem bare. Sett tennene i anklene deres og bit til. Skjønner?»

Salamander greide å holde skjulestedet sitt hemmelig et helt år. Så en kveld klatret Āqa Djān opp trappen og skjøv opp døren til boden.

Salamander hoppet fra sengen og opp på fjernsynsapparatet i én bevegelse og la seg som en stor katt oppå det. Hodet hans hang ned på den ene siden av apparatet og føttene på den andre .

Āqa Djān ble stående et øyeblikk i døren, så lukket han den og gikk ned trappen igjen.

GRESSHOPPENE

Det var en spesiell dag for Āqa Djān. Og det skulle skje enda mer enn han hadde kunnet forvente.

Det banket på. Salamander åpnet døren og så rett inn i to store brune hesteøyne i ettermiddagssolen. Han grep tak i kanten av døren og trakk seg opp for å få et overblikk. Det sto en stor kjerre der med to kister. Kusken, som hadde på seg en lang, svart jakke og en svart hatt, ropte: «Āqa Djān!»

Salamander krøp raskt inn på arbeidsværelset til Āqa Djān, pekte på døren og vrinsket.

Da Āqa Djān så kusken, satte han på seg hatten og gikk til døren.

«Ennā lellāh!» ropte kusken.

«Ennā lellāh,» sa Āqa Djān, «hva kan jeg gjøre for deg?»

«Jeg har med meg to døde til deg.»

«Døde? Til meg?»

«Tilgi meg. Ikke døde, bare det som er igjen av dem.»

«Av hvem?»

«Av to kvinner fra Mekka.»

«Bestemødrene!» sa Āqa Djān lettere rystet.

«Hvis du ville være så snill å signere her,» sa kusken og rakte ham papirene.

«Brillene mine,» sa Āqa Djān.

Salamander skyndte seg inn og hentet Āqa Djāns lesebriller.

Teksten var på arabisk. Den besto av et par ayater fra Koranen, fulgt av en kort meddelelse om bestemødrene, som var blitt funnet døde i en grotte i fjellet Hira utenfor Mekka.

*

Hira er det helligste fjellet i den islamske verden. Det var det fjellet Muhammed klatret opp på hver kveld for å snakke med Allah, og det fjellet der Djebrâil første gang dukket opp fra himmelen for å åpenbare Muhammeds oppdrag som profet.

Det fantes en liten grotte i Hira hvor Muhammed gjemte seg da han måtte flykte fra Mekka til Medina midt på natten, fordi fiendene ville drepe ham i hans egen seng.

Den grotten og den natten har spilt en avgjørende rolle i islams historie. Fra og med den natten, eller den dagen, starter den muslimske tidsregningen.

Grotten fikk senere det historiske navnet «edderkoppgrotten».

Hver gang Muhammed gikk inn i grotten, dukket det opp en edderkopp som spant et nett foran inngangen slik at ingen kunne se at han skjulte seg der. Bestemødrene hadde gjemt seg i grotten. Noe som lød helt usannsynlig, men de hadde gjort det, og politiet hadde funnet deres testamente ved siden av likene.

Det var en utrolig historie. Grotten, som millioner av pilegrimer hvert år valfartet til, var ikke åpen for besøkende. De kunne bare beundre grotten på avstand.

Det måtte ha vært en spesiell opplevelse for bestemødrene, hvis historien var sann. Āqa Djān var rørt, samtidig var han ikke helt fokusert på kistene. I dag skulle sønnen hans, Djavād, komme hjem for første gang på et halvt år. Han hadde kommet inn ved universitetet i Isfahan. Det var første gang han hadde vært så lenge hjemmefra. Han fulgte en naturvitenskapelig studieretning, slik at han senere skulle kunne jobbe som petroleumsingeniør.

Det var blitt oppdaget et stort gassfelt ved Sandjān. Et amerikansk oljeselskap forberedte seg allerede på boringen, derfor hadde man opprettet en ny studieretning ved universitetet. Hundrevis av studenter hadde meldt seg på, men bare tolv stykker hadde blitt tatt opp etter en tøff opptaksprøve. Djavād var en av dem. Disse utvalgte studentene skulle undervises av amerikanske oljeingeniører. Formelt sett var de studenter ved universitetet i Isfahan, men snart skulle de fortsette studiet førti kilometer utenfor Sandjān, ved oljeraffineriet Sjahzand, under oppsyn av det amerikanske oljeselskapet. Der skulle de bo på et slags internat hvor de bare hadde lov til å snakke engelsk. Det var et studium som garanterte at man ville få jobb etterpå, og det lå nær hjemstedet. Det kunne ikke blitt bedre. Faqri Sādāt greide ikke å sove av ren lykke, og Āqa Djān strålte av stolthet da de hørte at Djavād hadde kommet inn.

Āqa Djān hadde gjort seg i stand for å bli med Faqri Sādāt til stasjonen for å hente ham.

«Hvorfor har du fraktet kistene hjem til meg?» sa han til kusken. «Du burde ha kjørt dem til moskeen, du burde ha ringt til meg eller kommet innom på forhånd. Det passer seg ikke å komme kjørende med to kister sent på ettermiddagen. Hva mener du at jeg skal gjøre nå?»

«Tilgi meg,» sa kusken, «jeg kommer ikke med lik til deg, det er bare to sekker.»

«Sekker? Hva mener du med det?» svarte Āqa Djān irritert.

Kusken reiste seg opp på kjerra, åpnet lokket på en av kistene og trakk ut en sekk. Deretter åpnet han den andre kisten og hentet ut enda en sekk. Han holdt dem opp i været og sa: «Se! Saudierne har bare sendt oss disse to sekkene. Vil du ha dem, eller skal jeg sende dem tilbake?»

«Hvorfor frakter du disse sekkene i to store kister? Hvorfor kommer du med en kjerre med to hester? Og hvorfor så sent?»

«Jeg skjønner veldig godt at du reagerer på denne måten, men jeg er bare kusken.»

Āqa Djān stakk et par sedler i jakkelommen til mannen og tok imot sekkene, gikk inn og lukket døren bak seg.

«Hva er det som skjer?» ropte Faqri Sādāt fra andre etasje.

Āqa Djān gjemte sekkene i hagen under et par store gresskarblader og sa: «Ingenting, ikke noe spesielt! Er du klar? Nå må vi dra! Ellers kommer vi for sent.»

Den røde solen gikk ned i ørkenen idet Āqa Djān satte seg bak rattet i Forden og kjørte til stasjonen med sin kone.

Faqri Sādāt gråt av glede da hun så sønnen gå av toget. Han hadde alltid vært hennes yndling. For et halvt år siden, før han dro til Isfahan, hadde hun alltid gitt ham et kyss før han la seg.

Men nå som han var tilbake, hadde han en svart bart og håret var blitt langt.

Faqri Sādāt hadde oppdratt ham selv. Hun ville ikke at han skulle bli for involvert i moskeen, politikken eller basaren. Hun ville gi ham en fri oppdragelse, slik at han kunne finne sin egen vei senere. Nå høstet hun fruktene av sin avgjørelse. Sønnen hennes utstrålte absolutt ingenting religiøst, og hun syntes det var fint at han hadde latt håret vokse litt langt. Han lignet nå mer på sin onkel Nosrat enn på sin egen far.

I løpet av alle årene hjemme hadde han aldri lagt seg opp i moskeens anliggender, og Faqri Sādāt var glad for at Āqa Djān så for seg Shahbal som sin etterfølger, og ikke sønnen. Hun visste ikke at Āqa Djān var skuffet over Shahbal, og at han nå hadde festet sin lit til sin egen sønn.

Han hadde ikke snakket med Faqri om dette ennå.

Et par måneder tidligere, forrige gang Shahbal hadde ringt Āqa Djān i basaren, hadde han ikke ringt ham direkte. Han hadde ringt til lageret.

Āqa Djān hadde fått beskjed om at det var noen som ringte til ham.

«Hvem er det?»

«En forretningsmann fra Teheran.»

«Hvorfor ringer han på det nummeret?»

«Han sier at han har forsøkt det andre et par ganger, men at det aldri var noen som svarte.»

Āqa Djān gikk til lageret og tok røret.

«Tilgi meg, Āqa Djān, at jeg forstyrrer. Jeg er redd for at telefonen din blir avlyttet. Jeg ringte bare for å si at du ikke trenger å bekymre deg for meg, hvis jeg ikke kommer hjem. Jeg er litt opptatt med et par ting for tiden. Jeg ville bare høre stemmen din. Kan du hilse alle fra meg?»

«Det skal jeg. Gud bevare deg!»

Shahbal trengte ikke å si noe mer. Āqa Djān hadde oppfattet situasjonen.

Men han hadde ingen planer om å ta det opp med Faqri Sādāt nå. Det var hennes fest, og han ville ikke ødelegge den.

*

221

Det ble en hyggelig kveld, det ble spist lenge, og alle var i godt humør. Vanligvis ville Zinat ha fortalt en historie på en slik kveld, men hun var ikke til stede.

Āqa Djān var ikke klar over det, men Zinat hadde kommet i kontakt med Qom. Hun hadde mottatt instrukser om å smi kvinnene sammen til en enhet ved hjelp av koranundervisningen.

For å holde tradisjonen i hevd, tok Muezzin ordet og fortalte en historie om Yunus: «Skuffet forlot profeten Yunus huset sitt for godt. Etterfølgerne hans var overraskede og triste. Yunus nådde frem til havet, så de reisende gå om bord i et stort skip og bestemte seg for å dra sammen med dem. Tre netter og tre dager seilte skipet, den fjerde dagen ble det plutselig mørkt, og helt uventet dukket en svær fisk opp fra vannet og stoppet skipet. Passasjerene visste ikke hva de skulle gjøre, fisken var ikke til å rokke. En gammel, erfaren reisende, som hadde vært ute på mang en sjøreise, sa: 'Det finnes én iblant oss som har syndet. Vi må gi ham til fisken, ellers slipper han oss aldri.'

'Fisken har kommet for min skyld, dere kan kaste meg på sjøen og dra videre,' sa Yunus.

'Men vi kjenner deg,' sa et par av de reisende, 'du er en rettferdig mann, du kan da aldri ha gjort noe gudsbespottende. Vi kjenner faren din også, han var en like from mann. Nei, det er ikke deg fisken vil ha.'

Yunus, som visste at fisken hadde kommet for hans skyld, sa: 'Det er noe mellom meg og min Gud. Derfor er fisken her.'

Han klatret opp på relingen og hoppet i vannet. Fisken slukte ham i ett jafs og forsvant.»

Alle satt og tenkte gjennom historien da de hørte underlige lyder fra gårdsplassen.

Āqa Djān spisset ørene.

«Hva var det? Hva var det for slags lyd?» spurte Muezzin.

Āqa Djān gikk ut og så at kvelden var blitt usedvanlig mørk.

«Jeg hører en masse flyvende insekter,» sa Muezzin.

«Gresshopper!» ropte Āqa Djān høyt. «Steng alle vinduene!»

Men det var for sent. Tusenvis av gresshopper fløy inn, og

luften ble brun, som om en sandstorm fra ørkenen hadde rammet huset.

Kvinnene slo chadoren over hodet og løp til værelsene sine for å stenge dørene og vinduene.

Ahmad skyndte seg til biblioteket, og Āqa Djān stormet ned i kjelleren for å stenge lukene der.

Gresshoppene slo seg ned på takene, i trærne, i hagene og til og med i bassenget og begynte å fortære alt de kom over.

En sjelden gang kom gresshoppene fra fjerne østlige byer som Mekka og overfalt byen. Først når de hadde fortært alt, fortsatte de mot druehagene og forsvant så bak fjellene. Men en så voldsom bølge som kom denne dagen, hadde ingen opplevd før. Bare de gamle hadde en gang hørt foreldrene sine snakke om det.

Det sto en bok på biblioteket som beskrev en gresshoppeplage femti år tidligere: «De kom i enorme mengder, i millionvis. Og verden ble mørk. De var på størrelse med en finger og hadde samme farge som jorden. Man kunne ikke se dem når de satt på bakken, men så snart de satte seg i bevegelse, var det som om hele bakken beveget seg. Folk klatret opp på taket med kasseroller og skjeer og slo skjeene mot kasserollene for å skremme gresshoppene. Men de var døve for bråket. Folk tente bål og håpet at røyken ville jage dem bort, men de ble ikke kvalt av røyken. De hentet frem Koranen og leste suren Salomo sammen: 'Dalen var dekket av en mengde maur som om det lå et svart teppe over den. Fuglen Hudhud, Salomos budbringer, fløy over dalen og ropte: «Maur! Har dere ikke hørt det? Mannen dere akkurat snakket med var Salomo, han snakker dyrenes språk. Han er på vei til dronningen av Saba. Har dere ikke hørt om den vakre dronningen? Gå da til side. Gjør plass! La hæren passere! Det gjelder Salomo! Det gjelder den vakre dronningen av Saba! Noe stort skal skje! Gå til side!»'

Først skjedde det ingenting, men så satte maurene seg i bevegelse og forsvant i dalens grunn.»

Først da det ble lyst, trakk gresshoppene seg tilbake og fløy i retning av fjellene. De hadde spist trærne og hagene tomme og

223

det drev fiskeskjelett i bassenget. Også bestemødrene hadde de tatt med seg.

Alt tyder på at noe forferdelig er i ferd med å skje, tenkte Āqa Djān da han kikket ut på gårdsplassen fra værelset sitt, gresshoppene dukker ikke opp uten grunn.

Han stakk hånden i innerlommen og grep om koranen.

ZAMĀN

«Ved solen og dens formiddagsglød!
Ved månen, når den følger den!
Ved dagen, når den lar den lyse!
Ved natten, når den hyller den inn!
Ved himmelen og Han som har bygget den!»
nynnet Muezzin i sengen.

Det hadde gått syv dager siden gresshoppene kom. Men Muezzin lå fremdeles på sengen på værelset sitt.

«Muezzin, hvorfor stenger du deg inne på værelset ditt?» spurte Āqa Djān utenfor døren. «Hvorfor kommer du ikke ut?»

«Jeg tør ikke.»

«Hva mener du med at du ikke tør? Hva er du redd for? Hva har skjedd?» svarte Āqa Djān og gikk forsiktig inn i værelset.

«Klokken i hodet mitt har stoppet. Jeg vet ikke hva klokken er. »

«Du er bare sliten, Muezzin,» sa Āqa Djān. «Det har sikkert med keramikkverkstedet å gjøre, at du ikke lenger får solgt keramikken.»

«Nei, det har ingenting med keramikkverkstedet å gjøre, det har med gresshoppene å gjøre. Da de kom, sluttet klokken min å tikke. Jeg tør ikke å gå ut, jeg får panikk hvis folk spør meg om tiden, om zamān.»

Kjøpmannen som solgte keramikken til Muezzin, hadde sagt opp avtalen. Det hadde kommet så mange nye, billige ting av plast på markedet at ingen lenger brydde seg om keramikken.

Men Muezzin greide ikke slutte lage keramikk, han laget ustanselig tallerkener, skåler, vaser og vannkrukker og satte dem i kjelleren. Da det ikke lenger var plass igjen i kjelleren, plasserte han dem i hagen mellom plantene, og da hagen ble full, klatret han ved hjelp av Salamander opp på taket og satte dem der.

Muezzin lå tre dager til i sengen. Den tiende natten begynte klokken hans plutselig å tikke igjen.

«Tre minutter over tolv,» mumlet Muezzin og satte seg lettet opp i sengen.

Han spisset ørene, hørte ytterdøren, deretter skritt over gårdsplassen mot Āqa Djāns arbeidsværelse.

«Shahbal!» slo det ham.

Han reiste seg, ville rope på ham, men gjorde det ikke, visste at det måtte være en god grunn til at Shahbal var på vei til Āqa Djāns værelse så sent. Han måtte vente. Shahbal ville snart komme til ham.

Da Āqa Djān fikk øye på Shahbal i døråpningen, tenkte han med én gang: Han er forandret.

Sporene av gutten som en gang hadde bodd i huset, hadde forsvunnet fra ansiktet hans, det var en mann som sto foran ham nå.

Āqa Djān reiste seg, omfavnet ham og tilbød ham en stol. «Hvordan er det med deg, min sønn, du har visst glemt oss, det er så lenge siden jeg har hørt fra deg.»

«Det er en lang historie, Āqa Djān, men jeg skal kort oppsummere det: Jeg er lykkelig, og det går bra med meg.»

Āqa Djān skjønte at han ikke måtte spørre mer, derfor sa han: «Utmerket, det var alt jeg trengte å vite.» Han tidde og ga Shahbal rom til å fortelle videre.

«Det er urolig ved universitetet i disse dager,» sa han. «Den amerikanske visepresidenten var på besøk i Teheran i dag. Studentene hadde blokkert veien fra flyplassen til slottet, men de ble sendt bort med hard hånd av antiopprørsstyrker. De trakk seg tilbake og omgrupperte seg for å storme den amerikanske ambassaden. En politienhet stoppet dem og gikk i nevekamp med dem. Det ble kastet et par molotovcocktailer gjennom vinduene, og entreen i ambassaden ble påtent. Det dukket opp et helikopter som begynte å skyte i blinde, to studenter ble drept og mange ble såret. Nå leter politiet etter studentene som ledet demonstrasjonen. Alle har flyktet. Jeg også. Jeg vil gjemme meg i moskeen et par dager til roen har senket seg, det vil si, hvis du ikke har noe imot det.»

«Imot hva da?» sa Āqa Djān. «Det var forstandig av deg å komme hjem. Du er tryggere her enn noe annet sted, her er det lettere for meg å hjelpe deg enn i Teheran.»

«Jeg takker deg.»

«For hva?»

«Jeg har forlatt huset, men hvis jeg noen gang føler meg usikker eller utrygg, er det deg jeg tenker på. Dette huset har alltid vært en trygg havn for meg. Takk for de sterke følelsene du har gitt meg. Og takk for oppdragelsen. Jeg visste ikke helt hvem jeg var da jeg bodde hjemme. Nå gjør jeg det, du har gjort meg til en sterk mann.»

Shahbals anerkjennelse gjorde inntrykk på Āqa Djān.

«Du er virkelig blitt en forstandig mann, du er i stand til å sette ord på følelsene dine,» svarte han.

«Det er én ting til jeg vil fortelle deg,» sa Shahbal. «Jeg kjørte med toget forbi stasjonen i Qom, og der ble jeg møtt av et uvanlig syn. Et par hundre unge imamer hadde blokkert stasjonen, de sto mellom skinnene og forhindret togene i å kjøre videre. De ropte: 'Lā elāha ella'llāh! Det er ingen andre guder enn Allah.' Jeg har aldri sett en så intens demonstrasjon før. Det var noe kraftfullt i demonstrantenes stemmer. Det jeg så i Qom, var en ny motstandsmetode, ayatollaene har endret taktikk. Imamene, som tidligere ikke har villet vite av togene, sto nå mellom skinnene. En ung imam klatret som en katt opp på veggen i stasjonshallen og limte et portrett av Khomeini over det innrammede fotografiet av sjahen. Opplevelsen gjorde inntrykk på meg. Det er i ferd med å skje noe stort. Har du kontakt med Qom?»

Det var et uventet spørsmål. Nei, han hadde ikke kontakt

227

med Qom lenger, og ingen ayatolla hadde ringt ham det siste året. Nå som Shahbal fortalte dette, var det som om et tog med ayatollaer hadde forlatt stasjonen, og han ikke hadde rukket det.

Klokken var tretten minutter på ett da Muezzin hørte skritt nærme seg fra bakgaten. Muezzin gjenkjente skrittene, men greide ikke å plassere dem. Han hørte noen klusse med låsen i ytterdøren. Han reiste seg og listet seg barbeint bort til Āqa Djāns værelse og hvisket: «Jeg kan høre noen i bakgaten. Det står noen utenfor døren!»

«Gå til en av minaretene!» sa Āqa Djān til Shahbal.

Shahbal kysset faren sin raskt, klatret opp på taket, fant et pledd i skuret, åpnet luken til den venstre minareten, krøp inn og stengte luken etter seg.

Āqa Djān fikk øye på Salamander som sto forvirret i våte klær midt på gårdsplassen.

«Ikke stå der! Gå opp,» hvisket han til ham.

Han gikk behersket bort til ytterdøren og åpnet den.

En mann med briller og hatt sto utenfor med en nøkkel i hånden. Āqa Djān hadde sett ham før, men husket ikke lenger hvor.

«Vi kjenner hverandre, tror jeg, men øynene mine ser ikke lenger så godt i mørket,» sa Āqa Djān. «Kan jeg hjelpe deg med noe?»

Mannen tok av seg hatten. Først nå gjenkjente Āqa Djān ham, men han trengte å bearbeide det litt. Det var Galgal, faren til Salamander. Han så gammel ut.

«Salām aleikom,» sa Galgal.

Āqa Djān visste ikke helt hvordan han skulle reagere. Galgal hadde ødelagt Sediqs liv, han hadde etterlatt henne gravid med et handikappet barn og dratt til Irak for å være sammen med Khomeini. Nå sto han plutselig utenfor døren etter alle disse årene.

«Hva kan jeg hjelpe deg med?» sa Āqa Djān kjølig idet han lukket døren bak seg.

«Jeg har reist land og strand rundt for å spre Khomeinis

228

budskap. I dag kom jeg til Sandjān. Jeg hadde et møte med en gruppe kjøpmenn i basaren og hadde forventet at du også ville være til stede. Det forbløffet meg at du ikke var det. Jeg må dra videre til Irak allerede i kveld og har derfor en forespørsel: Kan jeg få snakke med min kone?»

«Hun er ikke juridisk sett din kone lenger. Når en mann forlater sin kone så lenge uten å opprettholde kontakten, blir ekteskapet opphevet. Det burde du vite bedre enn meg. Følgelig har du ingen rett til å møte henne.»

«Jeg vet det, men likevel, kanskje hun vil møte meg.»

«Det bestemmer jeg! Hun vil ikke møte deg!» svarte Āqa Djān.

«Men jeg har en sønn sammen med henne. Jeg har krav på å se ham.»

«Det stemmer, men det er best for alle parter om du drar. La oss glemme dette møtet,» svarte Āqa Djān litt roligere.

«For å være ærlig hadde jeg ikke tenkt å komme innom. Jeg satt akkurat i bilen og var på vei til å dra, men jeg greide det ikke, jeg ville se dem. Jeg skjønner at du er sint, men du er en erfaren mann, du vet at dette er politikk. Vi snakker om et amerikansk regime, og man må ofre sin egen kropp, sin kone og sitt barn for å omstøte det, ellers vil det ikke lykkes. Det fantes ikke noe alternativ. Dette er en del av det.»

«Jeg har ikke tid til å høre på dette tullet midt på natten!» sa Āqa Djān og viste ham ut på gaten.

Galgal kastet et rasende blikk på Āqa Djān bak solbrillene og sa: «Hvis det er slik du vil ha det, drar jeg. Men vi møtes nok igjen!»

Og så gikk han.

Āqa Djān fortalte Faqri om det uventede møtet med Galgal da de lå i sengen. De snakket litt om det, men begge var for trøtte til å gå nærmere inn på det.

Neste kveld banket Faqri på døren til Āqa Djāns arbeidsværelse: «Jeg vil snakke med deg!»

«Kom inn,» sa Āqa Djān litt overrasket.

Faqri stilte seg opp midt i rommet og sa: «Jeg tror Zinat har kontakt med Galgal, og jeg tror at Galgal har møtt Sediq med Zinats tillatelse.»

«Hva? Hva snakker du om? Hvordan vet du det?» sa Āqa Djān forbauset.

«Jeg vil gjette på at de samarbeider. Jeg tror Galgal har satt Zinat i kontakt med Qom. Zinat har nemlig fått ferten av makt. Jeg ser det på henne. Har du lagt merke til at hun ikke lenger går til moskeen vår? Du må passe deg, jeg stoler ikke på henne. Hun gjør rare ting.»

Det Faqri sa, var trolig helt riktig. Hvorfor hadde han ikke selv tenkt på det?

«Jeg må fortelle deg noe som jeg egentlig ikke har lov til å si, men nå som det har gått så langt, må du vite om det. Galgal har møtt Sediq før. Og jeg tror det har vært noe mer enn et vanlig møte. Sediq danser over gårdsplassen igjen.»

«Hva? Det er ikke mulig! Det der er kvinnfolksladder.»

«Det er ikke kvinnfolksladder. Du legger merke til enhver liten forandring i basaren, hvorfor ser du ikke forandringene i ditt eget hus? Jeg svøper meg ubevisst i chadoren så snart jeg hører Zinats skritt i trappen. Jeg tør ikke lenger sminke meg når hun er i nærheten, det er som om en fremmed mann kikker på meg. Jeg vet ikke hva hun driver med, jeg vet ikke hvem hun har kontakt med, men blikket hennes har forandret seg. Jeg får samme følelse ved kvinnesamlingene våre. Ingen tør si noe når Zinat er der. Tidligere hadde jeg stor glede av disse samlingene, men nå for tiden møter det opp en flokk uforskammede kvinner som bare snakker om shariaen. Zinat har ledelsen.»

Āqa Djān sank dypere ned i stolen.

Det banket på døren.

«Hvem der?»

«Det kommer røyk fra kinoen,» lød stemmen til Qodsi utenfor døren.

«Hva gjør du her så sent på kvelden?» sa Āqa Djān.

Han reiste seg straks og åpnet døren.

Det hang et tykt lag røyk over sentrum av byen, brannbiler kjørte ulende mot brannen.

«Galgal!» tenkte Āqa Djān umiddelbart, men han delte det

230

ikke med Faqri, bare kledde på seg og skyndte seg ut, i retning av sentrum.

Det sto politibiler overalt, ambulanser kjørte de skadde til sykehuset. En bombe hadde eksplodert i kinosalen, dette hadde resultert i tre døde og mer enn hundre skadde.

En uke senere gikk det av en bombe på en kino i Isfahan, hvor enda flere døde og ble skadet. Men regimet sa ikke noe om hendelsene, og det ble ikke skrevet om det i avisene.

Da en amerikansk film hadde premiere på den største kinoen i landet i den sørlige byen Abadan, eksploderte en kraftig bombe. Dette skjedde førti dager etter angrepet i Isfahan. Fire hundre og syttiseks mennesker døde, og enda flere ble skadet.

Nyhetene nådde forsiden på alle verdens aviser.

Sjahen hørte Khomeinis fottrinn, men han kunne ikke forestille seg at Khomeini skulle greie å samle alle basarene og moskeene i løpet av så kort tid. Han syntes hendelsene var urovekkende, men i analysene han fikk fra sine underordnede, sto det ingenting om et mulig folkeopprør. Sjahen hørte ikke om annet enn folkets store tilfredshet og takknemlighet, og de vestlige landene hadde full tillit til ham. Han så ingen grunn til å bekymre seg for disse angrepene.

Men hele verdens øyne var rettet mot Irak, hvor Khomeni fremdeles satt i fangenskap.

I løpet av fredagsbønnen kringkastet Radio BBCs persiske avdeling følgende melding fra Khomeini: «Vi har ikke gjort det. Vi begår ikke slike forbrytelser! Ansvaret ligger hos sikkerhetspolitiet.»

Det ble en historisk radiosending. Det var første gang en imam, en ayatolla, formidlet sitt budskap via radioen. Stemmen hans lød gammel, men mer stridslysten enn noensinne. Han tok ikke engang ordet «sjah» i sin munn, men kalte ham ved hans andre fornavn, Reza, for på denne måten å ydmyke ham: «Denne Reza bruker harde ord, la ham snakke. Han er ikke viktig, bare en lakei! Jeg skal komme og holde ham i ørene. Jeg utfordrer ham. Han er ingenting verd. Jeg utfordrer Amerika!»

BBC meldte at det skulle foregå en demonstrasjon i Teheran fredagen etter. Nyheten eksploderte som en bombe.

Sjahen skjønte ikke hvorfor folk ville demonstrere når de var fornøyd. Han skjønte heller ikke hvordan det kunne komme til opprør hvis politiet og sikkerhetspolitiet hadde landet under streng kontroll.

På denne berømte fredagen dro tusenvis av butikkeiere fra basaren i Teheran ut i gatene og gikk til Madjles-plassen, hvor parlamentet lå. Tusenvis av andre sluttet seg til dem i sidegatene inn mot plassen. Dette var folk som kom ut fra fredagsbønnen i moskeen.

Da plassen var fylt opp, satte folkemengden seg i bevegelse og gikk til Sjah-plassen. Den første rekken av demonstranter besto av unge imamer, og helt forrest gikk en relativt ung ayatolla med en påfallende moderne imamdrakt. Ingen hadde sett noe lignende før.

Vanligvis var ikke de tradisjonelle imamene opptatt av sitt ytre, men denne ayatollaen var åpenbart annerledes. Han var rak i ryggen, skjegget var velpleid, den hvite skjorten var omhyggelig strøket, og de gule imamtøflene tiltrakk seg alles oppmerksomhet.

Han var ukjent, ingen hadde sett ham før. Uken før hadde han kommet fra Irak via Dubai forkledd som kjøpmann i en velsittende engelsk dress med hatt. Denne første prøvedemonstrasjonen hadde vært en suksess. BBC meldte at hundre tusen mennesker hadde demonstrert mot sjahen i gatene i Teheran, og at ledelsen tydeligvis hadde ligget i hendene på en ung generasjon imamer.

Et bilde av den påfallende ayatollaen sto på forsiden av alle morgenavisene.

«Hvem er denne mannen?» var overskriften i Keyhān, landets viktigste avis.

Mannen het ayatolla Beheshti, var rundt femtifem og født i Isfahan. Nå var han en av de yngste ayatollaene i det shiamuslimske hierarkiet.

Beheshti var en karismatisk person som ledet den iranske moskeen i Hamburg. Dette var Europas viktigste shiamuslimske moské.

Han var den første imamen som hadde hørt revolusjonens fottrinn. Han hadde umiddelbart forlatt moskeen og reist til Irak for å assistere Khomeini.

Fordi han hadde bodd lenge i Tyskland, kjente han den vestlige verden fra innsiden. Han var akkurat det talentet den aldrende Khomeini trengte for å realisere sin drøm om en muslimsk stat.

Beheshti kjente verdien av Østens historier, og han kjente kameraets makt. Hans plan var å vekke de vestlige fjernsyns interesse, for deretter å trylle: «En aldrende imam sitter på et enkelt persisk teppe. Han bor i landflyktighet, spiser brød og melk og utfordrer Amerika!»

I motsetning til Behesti visste ikke Khomeini noe om den moderne verden. Han hadde fremdeles vanskeligheter med å ta ordet «radio» i sin munn.

Det begynte å bli kveld da Beheshti banket på døren til Khomeinis bolig i Nadjaf.

Galgal åpnet døren.

«Jeg er Beheshti, imamen i Hamburgs moské. Jeg er her for å snakke med ayatollaen personlig.» Slik presenterte han seg.

På denne tiden ble alt som foregikk i Khomeinis bolig, overvåket av Galgal. Det kom alltid mange pilegrimer som ønsket å møte ayatollaen.

Galgal hadde ikke møtt Beheshti før, og han hadde aldri hørt om ham, men hans påfallende holdning og moderne ytre appellerte straks til ham.

«Kan jeg spørre deg hva du ønsker å snakke med ayatollaen om?» spurte Galgal.

«Jeg skjønner din nysgjerrighet, men det er noe jeg bare ønsker å ta opp med ayatollaen.»

Galgal førte Beheshti til gjesteværelset, lot en tjener hente et glass te til ham, og sa: «Kan du vente et øyeblikk?»

Khomeni kjente heller ikke Beheshti, men han hadde vært en venn av faren hans da denne fremdeles levde. Han hadde da ledet den innflytelsesrike Djomè-moskeen i Isfahan.

233

«Ayatollaen kjente faren din og gleder seg til å møte deg,» sa Galgal og førte ham inn på den aldrende ayatollaens enkle bibliotek. Ayatollaen satt på teppet sitt på gulvet.

Beheshti steg inn i rommet, bukket lett og lukket døren etter seg.

PARIS

Alef Lam Rā
Vi skal aldri på forhånd vite
Hva Du planlegger
Jeg følger Deg
Jeg følger Deg nedbøyd

Ingen hadde lagt merke til noe, ingen hadde forventet ham, ingen visste nøyaktig hva som foregikk. Plutselig dukket bare den aldrende Khomeini opp fra intet på flyplassen Charles de Gaulle i Paris.

De var fire: Khomeini, Beheshti, Galgal og Batul, Khomeinis kone.

I løpet av fjorten års landflyktighet i Irak, hadde Khomeini aldri forlatt byen Nadjaf. Han våknet hver dag klokken halv seks, utførte sin morgenbønn og leste i Koranen.

Klokken halv åtte brakte hans kone ham frokost. Han jobbet på det lille biblioteket sitt til klokken halv ett. Da var det tid for ettermiddagsbønnen. Etter lunsjen tok han en liten høneblund, og så fortsatte han å jobbe til klokken fire. På slutten av ettermiddagen tok han imot gjester, mest iranske teppehandlere på forretningsreise i Irak. Men det var også muslimske dissidenter blant dem, som møtte ham forkledd som handelsmenn. Det var de som gjorde det mulig å opprettholde en hemmelig kontakt mellom Khomeini og ayatollaene i Qom.

Om vinteren ble han hele dagen i biblioteket, men om våren og sommeren jobbet han i hagen etter klokken seks, når det var blitt litt kjøligere i luften.

Tidlig på kvelden vasket han hendene og ansiktet, trakk på seg drakten og gikk til moskeen til den hellige imam Ali.

Kona gikk nesten tre meter bak ham.

Nå sto han, lent mot en vogn, ved bagasjebåndet på Charles de Gaulle i Paris.

Da de hadde fått bagasjen, brakte Paris' største forhandler av persiske tepper dem med en liten buss til Neauphle-le-Château, hvor han hadde skaffet dem en leilighet.

For nesten seksti år siden hadde Khomeini forlatt sin fødeby for å følge imamopplæringen i Qom.

Det fantes ingen biler i landsbyen hans, det fantes ikke engang veier bilene kunne kjøre på. Han gikk derfor til fots over fjellet til byen Arāk for siden å reise med kjerre til Qom. Først flere tiår senere skulle Reza Khān, sjahens far, modernisere landet og med britenes hjelp anlegge jernbanelinjer.

Da Khomeini nådde Arāk, ble han overrasket av en lastebil. Sjåføren, en armenier, fraktet pilegrimer til Qom med denne bilen. Flere titalls pilegrimer satt på lasteplanet.

Det ble en uforglemmelig reise for Khomeini. Men da han nådde Qom, mellom de ulendte fjellene, var han kvalm av den gjennomtrengende diesellukten.

Senere, da han var blitt ayatolla, ble han alltid fraktet i en moderne Mercedes-Benz, men hver gang han satte seg inn i en bil, ble han kvalm av diesellukten.

Nå som han kjørte med bussen gjennom Paris' gater til den rolige forstaden, kjente han denne lukten igjen.

Beheshti, som hadde ordnet alt på forhånd, fant frem sin syvende sans og grep telefonen.

På den tiden jobbet det en ung iransk journalist ved det amerikanske fjernsynsselskapet ABC. Nå slo Beheshti nummeret hennes og informerte henne om at Khomeini hadde flyttet fra Nadjaf til Paris, og at han skulle lede revolusjonen i Iran fra Paris.

Han sa at han ville gi ABC førsteretten til et intervju med

ayatollaen i Paris, hvis hun var rask. Hvis ikke, ville han straks ringe BBC.

Neste dag stoppet det en bil fra ABC på fortauet utenfor Khomeinis oppholdssted.

I Paris var det fremdeles ettermiddag, men i Iran var det tidlig på kvelden.

Oppglødd red Am Ramazān inn i bakgaten opp mot huset, hoppet av eselet og skyndte seg til Āqa Djāns arbeidsværelse.

«Khomeini er i Paris, han kommer snart på fjernsynet!» ropte han.

«Hvor?»

«I moskeen til Hādji Taqi Khān. Blir du med?»

Āqa Djān ville ikke til den moskeen. Den siste tiden gikk alle dit. Det var blitt et sentrum for uroen i byen.

Til Āqa Djāns moské kom bare de eldre. Men i Hādji Taqi Ghans moské var det så fullt at man måtte stå utenfor.

De unge imamene som kom fra Qom, holdt flammende taler der hver kveld. Og de tok med seg den oppglødde folkemassen ut i gatene for å demonstrere.

«Så synd!» sa Āqa Djān til Am Ramazān. «Jeg kan ikke komme fra akkurat nå, men jeg kommer senere.»

Likevel brant han av nysgjerrighet. Han var et vitne. Han måtte se alt, notere alt, bevare alt. Han måtte være til stede. Āqa Djān tok derfor på seg jakken, satte på seg hatten og gikk til Hādji Taqi Khān.

Moskeen var overfylt, hundrevis av mennesker sto allerede på gaten utenfor. Han stilte seg anonymt opp i en mørk krok.

«Du har ikke stjålet noe, hvorfor står du i mørket?» sa han til seg selv. «Gå inn og se hva som skjer.»

Han presset seg gjennom folkemengden og gikk inn i moskeen.

Mennene sto på gårdsplassen, og kvinnene befant seg i bønnerommet.

Men så kom ikke Āqa Djān seg videre. Han bestemte seg for å snu og ta trappen opp til taket. Der fant han et hjørne hvor han hadde full oversikt. Det sto tre store fjernsynsapparater inntil veggen. Dette var en helt ny opplevelse. Āqa Djān husket det lille fjernsynet Shahbal for mange år siden hadde tatt med seg hjem for å vise ham og As-sāberi månen. Samtalen han hadde hatt med Shahbal, sto like klart for ham som om det hadde vært i går.

«Āqa Djān, kan jeg snakke med deg?» hadde Shahbal sagt.

«Selvfølgelig, gutt, hva vil du si?»

«Det handler om månen.»

«Om månen?»

«Nei, om fjernsynet.»

«Fjernsynet?» hadde Āqa Djān sagt forbløffet.

«En imam må alltid vite alt om alt. Han må være informert om det som skjer,» hadde Shahbal svart.

As-sāberi var død, så hadde Galgal kommet. Ahmad hadde tatt over etter ham, og nå dette.

Det oppsto bevegelse utenfor inngangen til moskeen.

«Sallā àlā Muhammed va āl-e Muhammed!» ropte mennene ute på gaten.

Āqa Djān kikket mot døren. En gruppe menn med skjegg og pene dresser kom inn. De fulgte en ung imam bort til fjernsynsapparatene hvor intervjuet med Khomeini snart skulle bli kringkastet.

Āqa Djān gjenkjente mennene. Det var kjøpmennene som nå hadde overtatt ledelsen i basaren.

En kvinne gikk bort til mennene i dress og snakket med dem. Deretter gikk hun inn i bønnerommet igjen.

Kvinnen var Zinat, men fordi hun hadde på seg en svart chador, kjente ikke Āqa Djān henne igjen på den avstanden.

En ung mann med skjegg slo på fjernsynsapparatene. Folkemengden holdt pusten, og alle strakte hals for å se bedre.

Kameraet viste først de rolige gatene i området Neauphle-le-Château. Man kunne se et par franske kvinner som gikk på supermarkedet. En skolebuss stoppet på en bussholdeplass hvor det hang en fargerik reklameplakat av en moderne kvinne. To jenter med ryggsekk steg ut. De kikket et øyeblikk inn i linsen. Kameraet svingte rolig videre mot et hus og viste frem trærne, pergolaen og hagen.

Så dukket Khomeini opp på skjermen. Han satt på et persisk teppe.

Den opprømte folkemengden i moskeen ropte høyt i kor: «Salām baar Khomeini! Salām baar Khomeini!»

De utenlandske fjernsynskanalene kunne fremdeles ikke nås via statssenderen i Iran, men organisatorene hadde plassert en parabolantenne på taket av moskeen, og det var den som fanget opp bildene via nabolandet Irak.

Kameraet zoomet inn på Khomeinis ansikt. Folk fikk for første gang møte den aldrende ayatollaen som ville slåss mot Amerika.

Det var svært få som kjente Khomeini, og fordi det aldri var blitt publisert nye bilder av ham, visste ingen akkurat hvordan han så ut.

Kameraet ble derfor hengende litt ved ansiktet hans. Han hadde langt grått skjegg, ansiktet hans skinte litt i lyset fra kameraene, han så ut som en helgen.

Han skulle til å reise seg. En hånd ble rakt frem (trolig noen av fjernsynsfolkene), men han takket nei og reiste seg av egen kraft.

Han gikk ut. Der var to tepper, et lite og et stort, akkurat blitt rullet ut. Khomeini tok av seg skoene og stilte seg opp på det lille teppet. Demonstrativt tok han et kompass opp fra lommen og forsøkte å finne riktig retning, men han greide ikke å se nålen på kompasset. Tålmodig satte han på seg brillene, fulgte kompasset og snudde seg mot Mekka.

Beheshti sto et stykke bak ham på det store teppet. Galgal viste seg ikke. Som Khomeinis mest trofaste rådgiver måtte han være anonym.

Batul, kona til Khomeini, dukket opp helt tildekket i sin svarte chador. Hun tok plass bak Beheshti for bønnen.

Kameraet stoppet opp ved kona til ayatollaen, som sto som

239

en statue, deretter ble det rettet mot den grønne hekken, hvor et par franske kvinner sto og så forbløffet på dem sammen med barna sine.

Snart strømmet journalistene til Neauphle-le-Château fra alle kanter, og slik fikk den forestående revolusjonen verdens oppmerksomhet.

Frem til nå hadde Beheshti og Galgal vært de eneste som bisto Khomeini, men etter intervjuet kom det syv menn i løpet av et døgn, fra Amerika, Tyskland, England og Paris. Etter en stund dannet de revolusjonens nye overordnede komité.

Senere, da sjahen falt og revolusjonen fikk gjennomslag, fikk alle disse menneskene fremtredende posisjoner innen regjeringen, som president og visepresident, finansminister, industriminister, formann i parlamentet, sjef for det nye hemmelige politiet, og utenriksminister.

Men et par år senere ble tre av dem likvidert av den væpnede motstandsbevegelsen, en av dem ble henrettet som amerikansk spion, en annen ble fengslet for korrupsjon. Han som hadde vært president, måtte flykte tilbake til Paris og søke om asyl. Visepresidenten ble snart sendt hjem.

I Teheran ble det stadig organisert nye demonstrasjoner, og her deltok det alltid flere millioner mennesker.

Ingen var lenger i stand til å forhindre Khomeinis komme.

Landets utseende forandret seg raskere enn noen gang. Mennene lot skjegget vokse, og kvinnene gjemte seg bak chadoren.

Store streiker innenfor oljesektoren brakte landet i en dyp krise. Arbeiderne lot maskinene stå. Elevene forlot skolene og trakk ut i gatene.

Revolusjonen hadde satt sitt preg også på huset.

Zinat tok åpent avstand fra familien, og Sediq gikk oftere ut av huset. Hun gikk til de muslimske kvinnesamlingene sammen med Zinat.

Sediq, som ikke hadde pleid å bruke hodetørkle inne, trakk nå også et slør over hodet når hun var hjemme.

Før hadde hun pleid å være inne hele tiden og ta seg av Salamander. Nå lot hun alt ligge. Hun kom sent hjem, spiste alene i kjøkkenet og gikk og la seg.

Āqa Djān gikk fortsatt til basaren hver dag, men folk var opptatt av alt annet enn teppehandel.

Han følte seg stadig mer fremmed i sine egne butikklokaler.

Pakkede tepper, som burde blitt sendt til utlandet for lenge siden, sto fremdeles i store stabler på lageret. Ulltråd og andre teppematerialer, som burde blitt sendt til teppeverkstedene i landsbyene, lå i gangene og på arbeidsværelsene.

Den trofaste assistenten hans, som hadde ført kundene til arbeidsværelset hans og hentet te til dem, hadde latt skjegget vokse og kom aldri på jobb når han skulle lenger. Han kunne når som helst forlate butikken med beskjed om at han måtte i moskeen.

De ansatte hadde tømt et av arbeidsværelsene og satt stolene og bordene utenfor. De hadde lagt et par tepper på gulvet og gjort det om til bønnerom.

På veggen hang det et stort innrammet portrett av Khomeini, og på bordet sto en moskésamovar. Ingen jobbet, alle bare hang rundt om i lokalene og snakket med hverandre om det som foregikk. De drakk te i bønnerommet og lyttet til BBCs persiske radiosending, for å følge med på den siste utviklingen i Paris.

Āqa Djān så at butikken var i ferd med å kollapse, men han greide ikke lenger å holde den oppe.

Hjemme hadde Faqri Sādāt sluttet å glitre slik som tidligere. Hun var ikke lenger like glad. Før hadde hun stadig kjøpt nye klær, nytt nattøy, nå kjøpte hun ikke noe lenger.

Āqa Djān hadde likt at Faqri iblant sto foran speilet og gransket brystene sine kritisk, men det gjorde hun ikke lenger. Hun hadde sluttet å bruke smykker, ryddet bort smykkeskrinet, som alltid sto ved siden av speilet, og satt det inn i skapet.

Āqa Djāns døtre var også offer for disse forandringene. Det var som om mennene i byen hadde glemt at døtrene hans var voksne for lengst, men fremdeles bodde hjemme.

*

241

Āqa Djān savnet Shahbal. Han ville snakke med ham, lette sitt hjerte for ham, men det gikk ikke. Shahbal kom av og til hjemom, så forsvant han igjen. Āqa Djān visste at han ikke gikk på universitetet. Han hadde prøvd å snakke med ham et par ganger, men fornemmet at Shahbal ikke ønsket det.

Likevel hadde Āqa Djān tro på ham. Han visste at Shahbal en dag ville komme hjem.

I det siste hadde Āqa Djān gått oftere ned til elven og spasert langs vannet i mørket. Han mintes farens ord.

«Hvis du skulle bli trist, gå langs elven. Snakk med den. Den tar med seg sorgene dine.»

«Jeg vil ikke klage, men det kjennes som om jeg har en stein i halsen,» sa Āqa Djān til elven.

Øynene hans brant, en tåre trillet nedover kinnet og falt ned på bakken. Elven tok imot tåren, bar den stille med seg i mørket og sa det ikke til noen.

TEHERAN

Āqa Djān satt på kontoret sitt i basaren. Assistenten hadde akkurat brakt et glass te til ham. Nå hørte han bråk i første etasje, i butikklokalene. Arbeiderne hadde forlatt arbeidsværelset for å se på to-nyhetene.

«Hva er det?» ropte Āqa Djān.

«Sjahen har flyktet!» ropte assistenten nedenfra.

«Allāho Akbar!» ropte noen.

Sjahens flukt ble ikke nevnt med et ord på nyhetene. Det var åpenbart et rykte. Ryktet var imidlertid så sterkt at regimet var tvunget til å vise sjahen på fjernsynet.

Han tok imot et par av generalene sine. Men bildene bare forverret situasjonen. Sjahen, som hadde pleid å være på fjernsynet hver kveld, hadde stadig oftere uteblitt de siste månedene. Nå trodde ingen sine egne øyne. Sjahen var sterkt avmagret og så ut som en redd mann i ferd med å miste alt.

Ryktet var bare delvis sant.

Dagen etter ble det spredt mer sladder: «Farah Diba flykter til Amerika og tar med seg barna!»

Sannheten var en annen.

Det var ikke Farah Diba som flyktet, men moren til Farah, og hun tok med seg barna.

Det var tilløp til gatekamper i Teheran. Demonstrantene kom stadig nærmere palasset. Hæren hadde hørt at mullahene planla å angripe slottet.

Sjahen hadde bedt Farah Diba om å forlate landet sammen med barna.

«Jeg vil ikke dra. Jeg forlater deg ikke ett sekund i denne situasjonen!»

243

«Det handler ikke om meg, men om barna,» sa sjahen.

«Da må vi gjøre det på en annen måte. Jeg skal be moren min om å dra sammen med dem,» hadde hun svart.

Da helikopteret forlot slottet for å bringe sjahens barn til en militærbase, og siden ut av landet med et militærfly, satt Nosrat på et nattog på vei til Sandjān.

Toget kjørte inn i byen klokken fire. Nosrat tok en drosje til huset og la seg til å sove på gjesteværelset.

Om morgenen krøp Salamander inn på værelset hans og vekket ham.

«Jeg har noe til deg,» sa Nosrat og hentet et par skinnhansker opp fra vesken, «ta dem på deg så går vi og spiser noe i basaren, jeg er sulten.»

Salamander tok på seg hanskene og fulgte Nosrat inn til byen, på hender og føtter.

Da de kom til basarplassen, krøp han bort til den store statuen av sjahen.

Først sjekket han at Nosrat syntes det var greit at han klatret på statuen. Da Nosrat blunket, tok det ikke lang tid før Salamander satt bak sjahen oppå hesten.

Salamander var den første som hadde hatt mot til å gjøre noe slikt.

Først la ingen merke til det, men etter hvert ble folk stående å se på ham på plassen. Da han så de entusiastiske menneskene, ble Salamander modigere, han lente seg frem, grep hesten om halsen og lot som om han galopperte.

Nå lignet han mer på en ape enn på en salamander. Han hoppet fra hestens hals til sjahens hode. Deretter gled han ned langs hestens lange hale og hoppet tilbake på sjahen, og alt dette med en usedvanlig smidighet.

Plassen fyltes opp, og alle applauderte ham.

To politiagenter dukket opp, men de torde ikke blande seg inn. En av dem rapporterte om hendelsen over walkie-talkie. Det kom en militærlastebil med en enhet fra det væpnede opprørspolitiet, men heller ikke de hadde fått ordre om å gjøre noe. De holdt bare det hele under oppsyn, for situasjonen i landet var for øyeblikket så spent at alle handlinger kunne utløse et opprør.

Man kunne velge å betrakte det hele som et innfall, en svært handikappet gutt hadde klatret opp på statuen av sjahen. Men den uskyldige handlingen var også politisk ladet.

Alle så regimets svakhet avspeilt i guttens handling, ingen ante imidlertid at en hysterisk folkemengde snart kom til å rive ned statuen med en jernkjetting.

Neste dag var det et stort bilde av Salamander, hengende fra den kongelige hestens hals, på forsiden av lokalavisen.

Innen en time var avisen utsolgt, noe som aldri hadde skjedd før. Alle som hadde lest artikkelen, gikk til moskeen for å beundre Salamander på taket.

Dette skulle bli et vendepunkt i Salamanders liv; tidligere hadde han alltid klatret over taket og inn i en av minaretene, til toppen hvor storkene i sin tid hadde hatt reir. Der hadde han ligget og lest bøkene sine.

Det hadde aldri kommet noen til moskeen for å demonstrere, nå kom det hver dag hundrevis av gutter for å se på Salamander.

«Du har en dårlig innflytelse på ham,» klaget Āqa Djān til Nosrat i telefonen.

«Hvorfor? Jeg ser ikke problemet.»

«Han klatrer som en ape i minareten, han er i ferd med å bli byens underholdning.»

«La ham gjøre det han har glede av. Det er bra for moskeens ødelagte image.»

«Du snakker om en moské, ikke et sirkus. Vi må ikke dumme oss ut mer, først var det Ahmads merkelige praksis og nå denne gutten.»

«Jeg skal snakke med ham,» sa Nosrat.

To netter senere satt Nosrat igjen på nattoget til Sandjān.

Han visste ikke at dette var siste gang han dro til Sandjān med svart hår, neste gang skulle håret hans være så grått og ansiktet så forandret at ingen lenger kjente ham igjen der.

*

Nosrat kalte Salamander inn på værelset sitt, stakk en bunke svart-hvitt-pamfletter med portrettet av Khomeini i jakkelommen hans og sa: «Når det blir travelt ute på gaten, klatrer du opp i minareten og kaster ut disse papirene. Skjønner du det? Slik,» og så gjorde han en håndbevegelse, «hiv alt ut til dem i én håndbevegelse!»

Klokken halv tolv klatret Salamander inn i minareten. Etter et par ville hopp for å tiltrekke seg folks oppmerksomhet, kastet han ut portrettene.

Nosrat, som sto på taket, tok bilder av de virvlende portrettene og av menneskene som forsøkte å fange dem.

Bildene sto i alle de riksdekkende avisene, og det var første gang et foto av Khomeini ble publisert.

Regimet ble overrumplet og kunne ikke iverksette noen tiltak, ettersom avisene hadde støttet publiseringen kollektivt. Āqa Djān kjøpte avisene og la dem i kisten sammen med skrivebøkene sine.

Nosrat og kameraet hans var til stede overalt hvor det skjedde viktige ting, og hver dag sto det fotografier han hadde tatt, i avisene.

Nosrat hadde også videofilmet den første store demonstrasjonen i Teheran, den som Beheshti hadde gått i spissen for. Beheshti hadde tatt seg ulovlig inn i landet for å lede denne viktige demonstrasjonen.

Nosrat hadde sørget for å synliggjøre ayatollaenes tilstedeværelse og deres ledende kraft. Når man kikket på reportasjene hans, skjønte man hva som ventet landet.

Ved sine unike opptak, som Nosrat regelmessig sendte til revolusjonskomiteen i Paris, kom han i tett kontakt med Beheshti. Beheshti ringte ham privat og informerte ham om de planlagte demonstrasjonene. På den måten rakk Nosrat alltid å forberede seg.

Komiteen hadde ansatt en som jobbet ved flyplassen i Teheran, han fungerte i all hemmelighet som postbud. Nosrat ga ham fotografiene og filmene, og så sendte mannen dem med første fly til Paris.

Nosrat var uavhengig, men han lurte noen ganger på hvilken part som dro nytte av arbeidet hans. Drev han propaganda for Khomeini? Nei, han knyttet seg ikke til noe eller noen. Han brydde seg ikke om religionen. Og heller ikke om politikken. Han regnet ikke med noen, tenkte bare på kameraet. Han sto der han sto, og kameraet registrerte.

I smug hadde han også kontakt med Shahbal. Han ga ham fotografier som Shahbal publiserte i undergrunnsavisen. I løpet av en demonstrasjon pratet de inngående sammen. Nosrat leste Shahbals avis og var informert om den heftige debatten innad i partiet angående Khomeinis planer om en muslimsk regjering.

Etter hvert som Khomeini i stadig større grad demonstrerte sin makt, ble den venstreorienterte undergrunnsbevegelsen konfrontert med spørsmålet om hva de skulle gjøre med Khomeini. Burde de støtte ham? Burde de ta avstand fra ham? Det oppsto en voldsom diskusjon, og resultatet var en smertefull splittelse. En liten del av bevegelsen ville ikke støtte Khomeini og bestemte seg for å fortsette sine undergrunnsaktiviteter, mens et flertall av bevegelsen la ned våpnene og støttet Khomeini og hans antiamerikanske standpunkt.

Shahbal, som var ferdig på universitetet for lenge siden, hadde sluttet seg til denne siste strømningen.

På sommermåneden Shahrivars syttende dag oppsto et vendepunkt. I Teheran slo ayatollaene seg sammen for å samle så mange som mulig i moskeene. Klokken åtte om morgenen forlot alle moskeen samtidig og gikk til plassen utenfor parlamentet mens de ropte slagord. Det var den dagen både tilhengerne av Khomeini og regimet bestemte seg for å demonstrere sin makt.

Idet tusenvis av demonstranter fra alle kanter av Teheran gikk mot parlamentet, forlot hæren kasernene for å gi dem en ordentlig lærepenge.

General Rahimi, som ledet aksjonen, holdt øye med alt bak mørke brilleglass i en jeep på hjørnet av plassen.

Da plassen til slutt var tettpakket med demonstranter, ga han ordre til tanksene om å blokkere alle sidegater, slik at folkemengden ikke kunne unnslippe.

Folk hadde ingen anelse om hva hæren planla, for de ga soldatene blomster, og soldatene tok imot.

Folkemengden ropte: «Fred! Fred! Hær, fred!» Og offiserene vinket fredelig tilbake.

Demonstrantene var ikke klar over det, men det var meningen at de skulle ta seg inn i parlamentet og okkupere bygningen. Nosrat visste det og valgte en posisjon med kameraet sitt.

Så snart den første rekken av demonstranter hadde nådd frem til parlamentsbygningen, klatret et par gutter opp på gjerdet. Skudd ble avfyrt av skyttere på tak i nærheten, og guttene falt døde ned på bakken.

Menneskene flyktet i alle retninger mens de ropte høyt: «Lā elāha ella'llāh!»

Selv om alle forsøkte å flykte, løp et titalls gutter likevel mot porten i parlamentet og forsøkte å ta seg over gjerdet, men også de ble hardt straffet.

«Lā elāha ella'llāh!» ropte demonstrantene sint. De begynte å trekke i og dytte på de lange jerngjerdene for å rive dem ned og komme seg inn. Men det fikk de ikke mulighet til, for hæren fyrte løs på demonstrantene fra alle kanter av plassen.

På bare et par minutter ble flere hundre drept og såret.

Nosrat, som lå skjult på en balkong, filmet alt med kameraet sitt.

Soldatene fulgte etter demonstrantene og skjøt på alle som dukket opp i synsfeltet. Kvinnene banket på dørene for å slippe inn, mennene klatret opp på takene og i trærne, gutter og jenter krabbet inn under biler, og det lå sko, jakker, hatter, kameraer, hodetørklær og mange svarte chadorer overalt.

Nosrat gikk ikke glipp av noe: Den solbrillekledde generalen som ga ordrer, mennene som falt ned fra gjerdene, menneskene som krøp i avløpsrennene, menneskene som flyktet over blokadene, tanksene som kjørte inn på plassen fra sidegatene, og kroppene til dem som var blitt felt.

Syv minutter senere var det dødsens stille på plassen, alle som hadde kunnet flykte, hadde flyktet, og hundrevis hadde søkt tilflukt i husene i nærheten. Det som var igjen, var de døde og de sårede.

Generalen hadde gitt ordrer om at ingen journalister fikk lov til å komme inn på plassen, og at alle kameraene som ble funnet, skulle tilintetgjøres på stedet.

Han tok av seg solbrillene, kastet et blikk på slagfeltet og ga ordrer om at plassen skulle ryddes umiddelbart. Så satte han seg inn i jeepen og kjørte til slottet for å avlegge rapport til sjahen.

Så snart han hadde dratt, flyktet Nosrat bort fra plassen over takene.

Tre dager senere kringkastet ABC Nosrats reportasje. Flere enn syv hundre var døde.

Āqa Djān fulgte hendelsene på Salamanders fjernsyn.

Sjahen var forferdet, han snakket til folket: «Jeg har hørt revolusjonens stemme! Jeg har hørt mitt folk. Feil er blitt begått. Nå vil jeg utpeke en ny statsminister for parlamentet, sørge for å få orden på ting. Jeg ber folket være tålmodig.»

Stemmen hans skalv, talen var forvirret, og han stammet.

Et par dager senere utpekte han en ny statsminister, men Khomeini forkastet ham umiddelbart. Heller ikke dette kabinettet greide å holde stand mer enn et par uker.

Sjahen lette etter en annen kandidat, men ingen torde lenger samarbeide med ham.

Det var uunngåelig, sjahen måtte overføre all makt til de militære. General Azhari, den mest amerikavennlige generalen i leiren, dannet et militærkabinett. Han erklærte straks portforbud i Teheran om natten.

For å svekke hans befaling oppfordret Khomeini alle om å gå opp på takene om natten.

Millioner av innbyggere i landet fulgte denne oppfordringen.

De klatret opp på takene og ropte: «Ut med Amerika! Allāho Akbar.»

Hvorfor sto ikke Āqa Djān på taket? Var han kanskje ikke motstander av regimet? Var han ikke glad for at det var ute med sjahen? At Khomeini ville overta?

Hva kom naboene til å si hvis ingen fra huset sto på taket? «Faqri!» ropte Āqa Djān.

Men Faqri hørte ham ikke gjennom larmen fra folkemengden.

«Jenter!»

Nasrin, hans eldste datter, dukket opp.

«Alle står på takene. Jeg går også opp på taket. Hvor er moren din? Blir dere med?»

På trappen støtte han på Salamander.

«Kan du hente Muezzin?» sa Āqa Djān til ham.

Salamander skyndte seg ned i kjelleren for å varsle Muezzin.

Litt senere sto Āqa Djān, Muezzin, Faqri Sādāt og døtrene hennes, hyllet i svart, på taket og ropte i kor: «Allāho Akbar! Allāho Akbar!»

Salamander satt ved kuppelen og kikket forbløffet på den hysteriske folkemengden.

Sjahen gjorde et forgjeves forsøk på å finne en respektert politiker som kunne bringe forsoning i kabinettet. Ikke en eneste politiker var beredt til å påta seg et slikt tungt, håpløst oppdrag.

Likevel overtalte han Baktiar, nestlederen for Det nasjonale partiet, til å opptre som en forsonende statsminister.

Men han ville bare imøtekomme sjahens oppfordring om sjahen umiddelbart og på ubestemt tid forlot landet.

Sjahen gikk med på dette, og siden gikk alt i en forrykende fart. Det var som om noen hadde utløst et ras som trakk med seg alt og alle.

*

250

Neste morgen var det travelt i butikken da Āqa Djān ankom til basaren.

Sjahen skulle dra. Āqa Djān stilte seg opp ved siden av sine ansatte, som så på fjernsynet. Sjahen var på flyplassen i Teheran sammen med Farah Diba, omringet av en gruppe statstjenestemenn.

Baktiar rakte ham hånden og ønsket ham god tur.

Plutselig bøyde en offiser seg ned ved sjahens føtter og kysset skoene hans. Han tryglet ham om ikke å dra. Dette rørte sjahen så inderlig at tårene trillet nedover kinnene hans.

Noen hentet frem Koranen og holdt boken over hodet på sjahen slik at han kunne gå under den. En iransk tradisjon når ens kjære legger ut på reise.

Sjahen kysset koranen, gikk under den og bort til flyet. Deretter kysset Farah koranen og fulgte etter sjahen. De gikk om bord. Flyet ble eskortert til grensen av to jagerfly.

Tretten dager senere kikket Āqa Djān, Faqri Sādāt, døtrene deres og Salamander på bildene fra den franske flyplassen hvor teknikere gjorde i stand en Concorde for ayatollaens historiske tilbakevending.

Baktiar hadde varslet Khomeini at han ikke ville gi flyet tillatelse til å lande, men Khomeini skjøv denne advarselen til side: «Baktiar er ingen. Jeg bestemmer! Jeg setter opp et revolusjonært kabinett. Jeg kommer hjem.»

Tidlig om morgenen gikk millioner av mennesker til flyplassen i Teheran hvor den franske Concorden skulle lande.

Blant dem var Shahbal. Han ville se det hele med egne øyne og skrive en artikkel om det.

Nosrat sto med et stort kamera på skulderen i en åpen jeep, som ble manøvrert overalt av en mann med skjegg. Han var den eneste som fikk filme alt fra kloss hold.

Concorden dukket opp over flyplassen.

«Sallā àlā Muhammed! Khomeini khosh āmad, velkommen til Khomeini!»

Flyet landet, og døren ble lukket opp. Khomeini dukket først opp i flytrappen. Han vinket behersket.

«Salām baar Khomeini!» jublet folkemengden.

Āqa Djān gikk ut. I bakgaten støtte han på Ahmad. Han visste
ikke helt hvorfor, men han omfavnet ham og holdt ham et øye-
blikk. Ingen av dem ante hva som ventet dem.

GHAZI, DOMMEREN

«Astaghferollāh, astaghferollāh, astaghferollāh, astaghferollāh, astaghferollāh, astaghferollāh, astaghferollāh, astaghferollāh, astaghferollāh, astaghferollāh, astaghferollāh, astaghferollāh, astaghferollāh,» nynnet Galgal da han gikk inn på Khomeinis værelse.

Man nynner «astaghferollāh» når man har begått en synd eller er redd for å begå en synd eller ikke vil konfronteres med noe man likevel vil bli konfrontert med. Iblant er det bare et uttrykk for beundring for noe man ikke hadde forventet skulle skje, eller en bønn om tilgivelse fra Gud.

Eller så nynner man det, akkurat som Galgal nå, når man er sikker på at man snart vil begå uopprettelige feil.

Khomeini hadde ikke ønsket å bruke sjahens slott som bolig. I stedet hadde han valgt et værelse på en imamskole i et fattigslig område.

Det var blitt mørkt da han gikk inn i værelset og satte seg ned på teppet. Han ble tilbudt et glass nytrukket te og dadler. Da han hadde tatt en slurk av teen, ba han om penn og papir.

Han ble sittende alene på værelset sitt i en halvtime, så ropte han på Galgal. Galgal fornemmet alvoret i anmodningen. Han lukket døren bak seg, knelte for ayatollaen og kysset hånden hans.

Galgal var den første som viste en slik ydmykhet for Khomeini etter at han hadde kommet til landet som leder. På den måten stilte han seg til disposisjon for ethvert oppdrag Khomeini ville gi ham.

Hviskende ba Khomeini ham om å komme nærmere. Galgal skjønte at det gjaldt et hemmelig oppdrag, han skjøt hodet frem og lyttet.

«Jeg utnevner deg til Allahs dommer,» sa Khomeini og ga ham noen dokumenter.

Galgal skalv på hendene.

«Amerika kommer til å gjøre sitt ytterste for å få has på oss. Jeg vil ha fjernet alle restene av regimet. Fjern enhver som motsetter seg revolusjonen! Om han så er faren din, fjern ham! Om han så er broren din, fjern ham. Utslett alt som står i veien for islam! Du er mitt sendebud, men du skal stå til rette bare overfor Allah. Vis at revolusjonen er blitt ugjenkallelig. Du begynner nå! Omgående!»

Galgal kysset Khomeinis hånd enda en gang, så reiste han seg og forlot værelset for å ta fatt på oppdraget sitt.

Selv om det var mørkt, satte han på seg solbrillene han hadde kjøpt i Paris.

Denne Galgal var en helt annen enn den Galgal som en gang hadde startet et opprør i Sandjän for å hindre Farah Diba i å åpne en ny kino. Nå utstrålte han makt med sin svarte turban og det lange svarte skjegget som var blitt litt grått på haken. Han skulle inngi frykt med sitt nye oppdrag.

Med en mappe under armen satte han seg en time senere inn i jeepen som sto utenfor døren og ventet på ham.

Jeepen brakte ham til det største slakteriet i byen, hvor tusenvis av kyr og sauer ble slaktet hver dag for innbyggerne i Teheran.

Det var her de viktigste statstjenestemennene fra det forrige regimet i all hemmelighet ble holdt fanget. Man fryktet at Amerika skulle befri dem, derfor var de blitt plassert mellom de stinkende kyrene i fjøset.

Galgal gikk inn i et mørkt rom med to stoler: en høy stol bak et bord til Allahs dommer og en lav stol til den mistenkte. Over den mistenktes stol hang det en lampe. Denne spredte et svakt gult skinn som bare belyste ansiktet til den mistenkte.

Tiden var knapp. I morgen ved soloppgang måtte alle skjønne

at det definitivt var over med det gamle regimet, og at det ikke fantes noen mulighet for at sjahen skulle ta makten ved hjelp av amerikanerne.

Galgal la fra seg mappen på bordet og sa: «Hent den første mistenkte.»

Den første mistenkte var Hoveidā, sjahens tidligere statsminister. Han ble ført inn i rommet i håndjern.

Hoveidā hadde vært statsminister i femten år. Han hadde alltid hatt på seg en pen dress, gått med stokk, en orkidé i knappehullet og pipe i munnen. Nå hadde han bare en skitten pyjamas.

Bortsett fra Galgal var det en maskert fotograf i rommet. Han gikk frem og tilbake og tok bilder av den mistenkte.

«Den mistenkte kan sette seg!» brølte Galgal og tok plass i stolen sin.

Hoveidā satte seg.

«Du står overfor Allahs dommer,» sa Galgal med iskald stemme. «Saken din er behandlet, og du dømmes herved til døden. Har du noe mer du ønsker å si til oss?»

Hoveidā, som alltid var blitt tatt imot som æresgjest av den amerikanske presidenten, og som tre ganger hadde mottatt stående applaus fra det amerikanske senatet, Hoveidā, som hadde studert jus i USA, ville aldri anerkjenne den stinkende låven som domstol. Derfor sa han ingenting. Men munnen beveget seg av seg selv, som om han røykte pipe.

«Sa du noe?» spurte Galgal.

«Nei, ingenting,» sa Hoveidā resignert.

«Jeg dømmer mistenkte til døden!» sa Galgal. «Dødsdommen skal utføres umiddelbart!» Hoveidā, som ennå ikke helt hadde skjønt at han virkelig var dømt til døden, ble straks ført bort av to vakter.

Han ble ført til lageret bak den store slaktehallen, hvor tusenvis av nyslaktede kuhuder lå stablet oppå hverandre. Stanken var så voldsom at man måtte holde for nesen. Vokterne plasserte Hoveidā mellom to stabler inntil veggen og ga ham bind for øynene. Ifølge muslimsk skikk bød de ham deretter et glass vann, men han takket nei med en håndbevegelse.

Hoveidā skalv i pyjamasen, men kunne ennå ikke fatte at de virkelig hadde tenkt å henrette ham. Han var overbevist om at de bare ville skremme ham. Galgals skritt lød ute på gangen. Han gestikulerte til vokterne, som straks stilte seg opp et stykke unna Hoveidā.

«Legg an!» befalte Galgal høylytt som en offiser.

Vokterne knelte på gulvet og rettet geværene mot Hoveidā.

«Jeg er uskyldig!» ropte plutselig Hoveidā med skjelvende stemme. «Jeg vil ha en advokat!»

«Fyr!» ropte Galgal.

Det ble avfyrt syv skudd, Hoveidās gjennomborede kropp falt. Ansiktet smalt mot det fuktige steingulvet i lagerrommet. Fotografen tok bilder.

Galgal vendte tilbake til stolen sin og tilkalte nestemann.

Den forhenværende sjefen for sikkerhetspolitiet ble hentet inn. Han hadde hørt skuddene og greide nesten ikke å bevege seg av redsel.

«Ta plass!»

Vokterne hjalp ham ned på den lave stolen.

«Er du Basiri?»

«Ja,» sa han etter en stund.

«Har du vært sjef for sikkerhetspolitiet, som har sørget for å få hundrevis av soldater arrestert, torturert og drept?»

Basiri svarte ikke.

«Har du vært sjef for sikkerhetspolitiet?» gjentok Galgal.

«Ja,» svarte han dempet.

«Allahs dommer dømmer deg til døden!» ropte Galgal. «Dommen vil bli utført umiddelbart. Har du noe mer å si til oss?»

Den fryktede Basiri, hvis navn alene en gang hadde fått alle og enhver til å skjelve, begynte nå å gråte og be om nåde, men en enkel håndbevegelse fra Galgal sørget for at han straks ble ført til lagerrommet, hvor Hoveidā nettopp var blitt henrettet. De satte bind for øynene på ham, bød ham et beger vann og stilte ham mot veggen.

«Legg an!» ropte Galgal høyt.

Vokterne knelte og rettet geværene mot Basiri.

«Fyr av til siste kule!» ropte Galgal med overbevisning.

Vokterne fyrte løs, og de skjøt til siste kule. På den måten kunne ikke den henrettede falle fremover på gulvet. Først etter at den siste kulen var avfyrt, falt han med ansiktet oppå en stabel ferske kuhuder, hvor han ble liggende med armene rett ut.

Galgal fortsatte til den tidlige morgen. Han lot alle regimets ledere, som var blitt arrestert og holdt fanget på slakteriet, henrette.

Da han var ferdig, vasket han hendene og ba om frokost. Et rundt sølvfat ble plassert foran ham, med varm melk, honning, kokte egg og ferskt brød. Han fikk også morgenutgaven av avisen: På første side var det et stort bilde av Hoveidā med bind for øynene idet han tok imot det første skuddet i brystet med armene høyt i været.

I løpet av en uke tok Galgal imot femten unge imamer fra Qom, dette var studenter fra imamskolen som studerte muslimsk lov.

Han utnevnte dem til islams dommere og sendte dem til de store byene for å stille tidligere statstjenestemenn som hadde vært direkte involvert i en forbrytelse, for retten. Han sendte med imamene et fribrev som gjorde at de kunne opptre unådig overfor de mistenkte.

Det banket på døren hos Āqa Djān. Han hadde fremdeles ikke kommet hjem fra basaren, så Salamander åpnet. Tre væpnede menn, med grønne tørklær knyttet over pannen, kom inn. De var soldater fra Allahs hær, en hær som besto av militante grupperinger utviklet i moskeene for å utføre Khomeinis befalinger.

«Hvor er Ahmad?» ropte en av mennen til Salamander.

Faqri Sādāt sto på kjøkkenet og hadde sett mennene, men fordi hun ikke hadde på seg chador, kunne hun ikke gå ut. Hun åpnet vinduet og ropte: «Henter du chadoren min, gutt?»

Salamander hentet chadoren hennes.

Faqri tok den på seg, kom ut og spurte: «Mine herrer, hva kan jeg gjøre for dere?»

«Hvor er Ahmad?» gjentok en av dem i en frekk tone. «Vi har fått i oppdrag å hente ham.»

«Hvor skal dere ta ham med dere?»

«Til den muslimske domstolen!»

Akkurat da kom Ahmad ut fra biblioteket, uten drakt og turban, og gikk bort til bassenget. Mennene løp straks etter ham.

Ahmad så skremt ut og spurte hva de ville.

«Vi er sendt for å hente deg, du skal fremstilles for den islamske domstol.»

«Hvorfor? Hva har jeg der å gjøre?»

«Det vet vi ikke.»

«Jeg går ingen steder!» sa Ahmad, og han knelte ved bassenget for å vaske hendene sine.

Mennene grep tak i ham og slepte ham med seg bort til døren.

Ahmad gjorde motstand og ropte: «Hva skal dette bety? Slipp meg!»

Men mennene hørte ikke på ham.

Ahmad kjempet for å vende seg mot Mekka: «Allah, hjelp meg!»

Faqri Sādāt ba Salamander om å lukke døren.

Djavād, som hadde kommet hjem den natten, kom ned.

«Ring Āqa Djān! Med en gang!» ropte Faqri Sādāt til ham.

Hun stilte seg foran mennene og sa: «Hva i himmelens navn er det dere driver med? Han er moskeens imam! Dere burde skamme dere!»

Salamander hørte Āqa Djāns skritt i bakgaten, åpnet straks døren og sa noe på sitt eget labbelensk. Āqa Djān fikk øye på Ahmad kjempende i hendene på væpnede menn.

«Hold opp! Hold opp! Hold opp! Hva er dette? Slipp ham!» ropte Āqa Djān.

Også Muezzin kom løpende, og døtrene til Āqa Djān kikket ned. Āqa Djān rev en av mennene bakover. Ahmad falt på gulvet og skulle til å løpe mot trappen for å klatre opp på taket, da en av soldatene sparket ham hardt i leggen, slik at han ramlet sammen ved bassenget. Mannen grep tak i ham, satte kneet i

258

ryggen på ham, trykket ham mot bakken og satte håndjern på ham.

Salamander sto forbløffet ved siden av Muezzin.

Āqa Djān forsøkte fremdeles å snakke til mennene: «Jeg kan ta ham med meg til domstolen. Jeg vil bare ikke at det skal skje på denne måten. Jeg er Āqa Djān, dere kan stole på mitt ord, jeg samarbeider med dere. Men det er ikke rettferdig det dere utsetter oss for.»

En av mennene skjøv Āqa Djān til side. Djavād gikk mellom dem og holdt igjen faren: «Det er nok, du kan ikke gjøre noe mer!»

«Allah! Allah! Allah! Allah! Allah!» ropte Ahmad da mennene dyttet ham brutalt inn i jeepen.

«Hva er adressen til domstolen deres?» ropte Āqa Djān maktesløst.

Bilen kjørte bort, han fikk ikke noe svar.

Faqri Sādāt gråt. Døtrene tok henne med opp i andre etasje.

Djavād ville også ta med seg Āqa Djān inn, men han nektet.

«For en forferdelig røre. Jeg vil vite hvor de har tatt ham med seg,» sa han og gikk ut.

Med bind for øynene ble Ahmad brakt til en hemmelig adresse. Her hadde den islamske domstol holdt til siden dagen før.

Da mennene fjernet bindet, så Ahmad at han sto i et dunkelt værelse, men han ante ikke hvor han var. Det eneste han visste, var at værelset befant seg i en kjeller, han hadde telt tretten trinn da han ble ført ned.

Det var ingen vinduer i værelset, og på veggene hang det store svarte kleder med hellige tekster i hvitt.

Det sto et bord og en høy stol der. Bakenfor var et grønt flagg, symbolet på islam, spikret skjevt opp på veggen.

Det sto også en mindre stol der, hvor Ahmad skulle sitte. Mennene etterlot ham alene i det trange værelset, hvor en liten gul lampe kastet et truende lys på ham.

Den neste timen skjedde det ingenting, han satt bare der i den lave stolen.

*

Stillheten i værelset og usikkerheten gjorde ham redd.

Et eller annet sted ble det åpnet en dør og det lød hastige skritt i trappen.

En vokter kom inn og ropte: «Islams dommer! Reis deg!»

Ahmad reiste seg. Han så skikkelsen til en ung imam som tok plass i den høye stolen bak bordet.

«Den mistenkte kan sette seg!» brølte han.

Ahmad satte seg og forsøkte å fastslå om han gjenkjente imamen, men på grunn av lyset, som skinte rett på øynene hans, kunne han ikke se ansiktet til imamen tydelig.

«Jeg leser opp navnet ditt, hvis det er korrekt, kan du si ja. Deretter stiller jeg et par spørsmål som du må svare på,» sa dommeren.

«Jeg er byens imam. Før jeg svarer på spørsmålene dine, vil jeg ha turbanen og drakten min. Ellers kommer jeg ikke til å svare!»

«Du er Ahmad As-sāberi, sønn av Muhammed As-sāberi.»

Ahmad sa ingenting.

«Den mistenkte har opptrådt som aktivt medlem av den hemmelige tjenesten,» fortsatte dommeren, «den verste forbrytelsen en imam kan begå.»

«Det er ikke sant, jeg har ikke gjort noe,» sa Ahmad og brøt dermed sin taushet.

«Det står her!» svarte dommeren og holdt en mappe i været.

«Det må være en falsk mappe, for jeg vet bedre enn noen annen at jeg ikke har gjort noe galt, og at jeg ikke har noen forbrytelse på samvittigheten.»

«Vi har bevis på at du var en aktiv håndlanger for sjahens hemmelige politi,» sa dommeren.

«Dere kan umulig ha noen bevis, for jeg har aldri vært en håndlanger for sikkerhetspolitiet. Som byens imam har jeg kontakt med alle, om det så er tiggere eller sjefen for sikkerhetspolitiet. De må ha rapportert om denne typen kontakt. Men dét holder ikke som bevis for en dommer! Jeg var moskeens imam i en kaotisk periode. Hver gang jeg holdt en skarp preken, kom agentene og irettesatte meg. Heller ikke dét er brukelig som bevis for en dommer. Jeg har aldri begått en feil.»

«Du er avhengig av opium,» svarte dommeren.

«Det er ingen synd, nesten alle ayatollaene i dette landet er avhengige av opium,» sa Ahmad.

«Vi har bevis på at du har røykt opium med de høye herrer i sikkerhetspolitiet.»

«Det er sant, men jeg har bare røykt sammen med dem, ikke noe annet.»

«De har gitt deg penger, det står notert her.»

«Det hører til mitt embete. Som imam er jeg folks fortrolige, alle gir meg av ulike grunner penger. Også de har gitt meg penger, og de har havnet i moskeens kasse.»

«Du har flere ganger hatt upassende kontakt med kvinner.»

«Jeg har hatt kontakt med kvinner, men jeg har alltid fulgt islams sharia.»

«Her har jeg fotografier som viser at du på en uanstendig måte røyker opium med prostituerte.»

«Sikkerhetspolitiet hadde satt opp en felle for å skade meg, men jeg har ...»

Så langt hadde han forsøkt å gi dommeren overbevisende svar, men i lyset fra den lille lampen kunne man se at hendene hans skalv, og at tårene trillet sakte ut av øyekrokene og nedover kinnene hans.

Han begynte å stamme og avsluttet ikke lenger setningene sine. Det var på grunn av opiumen. Han hadde aldri sluttet å røyke, derimot hadde han kjøpt en moderne elektrisk opiumspipe i Teheran, som satte ham i stand til å røyke overalt i smug. Āqa Djān visste om det, men hadde tolerert det stilltiende.

Hvis han hadde røykt opium, hadde han kunnet forsvare seg med større kraft nå. Men de hadde arrestert ham på galt tidspunkt, idet han skulle til å røyke før han skulle gå i moskeen.

Under det unormale presset, skrek alle cellene i kroppen hans nå sterkere enn noensinne etter opium. Han kjente et hardt press mot brystkassen, som om det sto en elefant på brystet hans.

Vanligvis hadde han alltid med seg et lite stykke opium i drakten sin, for sikkerhets skyld. Hadde han hatt denne opiumen nå, kunne han ha stukket den i munnen og følt seg noenlunde,

261

men de skjeggete mennene hadde brakt ham for dommeren i imamskjorten.

Fortvilet lette han gjennom lommene i skjorten, men de var like øde som ørkenen.

Han forsøkte å løsne knappen i kragen for å kunne puste lettere, men han greide det ikke, han hadde ikke lenger kontroll over fingrene. Kaldsvetten dekket pannen, ørene suste, stemmene døde bort, og han kunne ikke lenger høre hva dommeren sa. Det svartnet for øynene hans, og han falt ned fra stolen.

Neste morgen tok kona hans med seg barnet deres og vendte tilbake til foreldrenes hus.

ESELET

«Nei, sannelig skal de få å vite!
Så sannelig skal de få å vite!
Har Vi ikke gjort natten til en kledning
og plassert en skinnende lampe
og Vi lot falle regn fra regntunge skyer
    i strømmer.
Vi har advart dere mot en overhengende straff,
den dagen når mennesket får se
    hva han har sendt i forveien til regnskapet.»

I en måned lette Āqa Djān overalt i byen, og han besøkte alle han kjente, men han fant ikke et eneste spor etter Ahmad.

Alle visste at han var blitt arrestert, og det verserte alle slags rykter om ham i byen.

«Hva gjør du nå?» spurte Faqri Sādāt Āqa Djān.

«Jeg tror det er bedre å vente, spesielt under disse usikre omstendighetene. Du burde komme til basaren og se hvordan kjøpmennene unngår meg. Mitt omdømme står på spill.»

Āqa Djān skvatt opp da det ringte på døren.

Dørklokken lød annerledes enn ellers, det var som om det sto noen bak døren rede til å kunngjøre skjebnen.

«Hvem der?» spurte Āqa Djān med skjelvende stemme.

«Lukk opp døren!» ropte en mann høyt.

«Hvem der?» gjentok Āqa Djān.

«Vi søker Āqa Djān.»

Han åpnet døren. Det sto en væpnet mann med skjegg utenfor.

«Kan jeg hjelpe deg med noe?» sa Āqa Djān.

«Imamen vil snakke med deg under fire øyne,» sa mannen.

«Hvilken imam?»

«Han sitter i jeepen.»

Āqa Djān gikk bort til jeepen og sa gjennom vinduet til den unge imamen i baksetet: «Vær velkommen. Du kan komme inn, om du vil. Vi kan snakke sammen på arbeidsværelset mitt.»

Imamen steg ut, og Āqa Djān førte ham til værelset sitt. Han bød ham en stol.

«Egentlig burde vi ha invitert deg til den muslimske domstolen,» sa imamen rolig, «men tiden er knapp. Det gjelder en meddelelse og en forespørsel som må avklares umiddelbart.»

«Hva mener du med det? Hvilken forespørsel?»

«Domstolen har fattet et vedtak, og jeg er her for å videreformidle det. Det er skrevet ned. Jeg skal lese det opp for deg.»

Āqa Djān trodde at det skulle dreie seg om Ahmad og følte plutselig en slags lettelse, for saken kunne åpenbart forhandles.

Imamen trakk en åpen konvolutt opp fra innerlommen, tok ut brevet, brettet det omhyggelig ut og leste:

«I Allahs navn, som opptrer unådig overfor syndere som ikke vil høre på ham.

I leder ayatolla Khomeinis navn.

Den muslimske domstol har vedtatt at familien Ghaemmaghami Farāhāni, fra og med nå og på ubestemt tid, ikke lenger har noen myndighet over Djomè-moskeen i byen Sandjān!»

Āqa Djān reiste seg forskrekket opp: «Det går ikke an, moskeen tilhører oss!»

«Moskeen tilhører Gud,» fortsatte imamen rolig, «en moské har aldri vært noens eiendom. Det burde du vite!»

«Men vi har papirer på at grunnen og moskébygningen tilhører dette huset, alt står ført opp i familiekontrakten. Det er vår arv. Jeg har beviser!»

«Ikke hiss deg opp. Du kan ikke ha noen gyldige beviser på dette, moskeen tilhører alle. Familien din har bare hatt myndighet over moskeen, men det er ingen guddommelig lov. Nå som vi har en muslimsk regjeringsmakt, kan dommeren ta opp disse bestemmelsene til vurdering. Ditt tilsyn med moskeen er ikke ønsket lenger. Det er ingenting å diskutere. Den muslimske domstol har fratatt familien alle rettigheter over moskeen, og huset vil bli skilt fra moskeen. Du kan bli boende i huset med familien din. Jeg er bare her for å hente nøklene til moskeen. Kan du gi dem til meg?»

«Det kan jeg ikke! Det har jeg verken lov eller lyst til!» sa Āqa Djān. «Hva er dette for noe, dere knuser oss alle, hvorfor alle disse krenkelsene?»

«Hvis du ikke vil gi meg nøklene, vil mennene som nå står utenfor, komme og hente dem.»

«Du får ikke nøklene av meg!» sa Āqa Djān bestemt.

Imamen gikk. Da han hadde satt seg inn i jeepen, ba han mennene om å gå og hente nøklene.

Tre menn kom inn i Āqa Djāns værelse og gikk bort til skrivebordet hans. Āqa Djān, som sto rasende midt i rommet, stoppet dem og ropte: «Kom dere ut av huset mitt! Ha dere vekk!»

Mennene skjøv ham til side og begynte å gjennomsøke værelset.

«Dette er tyveri!» ropte Āqa Djān til mannen som tømte innholdet i skuffene ut på skrivebordet hans. Han gikk bort til ham og skjøv ham bort. Djavād, som hadde gått etter lyden, trakk Āqa Djān unna og stilte seg opp mellom faren og mannen.

Mennene tok med seg alle nøklene de fant i rommet, nøkkelen til skattkammeret kunne de imidlertid ikke finne, den bar Āqa Djān alltid i innerlommen ved siden av koranen.

Utpå kvelden tre dager senere fløy det et helikopter over moskeen. I helikopteret satt ayatolla Arāki. Han var en av flere titalls imamer som hadde fløyet til de store byene som sharia-ens voktere på vegne av Khomeini. Han hadde gitt ayatollaene ubegrenset makt, de trengte kun å stå til ansvar overfor ham. De ble kalt Djomas-imamene og de brukte Djomè-moskeen som basis.

Ute på gaten strakte hundrevis av troende armene mot helikopteret og ropte slagord som: «Yār-e emām khosh āmad! Velkommen til imamens makker!»

Helikopteret landet på den flate delen av taket, og en gruppe menn, representantene for basaren, gikk opp på taket for å ønske den aldrende ayatollaen velkommen.

Hundrevis av muslimer i moskeens indre gård slo seg på brystet og ropte: «Djānam be fedāyet, Khomeini!»

To væpnede unggutter hjalp ayatollaen ned trappen, og folk bar ham på skuldrene inn i moskeen.

Āqa Djān, som ville se alt på nært hold, åpnet luken til en av minaretene og krøp inn i den. Han klatret opp trinnene dit Nosrat en gang hadde tatt med seg en kvinne. Der sto han og kikket ned og tok inn alt, mens det grønne lyset fra minareten lyste på ansiktet hans.

Moskeen ble nok en gang sentrum for de viktigste strømningene i byen, og hver fredag holdt ayatollaen en tale som ble bivånet av alle troende i byen og i de omliggende landsbyene.

Ayatollaen var den mektigste mannen i byen, han hadde mange avtaler i moskeen, og uten hans godkjenning skjedde det ingenting.

Kun domstolen falt utenfor hans autoritet. Den muslimske dommeren opererte selvstendig, selv om han i spesielle tilfeller likevel vendte seg til Galgal.

Dommeren hadde snakket med Galgal på telefonen om Ahmads sak. Galgal hadde sagt sin klare mening: «Du er dommeren! Lukk øynene og fell din dom!»

Likevel gikk dommeren til moskeen, ga mappen til ayatollaen og ba om hans vurdering.

Ayatollaen gransket mappen mellom to bønner og støttet dommerens beslutning: «Besmellāh ta'ālā! Fordi han er imam, bør han straffes hardere enn en vanlig borger. Vas-salām!»

Fra soloppgang til klokken ett neste dag kjørte det rundt en jeep med en høyttaler på taket: «Ærede muslimer i Sandjān! Kom til basaren klokken to, da skal dommeren felles sin dom over Ahmad As-sāberi, det tidligere medlemmet av sikkerhetspolitiet. Dette er den første offentlige muslimske rettssaken. Allah er barmhjertig, men også hard når det er nødvendig.»

Āqa Djān sto ved bassenget i bakgården da han hørte denne meddelelsen. Et øyeblikk ble kroppen hans til stein. Han kjente ikke beina sine lenger, måtte holde seg fast i lyktestolpen og lene hodet inntil den.

Også Faqri Sādāt hadde hørt det. «Hva gjør vi nå?» spurte hun forvirret.

«Ingenting, bare Gud kan hjelpe oss. I en måned har jeg banket på alle dører og kysset alles hender, men ingenting har hjulpet. Ingen har visst noe om rettssaken, alt har foregått bak stengte dører,» sa Āqa Djān.

«Hvorfor gjør ikke Zinat noe? Hun har jo kontakt med aya-tollaene.»

«Etter det jeg har skjønt, kan hun ikke gjøre stort. Ikke engang hun vet hvem som er dommer, og hvem som står bak rettssaken. Dessuten samarbeider hun fullstendig med dem, derfor kan hun ikke ta spesielt hensyn til sønnens rettigheter.»

«Hvorfor ikke? Du har fortalt meg hundre ganger at han er uskyldig.»

«Jeg vet ikke, Faqri! Jeg vet ikke lenger.»

«Ahmad er først og fremst sønnen hennes, han er moskeens imam først i andre rekke. Hvorfor må du oppsøke alle og kysse alles hender, mens hun ikke viser ansiktet sitt engang? Hvor er hun egentlig? Hvorfor holder hun seg skjult også for deg?»

«Faqri, en revolusjon har funnet sted. Det er ikke bare snakk om en enkel politisk maktovertakelse, det har skjedd en omvelt-ning i menneskenes holdninger. Det kommer til å skje ting vi ellers aldri kunne ha forestilt oss. Folk vil være i stand til å gjøre fryktelige ting. Se deg om, alle har forandret seg. Det er nesten umulig å kjenne igjen folk; det er nesten umulig å vite om folk har satt på seg en maske, eller tvert imot latt den falle. Hvem vet hva som har skjedd med Zinat. Hvem skulle trodd at hun ville bli så betydningsfull?»

«Betydningsfull? På hvilken måte?» reagerte Faqri skarpt.

«Hun har makt, hun bestemmer, hun organiserer, og bare Gud vet hva hun ellers gjør.»

«Hun er ingenting. Hun er stygg. Alle kvinnene som samarbeider med henne er fæle. Det er kvinner ingen noensinne snudde seg etter. De er stygge, alle sammen!»

«Faqri!»

«Zinat er stygg inni seg,» fotsatte hun, uten å la seg merke med Āqa Djāns reaksjon.

«Dette er ikke tiden til å snakke om slike ting. Jeg går til basaren, jeg går og ser, kanskje kan jeg likevel gjøre noe for Ahmad.»

«Du må ikke gå dit. Det vil bare bli en fornedring. Hold deg hjemme, og vent til stormen har lagt seg.»

«Jeg må være der, dette er livet mitt. Fornedring eller ei, det spiller ingen rolle lenger.»

Āqa Djān gikk for å be først, så tok han på seg hatten, rettet ryggen og gikk skjebnen i møte.

I basaren var det fullt av folk. Han stilte seg opp under et tre slik at han hadde god oversikt over podiet hvor rettssaken skulle finne sted. Alle snakket sammen, alle var nysgjerrige på hvordan utøvelsen av den muslimske loven, shariaen, ville forløpe.

Det dukket opp tre militære kjørtøyer, et par muslimske voktere steg ut fra hver jeep. Deretter kjørte en svart Mercedes-Benz inn på plassen. En av vokterne åpnet bildøren, og en ung imam steg ut. Vokterne fulgte ham bort til podiet hvor han satte seg på en høy stol og ropte: «Hent ham!»

Ahmad ble hentet frem fra et provisorisk grønt forheng. Han så uflidd og svak ut. Den siste tiden hadde han ikke rørt opium. Ansiktstrekkene og holdningen hans hadde derved endret seg kraftig. Han gikk som en gammel landstryker som ikke hadde vasket seg på evigheter. Hvis dommeren ikke hadde presentert ham, ville ingen ha gjenkjent ham.

Alle så med forbløffelse på Ahmad As-sāberi, den elskede imamen, som en gang hadde fått bunkevis av kjærlighetsbrev fra kvinner.

Dommeren mante folkemengden til stillhet og begynte å fremføre dommen sin: «Ahmad As-sāberi har gjort seg skyldig i

268

tett samarbeid med sikkerhetspolitiet under det forrige regimet! Han har samarbeidet med Satan. Dette er høyforræderi overfor islam og overfor moskeen hans! Men fordi han ikke har blod på hendene, pålegges han en fengselsstraff på ti år.»

Folkemengden ble urolig, og dommeren mante igjen alle til stillhet og fortsatte: «Gjerningsmannen kan ikke lenger fungere som imam, derfor skal turbanen og drakten tas fra ham.»

Ahmad skalv i den lange, skitne skjorten sin.

«Men fordi han var Djomè-moskeens imam og hadde en forbildefunksjon, pålegges han en tilleggsstraff,» sa dommeren. Deretter var han stille et øyeblikk, og så sa han plutselig: «Hent eselet!»

Vokterne hentet et hvitt esel bak tribunen.

Nå vokste uroen på plassen: «Hva driver de med? Hva har de tenkt å gjøre med ham?»

Eselet, skremt av folkemengden, nektet å rikke seg, og vokterne måtte skyve det opp på podiet.

Āqa Djān gjenkjente plutselig det hvite eselet til Am Ramazān. Så dukket det opp en gruppe muslimer med grønne tørklær om pannen med teksten «Khomeinis soldat», de ropte: «Allah er stor! Død over sjahens håndlanger!»

Dommeren ropte: «Vi setter gjerningsmannen bak frem på eselet og fører ham til Djomè-moskeen. Det er en barmhjertig straff for en som har gjort skam på sin imamdrakt!»

Publikum var sjokkert, alle så overrasket på Ahmad, som stirret i bakken med et tomt blikk.

Āqa Djān tørket svetten av pannen. Han kunne ikke tro at de skulle føre Ahmad bak frem på et esel gjennom byen.

Han visste at Ahmad hadde gjort mye dumt, men han nektet å tro at han noensinne hadde vært sjahens håndlanger. Det passet ikke til hans karakter. Men hvorfor sa ikke Ahmad noe? Hvorfor protesterte han ikke? Hvorfor forsvarte han seg ikke?

Āqa Djān presset seg frem og ropte høylytt: «Ahmad! Du er ingen forræder! Forsvar deg selv!»

Alle så på Āqa Djān.

«Du må åpne munnen! Du må si noe!» ropte han enda høyere.

Ahmad våknet da han hørte Āqa Djān.

Dommeren ropte: «Stille!»

«Du kan ikke tie, Ahmad!» ropte Āqa Djān.

«Stille!» ropte dommeren enda en gang.

To voktere gikk mot Āqa Djān.

«Du må våkne, Ahmad! For min skyld! For vår skyld! For moskeens skyld!» ropte Āqa Djān mens han kjempet med mennene som prøvde å få ham fjernet.

«Du er imam i moskeen vår, forsvar ...» ropte han, men greide ikke å avslutte setningen. En av vokterne hadde grepet høyrearmen hans, bøyd armen bakpå ryggen og presset ham med hodet mot bakken.

«Ahmad! Gjør noe for oss!» ropte Āqa Djān mens vokterne holdt ham nede.

To kjøpmenn fra basaren løp frem og trakk Āqa Djān unna vokternes hender og føtter. De tok ham med seg tilbake til det stedet der de hadde stått.

Ahmad samlet alle sine krefter, snudde seg mot folkemengden, holdt hendene opp i luften og ropte: «Ved Koranen! Jeg er uskyldig!»

«Slutt!» ropte dommeren.

«Ved moskeen! Jeg har aldri vært en håndlanger!»

«Slutt!» ropte dommeren sint.

«Jeg kunne aldri ...» ropte han, men var ute av stand til å avslutte setningen. To voktere hadde løftet ham opp og forsøkte å plassere ham på eselet. Eselet trakk seg forskrekket tilbake. En av vokterne slo eselet hardt i siden med geværet, dyret snublet, falt og reiste seg opp igjen.

En gammel mann med gevær på ryggen og et grønt tørkle om pannen steg frem. Han klappet eselet over hodet og holdt dyret i ro slik at mennene kunne sette Ahmad i salen.

Āqa Djān ble forskrekket da han så den gamle mannen.

Så han riktig? Det var tjeneren deres, Am Ramazān. Han var blitt soldat i den muslimske hæren. Det var ikke til å tro, han hadde stilt eselet sitt til rådighet i forbindelse med denne krenkelsen av Ahmad. Han sørget til og med for å holde dyret i ro.

Han burde skamme seg, han hadde fremdeles nøkkelen til huset deres i jakken, hvordan kunne folk forandre seg så fort?

Det smertet Āqa Djān slik at han plutselig som en gal begynte å sitere suren Al Morsalat høyt:

Ve den som sendes,
den ene etter den andre,
som stormer frem,
som brer ut og skiller ut.
Det dere er stilt i utsikt, vil visselig inntreffe.
Når stjernene slukkes,
når himmelen revner,
når fjellene pulveriseres.
Ve dem som holder sannhet for løgn på denne dag!

Eselet satte seg i bevegelse, og Ahmad gråt stille. Noen kastet en stein på ham som traff ham i hodet.

Āqa Djān, som ikke lenger holdt det ut, sprang frem og sperret veien for eselet: «Stopp! Ingen får kaste steiner. Han er ikke blitt dømt til steining. Hvor er den fordømte dommeren?»

En vokter dyttet Āqa Djān hardt ned mot bakken. Med en fart man ikke ville forventet av ham, reiste han seg og sprang bort til eselet igjen.

Vokteren stoppet ham med underkanten av geværet.

Det ble kastet enda en stein, den traff høyreøret til Ahmad.

Hastig tok Āqa Djān frem koranen fra innerlommen, skjøv vokteren bort, stormet mot Ahmad, stilte seg opp foran ham, løftet koranen i været og ropte: «Ved denne boken! Ikke stein ham!»

Vokteren trakk koranen ut av hånden hans og slo ham hardt med den i ansiktet. Āqa Djān mistet balansen et øyeblikk, men gjenvant den, grep Ahmad om midjen og trakk ham av eselet, slik at de begge falt på bakken.

To voktere plasserte Ahmad tilbake på eselet, mens de andre vokterne sparket Āqa Djān hardt i magen, i ryggen og i beina.

Eselet begynte å gå, og folkemengden fulgte etter dyret mot moskeen.

Āqa Djān lå sammenkrøpet av smerter på bakken. Han nynnet:

«Å, du som ligger overdekket
Du som ligger innhyllet i din kappe
Stå opp og advar!
Ved månen
Ved morgenen når den gryr!»

Han satte hendene mot bakken og kom seg på beina med store anstrengelser.

KUA

I begynnelsen var kua, og resten var stillhet. Slik tenkte de gamle perserne. Derfor står det kuhoder på søylene i de gamle persiske palassene i provinsen Fars.

Da kua døde, kom resten av livet ut av kroppen hennes. Det kom dyr og planter frem fra huden.

Slike tanker forsvant med tiden og ble erstattet av andre. Ilden ble hellig, og kua falmet.

Ilden brant fremdeles sterkt i ildtemplene i fjellet da Zarathustra ble født i Yazd. Han var den første persiske profet. Han forkynte at verken kua eller ilden skulle tilbes. Han plasserte Gud i himmelen og ga ham et navn: Ahorā Mazdā.

Ilden ble Ahorā Mazdās symbol på jorden.

Profeten bød folket *Avesta*-en, hvor Guds hellige ord sto.

Flere århundrer senere ble islam forkynt av Muhammed, og alle gamle persiske forestillinger ble visket ut, og ilden ble slukket.

På fjorten hundre år har verken kua eller ilden blitt hyllet, men deres ånd har levd videre i persernes folkesjel.

Nå forårsaket islam et alvorlig brudd i Āqa Djāns familie. De siste åtte hundre årene hadde huset bekjempet islams fiender som en enhet fra moskeens prekestol. For første gang vendte islam selv seg som en fiende mot familien.

Selv om revolusjonen egentlig var over, kom ikke Shahbal hjem.

Nosrat klarte seg bra. Døgnet rundt var han opptatt med å erobre seg en posisjon innen iransk kino i den nye muslimske republikken. Han hadde ikke tid til å dra hjemom. Han ringte ikke engang lenger.

Zinat hadde gitt seg fullstendig hen til Khomeinis islam og kom sjelden hjem. Hun hadde brutt kontakten med familien. Ingen visste helt hva hun drev med.

Muezzin følte seg ikke frisk og la stadig oftere ut på reise, og også Djavād dro ofte bort.

Hjemme fortalte han ingen om hvor han dro, men han var stadig oftere i Teheran. Han hadde tatt kontakt med Shahbal, for han hadde alltid hatt en taus sympati med den venstreorienterte bevegelsen som Shahbal nå spilte en aktiv rolle i.

«Hvorfor drar du ikke hjem?» spurte han Shahbal.

«Da Khomeini oppholdt seg i Paris, lovet han at han skulle tolerere andre. Men nå som han sitter ved makten, vil han ikke lenger høre snakk om det. Han mener at den venstreorienterte bevegelsen drives av blasfemiske mennesker som ikke hører til under hans muslimske styre. Derfor har vi gått under jorden og holder oss skjult på hemmelige adresser. Khomeini er ikke til å stole på.»

Også Nasrin og Ensi, døtrene til Āqa Djān, hadde bestemt seg for å dra. De ville flytte på hybel i Teheran.

Ingen kvinner fra huset hadde gjort noe slikt før. Nasrin og Ensi var voksne kvinner, de ville ikke lenger sitte hjemme og vente på en mann.

Faqri Sādāt hadde alltid gitt dem en skjermet oppdragelse. For henne var det ikke noen absolutt nødvendighet at de gikk i moskeen, og hun hadde sendt dem til byens beste skoler.

Etter at de var ferdig med videregående skole, begynte de begge på en lærerutdanning. Og hvis alt hadde fortsatt som før, ville de vært ferdig med studiene og hadde kunnet begynne å undervise. Men da revolusjonen startet, stengte alle universiteter og skoler, og etter revolusjonen fikk de ikke lenger lov til å avslutte studiene.

Det nye muslimske regimet hadde startet en kulturrevolusjon i bedriftene og på kontorene, skolene og universitetene. Alle som ikke ble ansett som muslimske nok av komiteen, ble sendt hjem.

Nasrin og Ensi var de første fra sitt kull som ble nektet adgang. Dette hadde blant annet sammenheng med Ahmad og oppstyret Āqa Djān hadde skapt ute i basarplassen.

De ble boende hjemme en stund, men de hadde ikke lenger noen fremtid i Sandjān.

«Nasrin og Ensi ønsker å dra til Teheran. De har snakket med meg om det,» sa Faqri til Āqa Djān før de gikk og la seg.

«Vi kan ikke la to jenter dra alene til Teheran,» sa Āqa Djān.

«Hva vil du gjøre med dem, da? Vil du holde dem her i all evighet?»

Āqa Djān svarte ikke.

«De har ingen fremtid her. Du må la dem dra.»

En dag gikk Nasrin og Ensi til Āqa Djāns værelse. De sa at de ønsket å dra til Teheran og bo og jobbe der, og at han ikke burde prøve å hindre dem.

«Jeg har ikke tenkt å hindre dere,» sa Āqa Djān.

Dermed flyttet de til Teheran, den første tiden bodde de hos en gammel klassevenninne.

Āqa Djān fortsatte å gå til basaren hver dag, men ingenting var lenger det samme. Alle mennene hadde latt skjegget gro og konkurrerte med hverandre om å bli så lik de geistlige som mulig. De var uforskammede og viste ingen respekt for ham. Hans trofaste tjener kom på jobben i militsuniform, slik at Āqa Djān ikke lenger torde snakke i telefonen når han var i nærheten.

Når han tidligere hadde besøkt teppeverkstedene sine runt omkring i landsbyene, var han blitt tatt imot som en konge av innbyggerne. I dag var det ingen som kom og ønsket ham velkommen lenger.

En dag da en gammel venn fra Isfahan kom på besøk, fant han Āqa Djān bak skrivebordet, bøyd over papirene. Han gjenkjente ham ikke. Āqa Djān var blitt gammel. Grå og nedbrutt.

Han forsøkte å fortsette å jobbe som før, men det gikk ikke, han holdt det ikke ut. Han kom stadig tidligere hjem og holdt på i hagen. Noen ganger forsvant han ned i kjelleren og rotet rundt i tingene i timevis. Da pleide Faqri Sādāt å gå ned til ham:

«Hva er det egentlig du driver med?»

«Jeg har aldri hatt tid til å kikke ordentlig i alle kistene.»

«Det får være nok for i dag, vask hendene dine, jeg har gjort i stand nytrukket te.»

275

Han vasket hendene og ansiktet i bassenget og gikk inn på kjøkkenet og drakk te sammen med Faqri.

«Vær tålmodig,» sa Āqa Djān når Faqri klaget over barnas fremtidsutsikter.

«Hvordan kan jeg være tålmodig, når alle barna mine har dratt hjemmefra uten å ha noen fremtidsutsikter, når vi ikke engang vet hvor de er?»

«Det er ikke bare barna våre som lider, tusenvis av andre er rammet av samme skjebne. Det har alltid vært slik i livet, og det kommer alltid til å være slik, men det finnes noe som kan hjelpe oss alle: tålmodighet.»

«Du er sterk i troen, du greier å være tålmodig, jeg greier det ikke, jeg er svak, jeg tviler ofte. Jeg tør nesten ikke si det til deg, men jeg tviler på at Gud ser alt dette.»

«Faqri, vær sterk, ikke gå deg vill i mørket, ellers mister du roen, og det er ikke bra for deg.»

«Alle tar vare på seg selv først og fremst, alle forsøker å sikre sitt eget liv. Du er den eneste som har vært rettferdig og som fortsatt er rettferdig, men hva har du oppnådd? Du har endt opp i kjelleren! En gang var du den viktigste mannen i basaren, ditt ord var gull verdt, men hva gjør du nå? Roter rundt i gammelt skrot i kjelleren.»

«Det må du ikke si, Faqri,» sa Āqa Djān såret.

«Unnskyld, men du vet godt hva jeg mener. Hvor er det blitt av vennene dine, basarens mektige menn, skal de ikke hjelpe deg?»

«Jeg trenger ikke hjelp fra noen,» svarte Āqa Djān.

«Alle har latt deg i stikken. Hvor er Zinat? Hvor er Muezzin, og fremfor alt: Hvor er din bror Nosrat? Har du hørt fra ham?»

Akkurat da sto Nosrat i dusjen hjemme hos seg selv. Han funderte på hvordan han skulle bidra til den iranske kinoens utvikling. Men han visste at det ikke var mulig uten Khomeinis godkjenning. Mens vannet plasket ned over hodet på ham, fikk han en fenomenal idé. En ku. Han ropte det ut: «Der har vi det! Nå vet jeg det!» Han skrudde straks igjen kranen, grep et håndkle, tørket av seg, kledde på seg og skyndte seg ut. Han tok en drosje til slottet hvor Beheshti hadde opprettet et kontor.

Det hadde gått ni måneder siden revolusjonen hadde brutt ut, og Khomeini visste fremdeles ikke hva han skulle gjøre med kinoene. Dørene til kinoene var blitt spikret igjen. De var erklært urene, på lik linje med bordellene.

På grunn av det tette samarbeidet mellom Nosrat og Beheshti hadde det oppstått en fortrolig tone dem imellom. Beheshti kjente til kinoen. I Tyskland hadde han ofte gått på kino i smug, men han syntes ikke tiden var moden for å snakke med Khomeini om det.

«Jeg vet hva vi må gjøre,» sa Nosrat til Beheshti, «vi må rett og slett ta med oss imamen på kino. Han må se med egne øyne at en kino er noe helt annet enn et bordell.»

«Vær realistisk,» sa Beheshti, «hva skulle vi kunne vise ham som ville overbevise ham?»

«Jeg har tenkt å vise ham *Ku*» sa Nosrat.

«Ku?»

«Det er den første seriøse persiske filmen, man kan til og med kalle den muslimsk.»

«Og den heter *Ku?*»

«Ja, *Ku*. En persisk klassiker. Jeg vil ikke kalle den et mesterverk, men det er det beste vi kan vise imamen. Kua er rotfestet i enhver persers sjel, også i imam Khomeini. Jeg skal sette i stand en kino, så tar du med deg imamen din. Islam kan komme til å bety svært mye for kinoen. Jeg har store planer. Hvis Khomeini godkjenner filmen, kan det oppstå en selvstendig kinokunst i vår kulturs midte. Shiamuslimene har et helt unikt syn på verden, og vi har dessuten den gamle persiske kulturen som bagasje. Innen kort tid vil vi ha erobret alle kinoene i verden.»

«Vi kan snakke om resten av verden en annen gang, la oss i første omgang vise denne filmen til imamen.»

«Vi har ikke så mye tid, det må skje snart, alle kinoene er allerede spikret igjen, og de store teppehandlerne har startet en landsomfattende aksjon: De kjøper kinoene og gjør dem om til moskeer.»

«Vi får ikke imamen inn på en kino.»

«Jeg kan gjøre det på en annen måte. Jeg kan bringe kinoen til imamen.»

«Det er en god idé,» sa Beheshti med et smil.

«Det blir et historisk øyeblikk, Khomeini kommer til like det, filmen utspilles på bondelandet, hvor han kommer fra.»

Allerede neste kveld dro Nosrat til Khomeinis bosted i Teherans nordlige åser med et sammenrullet lerret på skulderen og en prosjektor i hånden.

Beheshti tok ham med seg inn på imamens arbeidsværelse, hvor Khomeini satt på et teppe, lent mot en pute inntil veggen. Siden revolusjonen tok til, hadde Nosrat hatt grått hår og skjegg og en kunstnerisk hatt. Vanligvis knelte alle for Khomeini og kysset hånden hans, Nosrat gjorde ikke det. Han tok av seg hatten og bukket lett.

Beheshti presenterte ham: «Dette er kameramannen som har laget reportasjer fra revolusjonen, som flere ganger er blitt kringkastet av internasjonale fjernsynsselskaper. Han er en pålitelig mann. Han kommer fra en god, religiøs familie og har interessante ideer i tilknytning til kinoene. Jeg lar ham være alene med deg.»

Det oppsto et øyeblikks stillhet da Beheshti hadde forlatt værelset.

Nosrat satte fra seg tingene sine og fant et sted å henge opp det hvite lerretet. Han fisket en liten hammer opp fra lommen og spikret opp det hvite lerretet med to spikre på veggen overfor Khomeini, uten å be om lov.

Han flyttet på et bord som sto ved siden av veggen og satte prosjektoren på det. Så plasserte han en stol midt i rommet og sa: «Vil du sitte i denne stolen?»

«Jeg sitter godt her!» svarte Khomeini lettere irritert.

«Jeg skjønner det, men stolen utgjør en del av kinoen.»

Khomeini så forbløffet på ham. Ingen hadde snakket til ham på den måten før. Men Nosrat var fotograf, og det fantes to mennesker man alltid burde lytte til: legen og fotografen. Derfor reiste han seg og satte seg på stolen midt i værelset.

278

Nosrat trakk for gardinene og slo av lyset, slik at det ble bekmørkt i værelset.

Så slo han på prosjektoren.

Rullen begynte å snurre, filmen var i svart-hvitt og gammel. En ku dukket opp i bildet, hun rautet. Det hadde ikke Khomeini forventet. Så kom det en bonde og kysset kua på hodet, klappet henne på halsen og sa: «Kua mi. Kjære kua mi. Kom! La oss gå en tur.»

Bonden gikk først, og kua fulgte etter. Da de hadde kommet ut på enga tok bonden frem den tradisjonelle pipen sin, satte seg ned i skyggen av et tre og begynte å røyke, mens han så tilfreds på den gressende kua. Så dukket det opp en bondekone med skaut.

«Salām aleikom, Mashhaddi!»

«Salām aleikom, Badji. Kom og sett deg her i skyggen. Det er varmt i dag. Jeg skal snart ta med meg kua mi ned til elven. Dyret hadde det så varmt i fjøset. Hvordan går det med deg, Badji?»

Bondekona satte seg ned på bakken ved siden av ham og sammen kikket de taust på kua.

Det var ingen fantastisk film, men den inneholdt et par magiske scener fra livet til en vanlig landsbyboer. Fortellingen var nøktern, og man ble grepet nettopp av landsbyboernes primitive liv.

Det var en film som passet godt til Khomeinis nye muslimske republikk, for det fantes ingen modernitet i landsbyen. Alle bondekonene hadde slør, og Koranen var allestedsnærværende. Det fantes ingen elektrisitet eller vannledninger i landsbyen, og det var ingen musikk å høre, for ingen hadde radio. Man kunne vanskelig tenke seg en bedre introduksjonsfilm for Khomeini. Han ville høyst sannsynlig gjenkjenne seg selv, foreldrene og andre landsbyboere fra den tiden.

Historien handler om en bonde som ikke har noen barn, men som er så glad i kua si. En dag blir kua syk. Landsbyens vismenn råder ham til å slakte kua før det blir verre, men det vil han ikke høre snakk om.

Så en dag faller kua død om i bondens fravær. Landsbyboerne bestemmer seg for å begrave henne før bonden kommer tilbake.

Da bonden kommer hjem og spør etter kua, sier alle at den har stukket av. Bonden får panikk. Han leter etter kua si i dagevis, men kan ikke finne henne. Så mister han livslysten og greier ikke lenger å spise.

Landsbyens vismenn drar til ham for å trøste ham og forklare at det ikke passer seg for et menneske å sørge over en ku. Men bonden er så syk at han tror at han selv er blitt en ku. Da vismennene kommer til ham, begynner han å raute som en ku av sorg.

Vismennene tar frem lommetørklærne og gråter stille over bonden.

Da filmen var slutt, slo Nosrat på lyset. Khomeini grep etter lommetørkleet.

Den påfølgende fredagen kom ayatollaene i hele landet med en underlig meddelelse i løpet av prekenen: «I kveld blir det vist en film på fjernsynet. Filmen heter *Ku* og er godkjent av imam Khomeini. De troende kan se på den!»

Folk som ikke hadde fjernsyn hjemme, strømmet inn i tehusene om kvelden for å se på filmen.

Det var en viktig dag i den iranske kunstens historie.

Āqa Djān kikket på filmen sammen med Salamander i det lille skuret på taket. For ham var det dessuten første gang han så en film. Da han så kua og bonden og de fattigslige husene, kunne han ikke skjønne at det var den skamroste filmen.

Shahbal så den sammen med Djavād.

Nasrin og Ensi, døtrene til Āqa Djān, så filmen med en gammel klassevenninne.

Sediq så den sammen med et par muslimske kvinner i Teheran. Ved hjelp av søsteren sin hadde Galgal ordnet det slik at Sediq kunne være i hovedstaden en stund.

Zinat Khānom bodde hos Azam Azam, som hadde ansatt henne som sin assistent.

I mellomtiden hadde Zinat uttrykt sin avsky for Ahmad

280

i moskeen. Hun hadde sagt at hun skammet seg over sin sønn.

Zinat var ikke alene. Mange troende foreldre sto frem på fjernsynet og tok avstand fra sine barn, motstandere av ayatollaene. Alle snakket om dette fenomenet, men ingen skjønte det. Hadde det med deres tro å gjøre? Eller var de hjernevasket av de geistlige?

Etter at Zinat hadde uttrykt sin avsky, ble hun neste dag innkalt til ayatollaens arbeidsværelse. Han ville snakke med henne under fire øyne.

«Zinat Khānom, du er et forbilde for muslimske kvinner i denne byen. Du er en ekte mahdjube. Hellige Fāteme er fornøyd med deg. Hør nå godt etter! Jeg ber deg gi kvinnene i Sandjān et muslimsk ansikt. Jeg vil at alle skal være som Zinat Khānom. Er det forstått?»

«Ja, forstått, ayatolla!» sa Zinat og reiste seg.

Zinat opprettet en ærbarhetskomité sammen med seks fanatiske kvinner. Denne gruppen begynte å islamisere kvinnenes atferd offentlig.

De fleste kvinnene i byen brukte svart chador når de gikk ut, men det fantes mange unge kvinner som ikke ville rette seg etter det muslimske regimet, og som nektet å bruke chador. Tre jeeper med tre slørkledde kvinner og en væpnet mann begynte å patruljere i byen. De kontrollerte hijaben til byens kvinner.

Så snart de fikk øye på en kvinne som ikke brukte sløret ifølge de muslimske forskriftene, eller som brukte sminke, hoppet de ut av jeepen og stoppet henne.

Hvis kvinnen lyttet til deres råd og rettet på hodeplagget, lot de henne gå, men hvis hun var stor i kjeften, skjøv de henne inn i en liten buss som fulgte etter jeepen, og tok henne med seg til en hemmelig adresse for å gi henne en lærepenge.

Alle de arresterte kvinnene endte opp hos Zinat.

Sammen med Azam Azam hadde hun tenkt ut metoder for å skremme slike kvinner.

Azam Azam smurte inn beina til kvinnene med sirup, og Zinat satte dem i et mørkt rom med kakkerlakker.

Jenter som var store i kjeften, ble stengt inne på et mørkt rom med pipende mus myldrende om føttene sine.

Nylig hadde Zinat vasket de rødsminkede leppene til en kvinne så hardt med et ru håndkle at leppene hennes hadde begynt å blø.

Den kvelden alle i hele landet satt foran fjernsynet og så på *Ku*, klatret en stor gruppe muslimske studenter, med Khomeinis godkjennelse, over gjerdene til den amerikanske ambassaden og gikk inn. I en lynaksjon arresterte de ambassadøren og sekstifem medarbeidere, som av sikkerhetshensyn oppholdt seg i bygget. Gislene ble straks brakt til hemmelige steder, for det muslimske regimet fryktet at Amerika ville komme og befri dem i en storstilt aksjon.

For sikkerhets skyld ble de viktigste personene sendt med jeep til Qom, Isfahan og Sandjān.

Midt på natten ble Sandjāns ayatolla Arāki vekket i sengen av assistenten.

«Du må kle på deg,» hvisket han, «det står noen og venter på deg i stuen.»

«Hvem er det?» sa ayatollaen.

«En veldig ung mann, han vil fortelle deg en statshemmelighet.»

Ayatollaen kledde straks på seg. I stuen sto den unge mannen og ventet på ham.

Ayatollaen rakte frem hånden til ham, mannen kysset den og sa dempet: «Jeg er student ved universitetet i Teheran. Jeg har en hemmelig meddelelse fra ayatolla Ruhollah Khomeini til deg.»

Ayatollaen strakte hodet frem og studenten hvisket hemmeligheten i øret på ham: «Det står tre biler utenfor med syv amerikanere med bind for øynene.»

Ayatollaen tok straks på seg turbanen, grep stokken sin og sa: «Blir du med?»

Han satte seg inn i en av bilene og så kjørte de inn i ørkenen.

*

I månedsvis førte representanter fra Iran og Amerika, med Sveits som megler, lange samtaler om løslatelse av gislene, men forhandlingene førte ingen steder hen. Khomeini hadde stilt to knallharde krav til amerikanerne:

I. At sjahen ble utlevert, slik at han kunne stilles for en muslimsk domstol.

II. At de mange milliardene dollar iranske oljepenger i amerikanske banker ble tilbakeført.

Men amerikanerne kunne ikke utlevere sjahen, for ayatollaene ville komme til å henrette ham umiddelbart. De kunne heller ikke gi tilbake de mange milliardene dollar på så kort varsel. Forhandlingene ble brutt, og så ble det stille.

Hundre og syttito dager senere fløy seks amerikanske transportfly i mørket over Sandjān. Ingen så eller hørte dem. En halvtime tidligere hadde de tatt av fra dekket til et amerikansk hangarskip som lå forlatt i Persiabukten. Med Saddam Husseins tillatelse hadde de fløyet inn i Iran via irakisk luftrom.

De var på vei til en hemmelig militær flyplass i ørkenen. Det var meningen at sjahens tidligere kommandoenhet skulle befri gislene og frakte dem med helikopter til flyplassen i ørkenen, slik at de kunne komme seg ut av landet.

Amerikanerne hadde funnet ut hvor gislene ble holdt ved hjelp av en av Khomeinis fortrolige, som spionerte for dem.

Men aksjonen var mislykket. Ved en rekke mystiske forhold, som bare Khomeini kjente til, falt alt i fisk. «Allah stoppet dem!» ropte Khomeini neste morgen da det ble kjent at den svært hemmelige amerikanske militæroperasjonen hadde endt i en katastrofe.

«Allah beskytter dette landet,» sa han med rolig stemme, «hvorfor skjønner ikke amerikanerne det? Det er svært enkelt: Det er Gud som har sørget for dette.»

Da to av de amerikanske flyene skulle til å lande på den hemmelige flyplassen, kolliderte de med et helikopter. Flyene og helikopteret ble antent, og det oppsto et flammehav midt i den tørre ørkenen. Ingen visste om det.

Utfallet var åtte døde og fem sårede. Like etter ulykken trakk de resterende flyene seg tilbake til hangarskipet.

En gjeter som hadde sovnet under et tre ved en gammel brønn i utkanten av ørkenen, ble brått vekket av en for ham ukjent lyd. Han reiste seg opp og skuet utover ørkenen i nattemørket. En svart røyksky steg opp mot den klare himmelen.

Han klatret opp i treet og så ilden i det fjerne, og skjønte straks at det hadde skjedd noe forferdelig. Han forlot flokken sin og løp mot landsbyen. En halvtime senere sto alle landsby-boerne på taket og kikket på flammehavet.

Landsbyens imam løp til moskeen og kastet seg over telefo-nen, landsbyens eneste telefon. Han slo nummeret til ayatolla Arāki: «Jeg kan se høye flammer i ørkenen. Landsbyens vis-menn har aldri sett noe lignende. Det må ha skjedd noe!»

Ayatollaen sendte umiddelbart ut kommandanten for den muslimske hæren for å inspisere. Tre kvarter senere gikk aya-tollaen bort til det røde telefonapparatet sitt og ringte direkte til Khomeinis hus i Teheran: «Unormalt høye flammer! Det må ha styrtet et par fly. Ilden er for sterk, vi kommer ikke nærmere!»

Før Teheran greide å stable på beina en gruppe etterforskere som de kunne sende til Sandjān, red landsbyboerne på eslene sine til de nedstyrtede flyene og forsøkte å redde de sårede.

Myndighetene visste fremdeles ikke hva som hadde skjedd, da Radio Moskva kringkastet nyhetene klokken seks neste mor-genen: «Tre amerikanske fly har styrtet i Irans ørken, like ved Sandjān.»

Muezzin, som lyttet til denne kanalen hver morgen, hørte nyhetene, men skjønte ikke betydningen av meldingen. Først da de oppsummerte og gjentok navnet «Sandjān», skyndte han seg til Āqa Djān og ropte: «Noen amerikanere har styrtet i ørke-nen!»

Den statlige fjernsynskanalen begynte nyhetene klokken to med en direktesending fra ørkenen, kameraet zoomet inn på likene av amerikanerne. Så dukket ayatolla Arāki opp på skjer-men. Han holdt en intens appell med en kalasjnikov i høyrehånden: «Islam er et mirakel, etter fjorten hundre år er islam fremdeles et mirakel.

De amerikanske flyene kom inn i landet vårt via Irak. De hadde slått av lysene og fløy i mørket. Amerikanerne benyttet de mest moderne elektroniske hjelpemidler for å villede våre radarer. De hadde tenkt ut alt i hver minste detalj, og de super-intelligente datamaskinene deres hadde beregnet alt, men én ting hadde de glemt å ta med i beregningen: Koranen! Vi trenger ingen supermoderne datamaskiner for å beregne slikt, vi trenger ingen elektroniske øyne for å kunne se alt, det finnes bare én som vokter over dette landet, det finnes bare én som beskytter oss, bare én som har alt under kontroll når vi sover. Og det er Allah.

Amerika har datamaskinen, vi har Allah.

Amerika har store rekognoseringsfly, vi har Allah.

Amerika! Hvis dere lurer på hvem som har fått flyene deres til å styrte, les suren Al Fiel:

'Alam tara kayfe raboka beh asabel fiel
Du har vel sett hva Herren gjorde med elefantfolkene?
Lot Han ikke deres list slå feil?
Han sendte over dem fugleflokker,
som kastet på dem steiner av brent leire,
og lot dem bli som avspist vegetasjon.'»

AL-HARB

Fem måneder senere dukket det opp tre irakiske krigsfly over Teheran rundt klokken tolv på ettermiddagen. De fløy så lavt at man kunne se pilotene. Alle flyktet på grunn av den øredøvende og fremfor alt fryktinngytende larmen.

Flyene bombarderte flyplassen og erklærte derved *al-harb*, krig, mot Iran.

Den irakiske hæren hadde tatt seg inn på Irans bakkeområder natten i forveien. De hadde okkupert alle strategiske deler av den sydlige, oljerike provinsen Khuzestān. Det viktigste iranske gass-og oljeraffineriet var nå i hendene på Saddam Hussein.

Regimet var sjokkert, folk kunne ikke tro det. Først da fjernsynet sendte ut de første bildene av irakiske tanks utenfor de iranske oljeraffineriene, begynte det å gå opp for dem at dette ikke var trusler, men en alvorlig krig.

Khomeini holdt en tale på fjernsynet og oppfordret alle som eide et gevær om øyeblikkelig å melde seg ved den nærmeste moskeen. «Det er jihad!»

På grunn av dette opropet, greide man i løpet av et døgn å samle en stor hær av troende. Tusenvis av unge og gamle uerfarne menn ble satt på busser og sendt til fronten.

I mellomtiden spionerte amerikanske rekognoseringsfly høyt over krigsområdene. De filmet den muslimske hærens bevegelser og ga informasjonen videre til Saddam Hussein, med den følge at troppene hele tiden ble bombardert av irakiske fly.

Khomeini, som slett ikke følte seg slått, oppmuntret folket sitt: «Bare døden kan redde oss. Amerika holder øye med alt ovenfra. Vi har bare ett alternativ: Vi må slå en bro av døde før vi kan slåss mot Irak.»

En hær av troende, kledd i likkleder, grep til våpnene og dro for å bane seg vei til den irakiske hæren. Til slutt nådde de iranske troppene irakerne, og så startet en krig som skulle vare i åtte år. Flere millioner soldater skulle dø på begge sider.

Ayatollaene fryktet at motstanderne deres ville bruke krigen for å undergrave regimet. Khomeini stolte ikke på den venstreorienterte bevegelsen, han betraktet dem som fiender av Allah og av Koranen. Han ventet derfor tålmodig på det rette øyeblikket til å tilintetgjøre dem for godt. Den venstreorienterte motstandsbevegelsen begynte å jobbe i det skjulte for å svekke ayatollaenes svært religiøse muslimske stat og få dem fjernet.

For å trygge hjemmefronten besluttet regimet straks å utrydde den venstreorienterte bevegelsen.

Khomeini sa det først til Galgal: «Dra dem opp med roten. Uten nåde! Fjern dem, tilintetgjør enhver som motsetter seg islam!»

Lederne av det gamle kommunistiske Tudehpartiet, som stilte seg hundre prosent bak Khomeini, ble arrestert i løpet av én time.

Men regimet var ikke i stand til å få has på lederne av undergrunnsbevegelsen. De var blitt mer radikale og vurderte i det skjulte å gå til væpnet opprør mot regimet. Tudehpartiet, som ikke ville kjempe mot Khomeini, gikk i fellen.

Tre netter senere viste muslimsk fjernsyn frem den aldrende lederen for dette partiet for å skremme alle sammen. Han var knekket, mager, grå og ubarbert. Man kunne se at han var ført direkte fra torturkammeret til kameraet, han tryglet dem om å la ham være i fred.

Det var en redselsfull scene, et velregissert videoopptak for å skremme dem alle. Oppdraget hadde lyktes, for samme natt forsøkte de resterende medlemmene av partiet å flykte over grensen.

*

I Sandjān fikk ayatolla Arāki i oppdrag å rense Den røde lands-
byen. Landsbyen opplevde sine beste år på den tiden. Den var
blitt et autonomt område med egne regler, en fantasilandsby
hvor ungdommen hadde skapt sin egen lille versjon av en kom-
munistisk idealstat. Landsbyens avling ble samlet og fordelt rett-
ferdig blant landsbyboerne. Om kvelden kom man sammen på
torget og leste opp dikt for hverandre av den russiske dikteren
Majakovskij.

Den natten angrepet fant sted, satt alle på torget og kikket på
en russisk film. Plutselig ropte noen: «Tanks! De kommer denne
veien. Blokker alt!»

Men det var for sent for blokader. På et øyeblikk var torget
tømt. Noen flyktet opp i fjellet, andre gikk inn i huset og låste
døren, de som hadde gjemt unna et gevær tok med seg våpenet
opp på taket.

Det dukket opp et helikopter over landsbyen, skudd ble løs-
net fra takene. Helikopteret trakk seg tilbake i en skarp bue.

Tanksene kjørte inn i landsbyen, og hundre væpnede musli-
mer dukket frem fra intet og inntok sin posisjon i mørket. To
helikoptre lyste på takene med skarpe lys. De begynte å skyte
på alt som beveget seg i mørket.

Ingen hadde forventet et slikt voldsomt angrep. De væpnede
muslimene holdt et øye med området utenfor landsbyen og skjøt
på folk som prøvde å flykte.

Fra takene ble det skutt fanatisk tilbake, men hvert skudd
ble besvart med en granat som fikk hele taket til å eksplodere.

Det var meningsløst å slåss, dørene i husene ble lukket opp
én etter én, og landsbyboerne kom ut med hendene i været.

Terrengbiler fulgte etter dem som hadde flyktet opp i fjellet,
og skjøt på dem hvis de ikke overga seg.

Alle de arresterte ble brakt til fengselet samme natt. Blant
dem var Djavād, Āqa Djāns sønn.

Galgal, Guds fryktede dommer, fløy med helikopter til Sandjān
for å dømme de arresterte. Hvor han enn landet, sådde han død
og fordervelse.

Solen hadde ennå ikke kommet opp, og Sandjāns befolkning lå fremdeles og sov da ni unge menn fra Den røde landsbyen ble henrettet.

Byen våknet med et sjokk. Foreldre, hvis sønner eller døtre var blitt arrestert, løp til fengselet for å sjekke listen over henrettede.

Likene ble overlevert til familiene, men ifølge shariaen var alle urene, og et urent lik kunne ikke begraves sammen med de vanlige døde. Fedrene måtte frakte sine avdøde med varebil opp i fjellet og følge dem til graven der.

Āqa Djān ante ikke at Djavād var arrestert. Han trodde at han var i Teheran.

Han var ikke i nærheten av å anta at Djavād kunne befinne seg blant fangene. Han kjente en av guttene som var blitt henrettet, sønnen til legen som hadde praksis vis-à-vis moskeen, og var akkurat i ferd med å lese opp Koranen for dem da telefonen hans ringte. Han løftet av røret.

«Jeg skal fatte meg i korthet,» sa en mann uten å presentere seg. «Jeg er en venn av Djavād. Han ble arrestert i Den røde landsbyen. Sjansen for at han blir henrettet, er stor. Hvis du vil gjøre noe for ham, må det skje nå. Hvis han må stilles for Guds dommer, er det for sent,» og så la han på.

Āqa Djāns hånd skalv da han la røret på plass. Tusen tanker for gjennom hodet på ham. Han ville rope på Faqri Sādāt, men greide det ikke. Sønnen hans var arrestert, hvorfor visste han ikke om det? Og hvor var mannen som hadde ringt ham? Hvem var han?

Djavād hadde så vidt ham bekjent dratt til Teheran, hva hadde han gjort i den landsbyen?

Og hva kunne han gjøre for ham nå?

Han visste ikke hvor han skulle begynne. Han løftet av røret et par ganger for å ringe noen, men la det tilbake.

Han tok jakken fra stumtjeneren, satte på seg hatten og gikk ut, men han hadde bare så vidt kommet utenfor døren da telefonen ringte igjen. «Tilgi meg,» sa den samme stemmen, «han sitter fremdeles i byfengselet. Dommeren kommer tilbake om

289

et par dager for å dømme de siste arrestantene. Du må skynde deg.»

«Men hva gjorde han i landsbyen? Og hvem er du?»

«Vi var i landsbyen sammen, jeg greide å flykte i tide, han ble arrestert. Du må gjøre noe med én gang. Beklager, jeg kan ikke snakke lenger, jeg må avslutte,» sa mannen.

Āqa Djān skyndte seg til ytterdøren, men snudde på halvveien og ropte: «Faqri Sādāt!»

Hun svarte ikke.

«Faqri Sādāt!» ropte han høyere.

Faqri hørte på stemmen hans at det var noe alvorlig på ferde. Hun kom ned.

«Vær sterk,» sa Āqa Djān, «Djavād er arrestert!»

Faqri besvimte nesten. «Hva? Hvorfor arrestert?» greide hun så vidt å få frem.

«En venn av ham har nettopp ringt, han ble arrestert i Den røde landsbyen.»

«Hva gjorde han i Den røde landsbyen?»

«Jeg vet ikke.»

«Kanskje han dro dit sammen med Shahbal. Hvor er Shahbal?»

«Det vet jeg heller ikke. Vi må gjøre noe, før det er for sent,» sa han og skulle til å dra. «Men jeg vet ikke hva, jeg aner ikke hvor jeg skal dra.»

«Gå til moskeen!» sa Faqri Sādāt, ansiktet hennes var likblekt. «Snakk med ayatollaen!»

Āqa Djān ville si noe, men han gjorde det ikke, i stedet løp han av gårde til moskeen. Siden muslimene hadde tatt fra ham moskeen, hadde han ikke vært der, ikke engang for å be. Han gikk inn, men ayatollaen var ikke der.

«Hvor er ayatollaen?» spurte han den nye oppsynsmannen.

«Han har endret på avtalene sine, han kommer ikke til å være i moskeen på en stund. Folk plager ham med spørsmål i forbindelse med henrettelsene.»

«Hvor kan jeg nå ham, tror du?»

«Jeg vet ikke. Ingen vet det, han bor på ulike adresser.»

Āqa Djān gikk til kjøpmannen rett overfor moskeen.

«Er det noe jeg kan gjøre for deg, Āqa Djān?»

«Vet du kanskje hvor ayatollaen bor? Jeg trenger å snakke med ham!»

Kjøpmannen skjønte alvoret i spørsmålet hans og sa: «Lā elāha ella'llāh. Jeg har ikke lov til å si det, men sjekk det store huset hvor sjefen for sikkerhetspolitiet en gang bodde.»

Āqa Djān tok en drosje dit.

Det sto to væpnede agenter utenfor døren. Han gikk bort til dem, men de ropte at han ikke fikk gå videre. Han måtte melde seg i porttelefonen. Han trykket på den lille knappen. Det tok tid før noen svarte.

«Hva er det?» spurte noen brått og uforskammet.

«Jeg vil snakke med ayatollaen.»

«Skriv det du har å si pent på en lapp og legg den i postkassen til høyre.»

«Jeg vil snakke med ham personlig.»

«Alle vil snakke med ham personlig, men det går ikke.»

«Men det er helt nødvendig. Jeg er Āqa Djān, forhenværende nøkkelinnehaver til Djomè-moskeen. Hvis du sier det til ham, vil han nok ta imot meg.»

«Det spiller ingen rolle hvem du er, ayatollaen har ikke tid. Dessuten er han ikke her, og jeg vet ikke når han kommer.»

Āqa Djān ble stående rådløs ved porttelefonen.

«Ikke stå der! Ha deg vekk!»

Han gikk innover mot byen igjen. Det var første gang i sitt liv at han ikke visste hva han skulle gjøre.

En bil bremset opp, sjåføren rullet ned vinduet og ropte: «Hva er det du driver med? Prøver du å ta livet av deg?»

«Tilgi meg,» sa Āqa Djān. «Det er min feil!»

Sjåføren gjenkjente ham og så det nedslåtte blikket hans.

«Hvor skal du? Jeg kan kanskje gi deg skyss,» sa han.

«Jeg? Jeg skal til fengselet, hvis det ikke er til bryderi for deg.»

«Hvilket fengsel? Det gamle eller det nye?»

«Jeg vet ikke, det fengselet hvor guttene ble henrettet.»

«Det gamle, altså. Sett deg inn!»

Det gamle fengselet utenfor byen var omgitt av høye, tykke murer. Bilen stoppet på plassen foran fengselet, og Āqa Djān

291

steg ut. Den store jernporten var lukket, tre agenter holdt vakt oppå murene. Ut over det var det ingen å se.

Det hadde ikke mørknet helt ennå, men de store lyskasterne ble slått på automatisk.

«Det er ingen her,» ropte sjåføren, «hvis du vil, kan jeg kjøre deg hjem.»

Men Āqa Djān hørte ham ikke, han gikk bort til døren og lette etter en dørklokke, men det fantes ingen dørklokke. Han slo på jernporten med knyttneven, men ingen svarte.

«Er det noen der?» ropte han høyt.

«Jeg kan kjøre deg hjem, om du vil!» ropte sjåføren en gang til.

«Mine herrer!» ropte Āqa Djān til agentene på muren, men de lot som om de ikke hørte ham.

«Mine herrer!» ropte han høyere.

Sjåføren steg ut, gikk bort til ham, tok ham i ermet og sa: «Det er bedre at du drar hjem nå og kommer tilbake i morgen.»

Han hjalp ham inn i bilen, kjørte inn til byen og slapp ham av ved moskeen.

Da Āqa Djān kom hjem, fikk han en idé. «Faqri!» ropte han bestemt. «Ta på deg chadoren!»

«Hvorfor?»

«Vi skal til Am Ramazān!»

De hadde ikke sett Am Ramazān på lenge. De visste ikke hva han holdt på med, bare at han lot eselet jobbe for ayatollaen og at han bar uniform. Āqa Djān ringte på, men det var ikke noe lys i huset.

Han ringte på en gang til. Det lød skritt i gangen, døren ble åpnet og Am Ramazān dukket opp i døråpningen. Han hadde langt skjegg og pistol. Fordi han sto i mørket virket han høyere.

Han hadde ikke ventet å se Āqa Djān og Faqri Sādāt.

«Kan vi komme inn et øyeblikk?» spurte Faqri.

«Vær så god,» sa Am Ramazān.

Det hang et stort portrett av Khomeini på veggen, og det sto innrammede portretter av andre ayatollaer overalt.

«Vi trenger din hjelp, Am Ramazān,» sa Āqa Djān, «Djavād er arrestert. Kan du gjøre noe for oss?»

Am Ramazān så overrasket ut. Han hadde alltid jobbet som tjener for dem, de hadde vært snille mot ham. Nå sto de knekket foran ham og ba om hans hjelp.

«Hva kan jeg gjøre for dere? Jeg vet ikke om jeg har så mye å bidra med.»

«Jeg ønsker å snakke med ayatollaen. Kan du ordne det for meg? Det må skje nå, med én gang! Jeg frykter at det ellers vil være for sent.»

«Nå? Det går ikke. Jeg vet ikke, jeg mener, vent litt ... Sett deg, Faqri Sādāt, vil du ha en kopp te?» sa han og gikk bort til telefonen han hadde fått installert.

Han slo et nummer og sa: «Det er meg! Jeg vil gjerne lage en avtale med ayatollaen. Kan du ordne det for meg? Nei, ikke for meg personlig. For en bekjent ... Ja, jeg kjenner ham godt, jeg har kjent ham lenge, det er viktig ... I kveld, hvis det er mulig ... Jeg skjønner. Og i morgen ...? Greit, i moskeen, etter prekenen? Nei, heller før prekenen.»

Āqa Djān fikk tårer i øynene.

Det var fredag, og folk strømmet til moskeen. Āqa Djān sto utenfor døren og ventet på ayatollaen, men han ble oppholdt.

Da ayatollaen skulle dra til moskeen ringte den røde telefonen hans.

«Forrige uke bombet Irak troppene våre med kjemiske våpen. Det falt tusenvis av døde. Et par hundre av dem kom fra Sandjān og nabolandsbyene,» hørte han koordinatoren for fredagsbønnen si. «Dere får likene i morgen.»

Endelig stoppet ayatollaens svarte Mercedes-Benz utenfor moskeen. Et par voktere steg ut. Āqa Djān skulle til å gå bort til ham, men en av vokterne stoppet ham.

«Jeg har en avtale med ayatollaen,» sa Āqa Djān.

«Gå til side!» ropte vokteren.

Ayatollaen kastet et blikk på Āqa Djān, men han kjente ham ikke. Han hadde aldri sett ham før.

Āqa Djān tok av seg hatten og bukket. Ayatollaen gikk forbi ham.

«Jeg har en avtale med deg!» ropte Āqa Djān.

Ayatollaen stoppet opp et øyeblikk, snudde seg og gikk videre.

Āqa Djān løp etter ham.

«Jeg er moskeens forhenværende nøkkelinnehaver!» ropte han, idet en vakt grep tak i ham.

Ayatollaen ga tegn til at han skulle slippe ham.

Āqa Djān skyndte seg bort til ham. Arāki stakk ut hånden mens han gikk videre i retning av moskeen. Foran døren til bønnerommet tok Āqa Djān hånden hans og kysset den.

De troende i moskeen, som så at ayatollaen kom inn, reiste seg og tok imot ham med slagord.

Alle så at Āqa Djān kysset ayatollaens hånd, og at ayatollaen sto stille et øyeblikk og lyttet til ham. Alle så at Āqa Djān fortsatt snakket da ayatollaen irritert gikk sin vei, og at Āqa Djān grep tak i ayatollaens drakt, og at vokterne drev ham brutalt vekk.

Ayatolla Arāki gikk rett bort til den høye prekestolen og stilte seg på det nederste trinnet. En vokter ga ham et gevær som han symbolsk holdt i som et tegn på krigstiden. Han begynte på talen sin: «Saddam, som ikke er sin fars sønn, har bombet vår edelsten i Isfahan! Saddam er ingenting, han er en bastard som adlyder Amerika. Amerika tar hevn! Amerika bruker Saddam som krigsmaskin! Det er ikke Saddam, men Amerika som bomber moskeene våre!

Amerika! Bomb oss! Vi er ikke redd for dere. Amerika, ødelegg våre historiske gudshus! Vi er ikke redd for dere!

Saddam er en lakei!

Han frykter oss, frykter vår hær, frykter deres sønner.

Sandjāns troende! Forbered dere. Jeg har smertefulle nyheter.

Saddam har bombet våre sønner med kjemiske våpen.

Mor, forbered deg!

Far, forbered deg!

Snart må vi begrave våre sønner. Men våre sønner har kommet til paradis og blir tatt imot av englene.»

«Allāho Akbar! Allāho Akbar!» ropte menneskene.

«Allah er stor! Vi skal seire! Vi skal erobre Baghdad, vi skal ramme Amerika i Israel. Vi skal befri Al-haram ash-sharif!»

«Allāho Akbar! Allāho Akbar!» ropte massen.

«Dette er vanskelige tider, men sønnene deres er i ferd med å skrive historie. Jeg gratulerer dere med deres sønners død!

Men vær våken, mor! Pass godt på, far! Vi kjemper på to fronter samtidig. Der ute kjemper våre sønner mot Saddam. Og her hjemme bekjemper vi kommunistene, en liten, men svært farlig fiende som befinner seg iblant oss. Også denne skal vi dra opp med roten!»

Han pekte på Āqa Djān med geværet og ropte: «Ingen nåde! Men en hard straff!»

«Allāho Akbar!»

Āqa Djān, som satt på knærne på gulvet, kjente moskeen presse mot skuldrene. Kroket i ryggen mumlet han:

«Deg tilber vi, vi søker hjelp hos Deg.
Led oss på den rette vei!
Deres vei, som Du har beredt glede,
ikke deres, som har vakt Din vrede,
eller deres, som har valgt den falske vei.»

Hjemme svøpte Faqri Sādāt seg straks i den svarte chadoren da Āqa Djān fortalte henne hvordan ayatollaen hadde behandlet ham.

«Hvor skal du?»

«Jeg skal oppsøke Zinat. Hun må hjelpe oss!»

«Hun kommer ikke til å hjelpe deg. Hun gjorde ingenting for Ahmad, og hun kommer ikke til å gjøre noe for Djavād. Verden står på hodet. Khomeini har oppfordret til jihad. Han har pålagt alle å angi motstanderne. Selv mødre forråder sine barn.»

«Djavād har ikke gjort noe galt.»

«Ikke vær så naiv, Faqri, det sier alle mødre. Han hadde ikke bodd hjemme på lenge. Vi aner ikke hva han har gjort, eller hvorfor han var i den landsbyen.»

«Likevel vil jeg oppsøke Zinat.»

«Zinat har uttrykt sin avsky for Ahmad i moskeen. Hvis hun snakker slik om sin egen sønn, kommer hun aldri til å hjelpe din sønn.»

«Vi har ikke noe valg, vi må gå. Du også, vi drar sammen.»

Zinat jobbet fremdeles på kvinneavdelingen i fengselet, der presset hun fangene så voldsomt at de ga fullstendig etter og var rede til å be syv ganger i døgnet. Skamløst forrådte de vennene sine én for én. Da Zinat en kveld hadde vært i huset og hentet de siste tingene sine, uten å si ifra til noen, hadde hun hørt Āqa Djāns stemme i mørket: «Zinat, hvorfor gjør du alt i smug? Hvorfor vil du ikke møte oss? Hvorfor hilser du ikke engang på oss lenger?» Zinat hadde ikke svart, bare fortsatt å gå mot døren.

Āqa Djān hadde stoppet henne.

«Du kan ikke stikke av. Du må gi meg et svar. Folk sier dårlige ting om deg bak din rygg. Det sies at du er blitt en bøddel, er det sant?»

«Folk får si hva de vil,» sa Zinat. «Jeg utfører bare min plikt. Jeg gjør det Allah ber meg om!»

«Hvilken Allah er dette? Hvorfor kjenner jeg ikke denne Allahen?»

«Tidene har forandret seg!» sa Zinat.

Hun lukket opp døren og gikk.

Zinat følte seg vel, hun hadde aldri følt seg så vel. Hva folk sa, betydde ingenting for henne, hun gjorde ikke noe galt. Da Ahmad ble arrestert, avtalte Zinat i all hemmelighet et møte med Galgal i Qom. Det skulle bli et avgjørende møte, et vendepunkt i livet hennes. Iblant hadde hun tvilt på om hun var på riktig vei, men Galgal hadde fjernet all tvil.

«En stor revolusjon har funnet sted,» hadde Galgal sagt til henne, «islam har endelig trukket et tjuefem århundrer gammelt kongerike opp med roten. Vi er i ferd med å stifte den første shiamuslimske republikk. Allah vil straffe oss nådeløst hvis vi lar denne unike sjansen gå fra oss. Allah har to ansikter. Et barmhjertig ansikt og et redselsfullt ansikt. Nå er tiden inne for det redselsfulle, fryktinngytende ansiktet. Det er ingen annen måte å holde islam oppe på. Fiendene våre er plagsomme. Det er ikke et valg. Du må følge islam og gi slipp på resten. Om det er sønnen din, faren din eller moren din, spiller ingen rolle. Allah vil belønne deg i paradis.»

Komiteen til ærbarhetssøstrene, ledet av Zinat, holdt til i den tidligere embetsboligen til det forrige regimets borgermester.

Da Āqa Djān og Faqri kom dit, sto det en gruppe foreldre i den indre gården. De hadde kommet for sine fengslede døtres skyld. Faqri Sādāt trakk chadoren tettere om ansiktet og gikk mot trappene. To svartslørede kvinner stoppet henne.

«Hva vil du?» sa en av dem.

«Jeg vil snakke med Zinat Khānom.»

«Søster, søster Zinat!» korrigerte den andre kvinnen henne.

«Tilgi meg,» svarte Faqri Sādāt, «selvfølgelig, jeg mener søster Zinat!»

«Søster Zinat har ikke tid, hun kan ikke ta imot noen.»

«Det gjelder et familieanliggende, jeg må snakke med henne.»

«Hun har ikke tid, familie eller ei, det spiller ingen rolle.»

«Jeg er svigerinnen hennes. Og dette er Āqa Djān, den eldste svogeren hennes. Jeg må snakke med henne umiddelbart. Hvis du forteller henne at vi er her, vil hun helt sikkert møte oss.»

«Jeg skal se hva jeg kan gjøre. Men trekk dere tilbake og vent der nede.»

«Selvfølgelig,» sa Faqri.

Gjennom en glipe i gardinen inne på arbeidsværelset hadde Zinat sett Āqa Djān og Faqri blant menneskene.

Hun hadde hørt om Djavāds arrestasjon, men hun visste at hun ikke kunne gjøre noe for ham.

Galgal ringte til henne iblant, men hun kunne ikke ringe ham. Hun visste ikke akkurat hva han gjorde, og hun hadde ingen anelse om at det var han som var den fryktede Guds dommer.

Ville hun ha hjulpet Djavād hvis han virkelig var i fare? Hun skalv av maktesløshet. Nei, hun kunne ikke hjelpe ham. Hun var ikke en som kunne stoppe slikt, hun kunne bare utføre oppdrag. Khomeini hadde gjort det helt klart i sin tale til ærbarhetssøstrene: «Islam hviler i dag på deres skuldre. Dere må ofre deres barn om nødvendig!»

Zinat kikket ned enda en gang.

«Jeg vil ikke møte dem. Si til dem at jeg ikke er her,» sa hun til vakten.

Vakten gikk ned og sa til Faqri Sādāt: «Søster Zinat er ikke her. Hun er borte.»

Faqri Sādāt så seg fortvilet om, hun kikket opp på vinduene, og plutselig falt blikket hennes på kvinnen bak gardinen. Hun gjenkjente Zinat. Gardinen lukket seg.

«Hun er der,» sa Faqri, «jeg så henne akkurat ved vinduet.»

«Hun er ikke til stede, sa jeg, gi plass,» sa vakten ettertrykkelig.

Āqa Djān trakk Faqri Sādāt i armen.

«Kom, så går vi!»

«Nei, jeg vil ikke gå, jeg blir her, jeg må snakke med Zinat,» sa hun.

«Ha dere vekk! Ellers roper jeg på brødrene!» sa vokteren.

«Zinat!» ropte Faqri.

En væpnet mann dukket opp og skjøv Faqri Sādāt mot døren med geværet: «Kom deg bort! Forsvinn!»

«Zinaaaaaaat!» ropte Faqri så høyt hun kunne.

Den skjeggete mannen slo til henne med geværet. Faqri vaklet og smalt inn i døren, chadoren gled ned fra hodet hennes. Āqa Djān grep mannen i kragen og dyttet ham mot muren, vokteren ropte om hjelp. To væpnede menn stormet mot Āqa Djān. Zinat lukket opp vinduet og ropte: «Ikke slå! Slipp ham! La ham gå!»

Āqa Djān plukket opp Faqris chador fra bakken, trakk den over hodet og skuldrene hennes og sa: «Vi går hjem!»

Sent på ettermiddagen ankom Galgal til Sandjān.

Mange soldater fra byen hadde omkommet ved fronten, det gjorde det til et gunstig øyeblikk å dømme motstanderne av regimet på.

Han mottok de mistenkte i fengselets forhenværende stall, hvor man fremdeles kunne lukte hestemøkk. Det hang hestesko, saler og seletøy på veggene. Galgal valgte alltid de mørkeste hjørnene.

Tre unge menn ble brakt inn, og Galgal felte sin dom innen et kvarter, én av dem fikk dødsstraff og de to andre henholdsvis ti og femten års fengselsstraff.

Deretter fulgte en ung jente.

«Navn?»

«Mahbub!»

«Du ble arrestert da du forsøkte å flykte, hvorfor flyktet du?»

«Jeg flyktet fordi jeg var redd for å bli arrestert.»

«Hva hadde du gjort som gjorde at du var redd for å bli arrestert?»

«Jeg hadde ikke gjort noe som helst.»

«Det lå pamfletter i vesken din!»

«Det er ikke sant. Det lå ingenting i vesken min.»

«Du ble arrestert i Den røde landsbyen. Bor du der?»

«Nei.»

«Hva gjorde du der da?»

«Jeg besøkte venninner.»

«Hva heter venninnene dine?»

«Det kan jeg ikke si.»

«Du vil ikke si det. Greit. Angrer du på det du har gjort?»

«Jeg har ikke gjort noe galt, jeg har ikke gjort noe jeg trenger å angre på!»

«Hvis du undertegner her og gir uttrykk for din anger, skal jeg redusere straffen din.»

«Hvis jeg ikke har gjort noe galt, hvorfor må jeg undertegne noe da?»

«Seks år! Neste!» ropte Galgal.

Hun ble ført bort, og en væpnet mann brakte Djavād inn.

«Navn!» sa Galgal uten å se på ham.

«Djavād!» sa han.

«Din fars navn?»

«Āqa Djān!»

Galgal løftet plutselig hodet, det var som om han ble stukket av en veps i nakken. Han så på Djavād bak de mørke brillene.

En skarp lampe skinte i øynene på den mistenkte, slik at han ikke kunne se sin dommer. Galgal mistet pennen på gulvet. Han bøyde seg frem for å plukke den opp, og i løpet av ett sekund så Djavād en liten del av Galgals ansikt.

Han mente å dra kjensel på dommeren.

Galgal bladde i papirene, åpenbart for å vinne tid. «Et glass vann!» ropte han.

To vakter kom inn og grep Djavād i armen for å ta ham med seg ut. De trodde at dommeren hadde ropt for å få ham fjernet.

«La ham sitte. Hent et glass vann til meg!» ropte Galgal.

Jeg kjenner ham fra et eller annet sted, for det gjennom hodet på Djavād. Stemmen hans lyder også kjent.

En av vaktene satte et glass vann foran Galgal og forsvant. Galgal tok en slurk og sa: «Du har en omfattende mappe. Du har vært aktivt medlem av et kommunistisk parti, du er den skjulte hjernen. Du er blitt arrestert med en pistol i lommen som du hadde avfyrt tre skudd fra. Vitner har sett deg skyte på et helikopter. For slike alvorlige forbrytelser får du dødsstraff. Har du noe å si til oss?» sa Galgal.

«Alt er løgn. Dessuten erkjenner jeg ikke denne domstolen. Det du gjør er ulovlig! Jeg har krav på en advokat! Krav på å forsvare meg!»

«Hold kjeft og hør på meg!» svarte Galgal biskt. «Jeg har allerede brukt mer tid på deg enn på alle de andre. Mappen din ramser opp en rekke alvorlige forbrytelser.»

«Det er en falsk mappe, informasjonen er ikke korrekt. Jeg har aldri hatt en pistol i lommen og definitivt ikke skutt på et helikopter.»

«Jeg har ikke tid til å diskutere med deg. Jeg råder deg til å høre godt etter, oppfattet? Jeg kjenner faren din og vil gjerne hjelpe deg hvis du samarbeider.»

Det er Galgal, gikk det plutselig opp for Djavād. Galgal er Guds dommer!

Tanken skremte ham, han ble tørr i munnen og begynte å skjelve på hendene. Galgal skjønte at han hadde gjenkjent ham.

«Hør på meg, unge mann. I morgen kommer det mer enn tre hundre lik fra fronten, gutter sånn som deg. De har kjempet mot vår fiende, du har beskutt våre helikoptre. For meg spiller det ingen rolle hvem du er, om du så hadde vært broren min, ville jeg gitt deg dødsstraff. Men jeg gjør et unntak fordi jeg kjenner faren din. Jeg stiller deg tre spørsmål. Tenk deg godt om før du svarer. Er du smart, gir du meg det riktige svaret. Du må innse at jeg aldri har gitt eller kommer til å gi noen en lignende sjanse.

Spørsmål én: Er du kommunist eller tror du på islam?»

Djavād innså ikke alvoret i Galgals ord. Han kokte av sinne: «Jeg nekter å svare på det spørsmålet. Du kan ikke stille slike spørsmål som dommer. Dessuten er ikke dette en rettssal, men en stall.»

«Tenk godt igjennom hva du sier,» sa Galgal, som var synlig skuffet. «Det andre spørsmålet: Vil du be syv ganger om dagen sammen med de andre i fengselet om jeg gir deg en straffreduksjon?»

«Bønn er et personlig spørsmål. Det vil jeg heller ikke svare på,» sa Djavād.

«Spørsmål tre: Vil du undertegne dette skjemaet hvor det står at du erkjenner anger?»

«Hvorfor skulle jeg erkjenne anger når jeg ikke har gjort noe galt? Nei, det vil jeg ikke.»

Galgal var ambivalent. Han ville gjerne spare Djavād, men da måtte han samarbeide en smule.

«Jeg gir deg enda en sjanse, og jeg råder deg til å benytte deg av denne anledningen,» sa Galgal.

Han tok frem en liten koran fra innerlommen og ga den til Djavād og sa: «Hvis du sverger ved Koranen at du ikke hadde en pistol i lommen og at du ikke har avfyrt noen skudd, vil jeg redusere straffen din! Hvis du ikke gjør det, stiller jeg deg straks opp mot veggen!»

«Du har henrettet hundrevis av uskyldige mennesker. Det er en forbrytelse. Det er en forbrytelse overfor Koranen. Jeg nekter å gjøre det. Nettopp fordi du kjenner min far, nekter jeg å gjøre det. Jeg skammer meg over det du gjør. Din svake personlighet er en kjent sak hjemme hos oss. Du vil gjøre meg en tjeneste, men jeg vil ikke ta imot. Du føler deg skyldig overfor min familie, men jeg skammer meg over deg. Jeg vil ikke ha straffreduksjon fra en bøddel som lot sin kone og sitt handikappede barn i stikken, en bøddel som til og med har mishandlet sin kone. Jeg kommer aldri til å knele for noen som i løpet av ett døgn har henrettet hundrevis av kurdere. Jeg er ikke min fars sønn hvis jeg gjør det. Legg koranen din tilbake i lommen, jeg trenger den ikke.»

«Døden!» ropte Galgal høyt.

Vaktene stormet inn og tok med seg Djavad til det stedet hvor de henrettet fangene.

En av vaktene satte bind for øynene på ham og stilte ham opp mot veggen. Djavad trodde ikke at Galgal ville la ham drepe. Han ville bare skremme ham og få ham til å erkjenne sin anger.

Vaktene lot ham stå med bind for øynene et øyeblikk. Djavad var overbevist om at de bare ville skremme ham ytterligere. Dessuten hadde han aldri hatt en pistol i lommen og aldri skutt på et helikopter. De hadde ingen grunn til å stille ham opp mot veggen. Det lød skritt, han antok at det var Galgal som kom for å snakke med ham. Han var overbevist om at han ville komme bort til ham, at han på grunn av Āqa Djān ikke kunne la ham henrette.

Men Galgal kom ikke bort til ham. Djavad ventet at Galgal skulle si: «Nå får det være nok, ta av ham det bindet og før ham til fengselet.»

«Legg an!» ropte Galgal.

To vakter knelte på gulvet og rettet geværene mot Djavad.

Djavad rettet seg opp i ryggen for å vise Galgal at han ikke var redd. Han visste at Galgal ikke ville gå videre.

«Fyr!» ropte Galgal.

Det ble skutt. Djavad merket ikke noe til kulene i kroppen. Et øyeblikk tenkte han: Der kan du se, de ville bare skremme meg.

Han vaklet.

Han falt.

Han la hodet mot gulvet og lukket øynene.

FJELLENE

Āqa Djān hadde hentet Djavāds lik, det lå i varevognen utenfor døren.

Faqri Sādāt sto ved vinduet og kikket ned på Muezzin som gikk urolig frem og tilbake. Der hun sto bak vinduet, lignet hun et svart-hvitt-fotografi, et fotografi av en sørgende mor.

Ifølge persisk skikk skulle hun gråte nå, slå seg hylende i hodet og rive det grå håret ut av hodet. Kvinnene skulle komme løpende bort til henne og holde henne i hånden og gråte sammen med henne.

Men alt dette var forbudt, de fikk ikke vise sin sorg for noen.

Āqa Djān visste fremdeles ikke hvor han skulle begrave Djavād. Han hadde sittet ved telefonen hele ettermiddagen og ventet på tillatelse til å begrave Djavād i byen, men ingen torde stikke frem nakken for å hjelpe ham.

Det lød skritt i smuget, Muezzin spisset ørene, men gjenkjente ikke skrittene.

En nøkkel ble vridd om i låsen, døren ble åpnet, det var Shahbal. Salamander skyndte seg bort til ham.

Også Muezzin gikk bort til Shahbal, omfavnet ham og gråt stille på skulderen hans.

Shahbal hadde hørt om henrettelsen, og selv om han tok en sjanse ved å være i Sandjān, hadde han straks kjørt hjem.

Āqa Djān kom ut fra værelset sitt, han så Shahbal og hilste ham som vanlig. Det var som om Shahbal hadde kjørt fire hundre og femti kilometer helt forgjeves, Āqa Djān viste ikke følelsene sine.

«Takk og lov, du kommer som bestilt, jeg trenger deg. Hvem fikk du vite det av?» sa Āqa Djān.

303

Men han ventet ikke på svar: «Vi må skynde oss! Han ligger i varevognen utenfor døren.»

I lyset fra lykten kunne Shahbal lese det han hadde fryktet i øynene hans. Historien var velkjent: et lik, en far, og ingen grav.

Han grep ham i armen og omfavnet ham.

«Kondolerer, Āqa Djān, kondolerer, min stakkars Āqa Djān,» sa han mens han gråt.

Shahbal følte seg skyldbetynget. Han var redd for at Āqa Djān skulle overse ham.

«Det er Guds vilje, gutten min,» sa Āqa Djān. «Kom så drar vi. Det blir snart mørkt, vi har dårlig tid.»

Shahbal holdt nøkkelen til varevognen i hånden, dette hadde virkelig skjedd, men han ville se Djavād med sine egne øyne for å kunne tro det.

Han gikk bort til vognen og åpnet bakdøren. Der lå han, sammenkrøpet i et hvitt laken. Han så kald ut, med hendene mellom lårene, liggende på høyresiden. Shahbal trakk lakenet litt til side slik at hodet hans ble synlig. Det var ham, Djavād, med en kule i den venstre tinningen.

«Vi må skynde oss,» sa Āqa Djān.

Shahbal lukket bakluken og tok plass bak rattet.

«Hvor skal vi?» spurte han da de kjørte ut av bakgaten.

«Den veien!» pekte Āqa Djān, i retning av de nordlige fjellene.

Shahbal visste ikke hva han planla, men Āqa Djān var ikke en mann som ville akseptere at sønnen ble begravet på et forlatt sted i fjellet.

Aller helst ville han snakke med Āqa Djān om deres felles sorg, men Āqa Djān satt så dypt hensunket i tanker at han ikke våget å forstyrre ham.

Derfor kjørte han taust mot den nordlige fjellkjeden.

«Har du en plan?» spurte Shahbal etter en stund.

«Vi drar til Māzandarān,» sa Āqa Djān.

«Til Māzandarān?» sa Shahbal overrasket. «Men det er umulig. Alle landsbyboerne der er tilhengere av Khomeini, vi kan da ikke be dem om en grav?»

Āqa Djān sa ingenting, men for Shahbal var det tydelig, Āqa Djān hadde rådført seg med Koranen. Det var nytteløst å diskutere det, derfor kjørte han bare videre.

Veien var ikke ment for små biler, det var i grunnen ikke en vei, men et spor etter landsbybussens dekk.

Māzandarān var den landsbyen som lå nærmest byen, bak den første høyden, ved foten av de høye fjellene. Shahbal kjørte opp på høyden og tok seg forsiktig nedover igjen. Man kunne allerede skimte små hus i nærheten.

Det var kaldt på grunn av snøen som hadde lagt seg på fjelltoppene. Det var fremdeles ikke mørkt, men de høye fjellene kastet en svart skygge over landsbyen. Husene var laget av naturstein. Hvis man ikke visste at det lå en landsby der, kunne man nesten ikke greie å skjelne den fra steinene. Da de kom nærmere, så de røyk stige opp fra skorsteinen til det offentlige badet, det var det eneste tegn til liv.

I en landsby som denne ble det alltid ventet: på noen som skulle komme, eller på noen som skulle dra, på at et barn skulle bli født eller på døden.

Den søvnige landsbyen ventet på at noe skulle skje, og først da satte den seg i bevegelse.

Shahbal kjørte inn i landsbyen. De trengte ikke å si noe. En ukjent varevogn som kom kjørende ned fra fjellet, betydde selvsagt at det skulle skje noe.

Hvem streifet vel rundt i fjellet på vinterstid? Ikke andre enn motstanderne, folk på flukt og de som hadde et lik i bilen sin.

Plutselig hørte de bjeffing. Et par hunder hoppet ned fra en stein og kom løpende i full fart mot bilen. Så dukket det opp et par tykt påkledde menn med gevær.

«Allah!» ropte Āqa Djān.

Hundene sperret veien og bjeffet. Mennene nærmet seg bilen.

«Bli sittende, Shahbal,» sa Āqa Djān og steg ut.

Han gikk bort til mennene, ville snakke med dem, ville si at han var en venn av imamen i landsbyen. Han rakte frem hånden mot dem, men de ignorerte ham og gikk bort til bilen.

305

De så fiendtlig på Shahbal og passerte ham. De ville åpne bakdøren. Āqa Djān gikk bort til dem under høylytt bjeffing fra hundene. Shahbal steg ut, og Āqa Djān skjøv mennene hastig til side og stilte seg opp med ryggen mot bakdøren. En av mennene trakk ham bort etter ermet, den andre åpnet døren. En av hundene hoppet inn i bilen og bet i likkledet. Shahbal tok jekken som lå ved siden av liket, og slo hunden hardt over ryggen. Dyret hoppet klynkende ut av bilen.

Shahbal var opprørt, han skjøv mennene bort. Med jekken i hånden stilte han seg opp foran døren og voktet over liket.

Mennene, rasende over denne formastelige oppførselen i *deres* landsby, kastet seg over ham alle tre. Āqa Djān forsøkte å forhindre det, men forgjeves. Shahbal gjorde sitt ytterste for å unngå slagene deres, til en gruppe landsbyboere kom gående mot urolighetene og skilte dem. Āqa Djān strakte ut hendene mot dem og sa: «Jeg ber dere om en grav. Jeg har min sønns lik med meg.»

Det kom ingen reaksjon, intet svar. Det var som om de var laget av stein, forsteinede mennesker som så forbauset på ham.

«Bort med synderne! Det finnes ingen grav her!» ropte en mann.

«Jeg ber dere om ...»

«Bort, sa jeg!» ropte mannen sint og gikk mot Āqa Djān. Shahbal grep tak i jekken. Men Āqa Djān trakk den ut av hendene på ham og sa: «Vi drar tilbake.»

De satte seg inn, og Shahbal snudde bilen.

Da de hadde kommet seg et stykke bort fra landsbyen, kikket Shahbal bort på Āqa Djān. Han ble skremt, ved siden av ham satt en knekket mann. Han så det på holdningen hans. Han hadde rådspurt Koranen, men det hadde ikke slått til. Han lignet en gammel fugl som ikke lenger torde fly.

Det var blitt mørkt, målløst kjørte Shahbal lenger inn i fjellene, til Āqa Djān rettet seg opp og hentet frem den hellige boken fra innerlommen. Han hadde fått igjen kreftene. Nå åpnet han koranen og lot fingrene gli langs linjene som en blind. Etter et par minutter sa han behersket: «Vi skal til Saroeg», og så la han boken tilbake i lommen.

Shahbal var ikke enig med ham. Han så ingen forskjell på Saroeg og den landsbyen de akkurat hadde flyktet fra. De kunne dra til hundrevis av ulike landsbyer, det samme ville skje igjen.

Āqa Djān ville ikke begrave sønnen sin æreløst. Han lette etter en offisiell grav, men det var umulig.

«Der kommer de heller ikke til å hjelpe oss,» sa Shahbal. «Det må vi akseptere.»

Āqa Djān svarte ikke, han lot som om han ikke hadde hørt ham.

Saroegs gravsted lå utenfor landsbyen. Det var et avsidesliggende, øde sted.

«Venter du her, så drar jeg inn til landsbyen alene,» sa Āqa Djān.

Shahbal ble igjen. Han snakket med seg selv: «Han har selvfølgelig rett. Først nå skjønner jeg hvorfor han leter etter en offisiell grav uten å ta hensyn til farene ved det. Jeg skammer meg over at jeg ikke har skjønt det tidligere. Vi har jo ikke gjort noe galt, Djavād skal ikke begraves i det skjulte.»

Han grep jekken og ventet. Så hørte han plutselig stemmer. Fem menn dukket opp med lykter. Det var gamle menn, og Āqa Djān gikk blant dem. De hadde ikke med seg hunder.

På Āqa Djāns holdning kunne han se at han ikke hadde greid å overbevise disse menneskene heller. De var Āqa Djāns venner, og de hadde fulgt ham ut av landsbyen for å vise sin medfølelse, men de kjente regimets håndlangere og visste hva følgene ville bli hvis de begravet liket i landsbyen.

De gikk bort til Shahbal, ville hilse ham og gi uttrykk for sin medfølelse, men Shahbal orket det ikke. Han var rasende, samtidig følte han seg maktesløs. Han åpnet døren og satte seg inn bak rattet, Āqa Djān tok avskjed med mennene og satte seg også inn.

De hadde akkurat kjørt av gårde da de hørte noen rope høyt.

«Hei, vent litt!» sa Āqa Djān.

307

Shahbal stoppet. Āqa Djān rullet ned vinduet. En av mennene kom løpende, gispende etter luft: «Dere burde oppsøke Rahmanali,» sa han. «Han er den eneste som kan hjelpe dere.»

Āqa Djān nikket et par ganger som tegn på at han hadde rett.

«Kjør til Djirja,» sa Āqa Djān, «vi skal finne Rahmanali.»

Djirja var landsbyen hvor de hadde størst sjanse til å finne en grav, for dette var familiens domene. Mange av Āqa Djāns og Faqri Sādāts slektninger bodde fremdeles der, og ikke minst lå Kāzem Khān begravet der.

De burde egentlig ha kjørt til Djirja først, men den hellige boken hadde ikke gitt dem noe slikt tegn. Nå som mannen hadde latt navnet Rahmanali falle, var Āqa Djān overbevist om at dette var det riktige stedet.

Rahmanali var en gammel liten mann med et langt, grått skjegg. Landsbyen var stolt av ham. Han var hundre og fire år gammel og kjent som en hellig mann. Det ble sagt at han kunne trylle, og at han hadde brakt døende barn tilbake til livet. Hans ord gjaldt som siste ord i landsbyen, det visste alle. Hvis han ga noen asyl, var de sikret trygghet. Huset hans var erklært hellig av landsbyboerne. I vanskelige tider når man ikke kunne regne med noen, kunne Āqa Djān alltid komme til Rahmanali. De kjente hverandre godt, Āqa Djān besøkte ham alltid når han var i Djirja, og ga ham penger hvis han trengte det.

Djirja lå høyt oppe i fjellene, like ved snøen. Ingen ordentlig vei førte dit, bare en sandsti, hvor busser og jeeper nesten ikke greide å passere hverandre. De tok seg forsiktig frem over stien, redd for at varebilen plutselig skulle gli ned skråningen og bli sittende fast i en kulp. Kulden var uutholdelig, og varmeapparatet i bilen hjalp ikke det minste. Āqa Djān kastet et bekymret blikk på liket i bakrommet.

Da de nesten hadde kommet frem til landsbyen, sa Āqa Djān: «Slå av lysene, stopp her, bak den steinen. Vi kjører ikke inn i byen med bilen. Bli her, så går jeg og finner Rahmanali.»

«La meg gjøre det,» sa Shahbal.

«Det er bedre om jeg snakker med ham selv.»

«Jeg vil ikke at du skal gå alene.»

«Sånn må det være, vi kan ikke la liket være igjen her.»

«Jeg stoler ikke på noen i denne landsbyen heller. Alt har forandret seg. Hvis noen kjenner deg igjen, skjønner de med én gang hva som har skjedd.»

Āqa Djāns hånd beveget seg mot innerlommen, han kontrollerte om han hadde med seg koranen.

«Vi har ikke lenger noe valg. Jeg greier meg nok,» sa han og gikk.

Han stavret gjennom snøen og krysset trebroen over elven. Her kom ikke hundene til å høre ham. Den kalde vinden som blåste over den frosne snøen, skar gjennom huden. Det eneste han tenkte, var: Jeg må komme meg til Rahmanali før muslimene får øye på meg. Hvis de prøver å stoppe meg, skal jeg rope Rahmanali så høyt at han hører meg, selv om han ligger i sitt livs dypeste søvn.

Han gikk forsiktig inn i byen. Etter fire gater ville han komme til torget hvor Rahmanali bodde.

Hundene hadde fått ferten av ham. En fremmed lukt, midt på natten, om vinteren, det betydde bråk. Bak ham begynte plutselig en av dem å bjeffe. Han kom til å vekke hele landsbyen. Hva skulle han gjøre, løpe eller bare fortsette å gå? I neste gate hoppet en stor svart hund over et tregjerde. «Allah!» Han begynte å løpe.

Landsbyens hunder bjeffet nervøst. En av dem fulgte etter ham. Āqa Djān løp fortere og så forbausede innbyggere foran seg i gatene. Et par menn prøvde å sperre veien for ham og stoppe ham. Han skjøv dem bort av all kraft og ropte: «Rahmanali!» Han løp så fort han kunne, hjertet dunket i halsen på ham, og tårene rant så han ikke greide å se ordentlig. Han flyktet blindt inn på torget. Nå visste alle hvor han var på vei.

«Allaaaaaaah! Rahmanali! Asyl! Jeg ber om asyl for min sønn!» Ut fra et smug kom tre væpnede menn løpende mot Āqa Djān, en av dem slo beina under ham bakfra. Āqa Djān snublet og falt i snøen. Mannen lyste med en lommelykt i ansiktet hans: «Hvem er du?»

De gjenkjente Āqa Djān, hjalp ham på beina og fulgte ham til varebilen utenfor landsbyen, hvor flere titalls landsbyboere hadde samlet seg oppå steinene.

Dette var ufattelig. Āqa Djān kunne ikke tro at de oppførte seg på denne måten. Dette var landsbyen hans, alle hans døde lå begravet her, hvorfor behandlet de ham på denne måten? Revolusjonen hadde fått frem det verste i mennesket. Ingen var lenger til å stole på. I bøkene som beskrev kongenes liv, hadde han lest at slike mennesker alltid hadde funnes. Forræderi og forbrytelser var en del av mennesket.

Āqa Djān satte seg inn i varebilen og Shahbal snudde den.

«Kjør hjem,» sa Āqa Djān.

«Hjem?»

«Jeg begraver ham i bakgården, under det gamle treet i hagen.»

Shahbal ville si noe, men han manglet ord.

Forsiktig kjørte han ned fra fjellet og tilbake mot byen. Ørnene seilte av gårde høyt oppe i luften. De hadde akkurat blitt vekket av solen, som langsomt steg opp bak fjellene, og nå foretok de sin første morgenflygning. Det ville ta omtrent en time til før lyset nådde byen. De måtte skynde seg, men Shahbal torde ikke kjøre fortere. Hver gang han bremset, gled bilen, og liket dunket mot stolen hans.

Plutselig la han merke til en bil langt bak dem. Sjåføren signaliserte med frontlysene. Āqa Djān hadde også sett bilen: «Vent litt, det må være noe spesielt.»

Shahbal stoppet bilen, og de steg ut.

«Han signaliserer,» sa Shahbal, «han kommer til oss.»

Han hentet lommelykten frem fra bilen og signaliserte til sjåføren at de hadde sett ham.

Bilen forsvant bak steinene og dukket så opp igjen.

«Det er en jeep!» ropte Shahbal.

Jeepen stoppet, sjåføren dempet lysene og steg ut. Det var en mann med hatt og støvler. Han skyndte seg bort til Āqa Djān,

310

sa dempet: «Salām», omfavnet ham og kysset ham på hodet og sa: «Jeg tar med liket. Jeg må skynde meg, før det blir lyst.»

Shahbal skjønte ikke hva som skjedde. Mannen var en gammel venn av Āqa Djān, men Shahbal gjenkjente ham ikke.

«Kom! Vi legger liket over i min bil!» ropte mannen til Shahbal.

De tre flyttet liket.

Mannen omfavnet Āqa Djān enda en gang, slo Shahbal på skulderen, satte seg inn i jeepen, før han elegant snudde og kjørte tilbake, inn i fjellene igjen.

Āqa Djān og Shahbal sto ved siden av den tomme varebilen og så etter jeepen som forsvant i mørket. Ørnene fløy enda en runde over varebilen før de steg høyt opp i luften.

HAN ER VIS

Sorgen hadde lagt seg som en svart chador over huset. Ingen sa noe, ingen gråt, ingen brøt stillheten, men det var noen som hele tiden nynnet: Allklok! Allvitende!

«Du er sannelig besatt
Det finnes intet som ikke har sitt forrådskammer hos oss,
men Vi sender det bare ned i bestemte mål.
Vi sender de skydrektige vinder
Han er vis, Han vet.
Vi er det som gir liv og lar dø.
Vi kjenner til dem av dere som kommer først,
og dem som kommer sist.»

Sorgen fikk plantene til å visne. Et par fisker drev rundt i bassenget, og den gamle katten døde på taket av moskeen.

I mellomtiden ble det henrettet en hel rekke motstandere. De ble alle begravet utenfor byene, ved foten av fjellene, og ingen fikk besøke gravene. All oppmerksomhet ble rettet mot martyrene ved fronten, hver uke under fredagsbønnen ble hundretalls av dem fraktet inn til byene.

Kråka var den første som brøt stillheten i huset. Den fløy opp, kraet høyt og varslet besøk.

Faqri Sādāt sto på kjøkkenet og gjorde i stand kveldsmaten, Salamander åpnet ytterdøren.

En ukjent mann i en falmet dress og med hatt på hodet gikk bort til bassenget.

Faqri Sādāt kikket forbauset på den fremmede som rolig passerte vinduet hennes.

Mannen ble stående et øyeblikk ved bassenget og se på de røde fiskene i vannet. Deretter vandret han med hendene på ryggen over gårdsplassen. Han gikk bort til trappen som fører opp til taket, og deretter bort til gjesteværelset og kikket gjennom vinduet. Så gikk han til opiumsværelset og sjekket om døren var åpen.

Faqri Sādāt åpnet kjøkkenvinduet og ropte: «Leter du etter noen?»

Mannen svarte ikke, bare gikk mot biblioteket.

Faqri ville gå etter ham for å se hva han hadde fore, men hun torde ikke.

«Muezzin,» ropte hun, «det går en fremmed inne på gårdsplassen! Vil du spørre ham hva han vil?»

Salamander, som sto under treet og holdt øye med alt sammen, krøp ned i kjelleren for å varsle Muezzin.

Mannen hadde nå forsvunnet bak treet.

Plutselig hørte hun en høy, bankende lyd.

Muezzin kom opp fra kjelleren med stokken sin og med Salamander ved siden av seg.

«Mannen har på seg dress og hatt. Han gikk akkurat til biblioteket, jeg tror han slår i stykker døren. Kan du høre ham?» sa Faqri Sādāt.

Muezzin gikk til biblioteket og ropte: «Hva driver du med? Hvem er du? Hvem tror du at du er?»

Faqri Sādāt tok på seg chadoren og fikk se hvordan mannen prøvde å slå i stykker døren til biblioteket med en stor stein.

«Hvordan ser han ut?» spurte Muezzin Faqri Sādāt.

«Jeg ser ham ikke så godt. Han står i skyggen.»

«Har han skjegg?»

«Nei, jeg tror ikke det, han har bare en hatt.» Muezzin ville gå bort til mannen, men Faqri stoppet ham. «Jeg tror han er gal! Det må være en landstryker!»

Salamander krøp opp i treet og holdt øye med mannen.

«Gå og finn Āqa Djān!» ropte Faqri Sādāt til ham.

Han hoppet fra treet ned på taket og forsvant.

Muezzin hevet stokken sin i retning av mannen og ropte: «Hvem er du? Og hva driver du med?»

313

Mannen svarte ikke.

«Hold opp, din idiot!» ropte Muezzin og truet mannen med stokken. «Jeg sa: Hold opp, din tosk! Ellers banker jeg deg opp.» Men mannen ville ikke stoppe. Muezzin gikk bort til ham og skulle til å slå ham med spaserstokken.

«Ikke gjør det!» ropte Faqri Sādāt. «Ikke slå ham. Han er helt forstyrret!», og hun trakk i Muezzins jakke.

Mannen holdt opp med hamringen da Āqa Djān dukket opp. «Hva er det som skjer her?» ropte han.

Mannen sto i skyggen av veggen inn til biblioteket.

«Hvem er du?»

Han svarte ikke.

«Kom frem! Gi meg hånden din, jeg skal ikke gjøre deg noe, jeg følger deg ut,» sa Āqa Djān. Han gikk rolig bort til ham, grep ham i armen og brakte ham frem i lyset.

«Vil du ha noe å drikke? Er du kanskje sulten?»

Mannen fikk tårer i øynene. De øynene!

«Allah, Allah,» sa Āqa Djān, «Faqri! Det er vår Ahmad.»

Muezzin stakk armen ut mot Ahmad, kjente på hatten hans, kjente på ansiktet, trakk ham til seg og omfavnet ham.

Faqri Sādāt la hodet på skulderen hans og gråt: «Kom, Ahmad! Kjære Ahmad! La oss gå inn. Hva er det de har gjort med deg? Hvordan våger de! Kom, alt skal bli bra.» Āqa Djān åpnet bibliotekdøren for Ahmad, men han gikk ikke inn. Han gikk til gjesteværelset, åpnet døren, tok av seg skoene og kastet seg ned på sengen. «La ham sove,» sa Faqri til Āqa Djān og Muezzin.

Med Galgals hjelp var Ahmad blitt løslatt før tiden. Men han hadde ikke noe liv å vende tilbake til. Da han ble arrestert, tok kona med seg barnet deres tilbake til foreldrenes hus. Der hadde hennes innflytelsesrike far ordnet med en skilsmisse til henne og samtidig sørget for å få overført foreldreretten til sin datter. Slik ble Ahmad også fratatt sitt farskap.

Neste morgen ropte Faqri Sādāt på ham da frokosten var klar, men han var ikke i stand til å reagere på invitasjonen hennes.

Hun gikk inn på værelset og hjalp ham ut. Med stor omsorg vasket hun hendene og ansiktet hans i bassenget og tok ham med til biblioteket for å vise ham at døren nå var åpen.

Han gikk inn, gikk langs hyllene og lot fingrene gli over bokryggene. Han tente den antikke leselampen på skrivebordet, berørte stolen, men satte seg ikke ned. I stedet gikk han ut igjen og bort til værelset sitt.

Han så på sengen, på stolen, på skriveboken hvor han en gang hadde tatt notater til fredagsbønnen, og så satte han seg ned på sengen.

Der ble han sittende hele dagen og stirre fremfor seg. Āqa Djān hentet mat til ham og forsøkte å snakke med ham, men han merket at det var for tidlig, at de måtte la ham være i fred en stund.

Samme kveld pakket Ahmad kofferten og dro.

Salamander så ham gå og løp til Āqa Djān for å varsle ham. Men det var for sent, Ahmad var sporløst forsvunnet.

MUDJAHEDIN

Det ble utkjempet voldsomme kamper ved fronten, Iran gjen-
erobret en rekke strategiske områder og åpnet en ny front på
irakisk grunn. Men det virket fremdeles helt umulig å få drevet
Iraks hær ut av de viktige oljebyene Ghoramshar og Abadan.

Saddam benyttet seg av kjemiske våpen og bomber og lot
ingen komme i nærheten av byene.

Den venstreorienterte motstandsbevegelsen ble nesten helt
satt ut av spill. Bare én organisert fiende var fortsatt intakt:
mudjahedinen. Medlemmene av mudjahedinen var også mus-
limer, men tolket Koranen på en annen måte. Utad lot de som
om de støttet regimet, men i skjul samlet de våpen og planla å
slå til når tiden var inne.

Khomeini hadde utropt dem til sin farligste fiende og hevdet
at de forsøkte å ødelegge regjeringen innenfra. Nå som landet
var involvert i en langvarig krig og ble svakere for hver dag som
gikk, måtte denne interne fienden elimineres en gang for alle.
Men fordi mudjahedinen også var muslimsk, kunne han ikke
bare utrydde dem.

Revolusjonskomiteen diskuterte saken på et hastemøte. Det
ble enstemmig vedtatt at man skulle rydde mudjahedinen av
veien umiddelbart, akkurat som man hadde gjort med de
venstreorienterte bevegelsene.

Om natten kjørte jeeper hjem til mudjahedinens ledere. Væp-
nede agenter angrep husene fra taket, men ikke en eneste leder
var hjemme, alle hadde unnsluppet i tide.

Man konkluderte straks med at det fantes en spion i komi-
teen.

Ayatolla Beheshti, formannen, innkalte alle medlemmene til

møte. Han var overbevist om at spionen ikke ville dukke opp og dermed avsløre seg. Men alle kom, og dermed fulgte en lang diskusjon om hvordan det kunne ha seg at informasjonen hadde lekket ut.

Et av medlemmene i komiteen, som var kjent for sin kløkt og snarrådighet, sa: «Jeg tror jeg vet hvordan vedtaket har lekket ut, og hvem som har gjort det.»

Alle så overrasket på ham og ventet i spenning på hva han skulle si.

Han skjøv den svarte vesken under bordet ubemerket bort til Beheshtis føtter, reiste seg og sa: «Jeg har beviser, de ligger i skuffen min, jeg skal hente dem og er straks tilbake.»

Så snart han var ute av møterommet, stormet han ned trappen, løp bort til bilen, kastet seg inn og fikk startet den.

Han hadde knapt rukket å komme seg ut av gaten da bygget plutselig kollapset etter en voldsom eksplosjon. En sky av røyk og ild steg til værs. Alle medlemmene i komiteen omkom.

Det ble rapportert om hendelsen over radioen. En folkemengde stimlet sammen utenfor Khomeinis hjem for å gi uttrykk for sin medfølelse. Khomeini kom ut på balkongen og holdt en fattet tale: «Ennā lellāh va ennā eleihe rādje'un.» Denne gangen stakk Amerika sin hånd ut av mudjahedinens erme. Det er ikke viktig. Allah vil hjelpe oss! Jeg har nedsatt en ny komité. For en halvtime siden gjenopptok de arbeidet. Ingenting og ingen kan stoppe oss!»

Snart ble jakten på mudjahedinens tilhengere gjenopptatt. Det ble skutt mot dem overalt i byen. Mudjahedinens tilhengere blokkerte gatene i sentrum av Teheran og tok til våpnene. Det oppsto en gatekrig mellom dem og den muslimske sikkerhetsgruppen.

Alle som ble arrestert denne dagen, ble henrettet samme kveld, uten noen form for rettssak.

Uken etter besøkte sjefen for sikkerhetspolitiet Khomeini personlig for å diskutere et viktig sikkerhetsspørsmål med ham.

Han knelte for Khomeini, kysset hånden hans og hvisket:

317

«Medlemmene av mudjahedinen er representert i alle viktige ledd av regimet. Den siste tiden, mens all vår oppmerksomhet har vært rettet mot kampene ved fronten, har de greid å besette alle strategiske posisjoner. De har til og med nådd din innerste sirkel. Jeg har laget en liste over mistenkte som innehar viktige stillinger ved departementet. Hvis du samtykker, vil jeg først informere statsministeren og deretter straks la de mistenkte arrestere.»

Khomeini tok på seg brillene, studerte listen og ga sitt samtykke til å arrestere dem alle.

Sjefen for sikkerhetspolitiet dro rett til en hemmelig adresse hvor regjeringen var samlet. Først informerte han statsministeren om samtalen med Khomeini, deretter gikk de sammen til regjeringsmøtet for å informere ministrene.

Sjefen for sikkerhetspolitiet tok straks ordet. «Jeg kommer akkurat fra imam Khomeinis bolig,» sa han. «Jeg har snakket med ham, og han vet at jeg står her nå. Jeg forventer en telefon fra ham hvert øyeblikk. Jeg har også snakket med statsministeren. Mudjahedinen har ubemerket infiltrert vårt system ...»

Så ringte telefonen. Sjefen for sikkerhetspolitiet satte fra seg stresskofferten sin på bordet, unnskyldte seg og gikk bort til skrivebordet hvor telefonen sto.

Han løftet av røret og sa tydelig hørbart for dem alle: «Ja, det er meg. Ja visst, jeg har akkurat snakket med statsministeren. Jeg har den med meg, den ligger i bilen, eller nei, jeg er ikke helt sikker, jeg skal hente den, venter du et øyeblikk?» Det siste sa han ekstra høyt, slik at alle kunne høre ham. Han la røret fra seg på skrivebordet, gikk ut av rommet, ned trappen og ut, satte seg inn i bilen og kjørte bort med hvinende dekk. Ingen skjønte noe, ingen innså at historien gjentok seg. Eksplosjonen fikk de omliggende gatene til å beve.

Mudjahedinens kamp mot regimet fortsatte. I ukevis eksploderte bombene overalt i byen. Til og med den nye regjeringen Khomeini hadde satt sammen, ble drept med samme triks. Men mudjahedinens terror greide ikke å ta innersvingen på regjeringen. Da dette etter en stund ble klart, begynte mudjahedinen å

318

skape kaos i byen. De satte fyr på busser, banker og regjerings-
bygg og skjøt på alle tjenestemenn de så.

Men det lignet mer på et politisk selvmord, for det muslimske
forsvaret arresterte tilhengerne i stor skala og skjøt nådeløst ned
alle som prøvde å flykte. I løpet av noen få dager ble hundrevis
av medlemmer av mudjahedinen henrettet uten noen form for
rettssak.

Mudjahedinen trakk seg tilbake fra gatene og begynte å plan-
legge en hevnaksjon.

De rettet sitt raseri mot ayatollaene i de store byene og for-
søkte å likvidere dem én for én.

Til alles forbauselse drepte de ikke bare ayatollaene i Isfahan
og Yazd, men også ayatolla Mortazavi. Han var en muslimsk
filosof og en av de viktigste teoretikerne i regimet, men han
hadde ingen politisk funksjon.

Mortazavi underviste unge imamer og måtte derfor hver dag
gå til imamskolen. På vei til morgenbønnen ble han tilsnakket
av en ung mann.

«Salām aleikom, ayatolla!»

«Salām aleikom, unge mann,» svarte han.

«Jeg har en beskjed til deg.»

«Fortell.»

«Din fortolkning av Koranen gjelder ikke lenger!»

«Hva mener du med at den ikke gjelder ...?»

«Det sørger denne for!» sa mannen og løsnet tre skudd.

Denne rekken av overfall gjorde regimet svært forvirret. Man
visste aldri hvor neste angrep ville finne sted, og hvilken aya-
tolla som var det neste offeret.

Ayatollaen i Ghazvin unnslapp heller ikke døden, og gjer-
ningsmannen var hans egen nevø. Av sikkerhetsgrunner hadde
ayatollaen noen dager i forveien bedt ham bli hans personlige
sjåfør.

Ayatollaen hadde holdt en flammende appell mot overfal-
lene: «Amerika dreper oss! Saddam dreper oss. Mudjahedinen
dreper oss, men vi står oppreist. Vi har allerede lært Amerika
en lekse. Og det skal vi gjøre med Saddam også! Og med mudja-
hedinen!»

«Det er vanskelige dager,» klaget han i bilen da han ble kjørt hjem av nevøen sin om kvelden.

«Og vanskelige netter,» sa nevøen og kjørte inn i en sidegate.

«Hvor bringer du meg?» spurte ayatollaen.

«Lukt til helvete,» sa nevøen og skjøt ham på stedet.

Ingen kunne føle seg trygg lenger. De som ble mistenkt av naboene, ble umiddelbart arrestert. Alle gikk i dekning. De som fremdeles kunne flykte, forsøkte å komme seg vekk.

Men de uforutsigbare overfallene ble ikke bare utført av mudjahedinen, også væpnede medlemmer av venstreorienterte grupperinger klekket ut individuelle hevnaksjoner.

Selv om angsten dominerte overalt, ville ikke ayatollaene gi etter for terroren, og dermed fortsatte de sine aktiviteter. Det samme gjaldt ayatolla Arāki fra Sandjān.

Man visste at han var et mål. Derfor ble han strengt bevoktet.

Arāki var en fanatisk ayatolla som ville gjøre Sandjān til en muslimsk eksempelby. Han snakket hatefullt om familien til de henrettede og hadde gitt Zinat Khānom frie hender til å presse de kvinnelige fangene så langt at de vendte seg som roboter mot Mekka ved det minste lille vink.

Innbyggerne i byen holdt pusten og ventet bare på at noen skulle skyte den forhatte ayatollaen.

Dette lot ikke vente lenge på seg.

Solen hadde akkurat gått ned og varmen hadde gitt plass til en frisk kveld. Døren inn til Āqa Djāns værelse gikk forsiktig opp, og noen kom inn. Āqa Djān satt og leste en bok, han trodde det var Salamander.

Han så opp. Siden den natten de fraktet Djavāds lik inn i fjellene, hadde han ikke sett mer til Shahbal. Da de kom hjem, hadde han dratt av gårde umiddelbart. Nå sto han foran ham.

Āqa Djān tok av seg brillene.

«Du overrasket meg, når kom du?»

«Jeg kom akkurat.»

«Har du vært hos faren din?»

«Nei, ikke ennå. Jeg, jeg var tilfeldigvis i byen og ville stikke innom deg.»

Stemmen hans dirret.

Āqa Djān følte at skjebnen var i ferd med å slå til igjen.

Døren gikk forsiktig opp, og Salamander kom inn, men han så på Āqa Djāns blikk at han ikke var velkommen. Han lukket døren forsiktig igjen etter seg og satte seg foran den.

«Hva mener du med at du tilfeldigvis var i byen?» sa Āqa Djān.

«Jeg hadde noen ærend i byen og syntes det passet fint å dra og hilse på deg.»

«Hvorfor setter du deg ikke? Finn en stol.»

«Jeg kan ikke være lenge, jeg må snart dra igjen, jeg kommer bare for å ta farvel med deg.»

«Ta farvel? Hvorfor? Hvor skal du?»

«Jeg er ikke helt sikker, jeg må avslutte et par ting først, deretter må jeg trolig forlate landet en stund. Derfor ville jeg se deg igjen. Beklager, jeg, jeg må dra,» sa han, og han så på klokken.

«Hva skal dette bety, gutt?»

Muezzins silhuett dukket opp bak vinduet, men han kom ikke inn.

«Skal jeg rope på faren din?»

«Nei, jeg må virkelig komme meg av gårde. Jeg ringer ham senere. Jeg kom bare for din skyld, jeg er bekymret for deg. Nå må jeg dra. Noen venter på meg i byen,» sa han.

Āqa Djān hadde på følelsen at det var noe som ikke stemte. Det var tidlig på kveld, hvorfor hadde han ikke tid til å ta farvel med faren sin? Hvorfor så han så ofte på klokken sin? Den høytidelige avskjeden var ubegripelig. Plutselig gikk det opp for Āqa Djān hva som var i ferd med å skje. Om ti minutter ville bønnen i moskeen ta til. Ayatollaens Mercedes kunne ankomme hvert øyeblikk.

Han måtte stoppe dette. Men hvordan?

«Jeg må dra,» sa Shahbal og omfavnet Āqa Djān.

Āqa Djān kjente pistolen under Shahbals belte. Han dyttet ham uventet opp mot veggen og trakk frem pistolen.

«Hva er det du driver med, gutt?» sa han skarpt.

Salamander reiste seg opp på hender og føtter.

321

«Det har ingen hensikt å forklare deg dette, Āqa Djān,» sa Shahbal med stålansikt. «Jeg har ikke tid. Gi den til meg, er du snill, før det er for sent!»

Āqa Djān følte seg makteløs overfor ham. Han ville rope høyt: «Dette er ulovlig! Kom deg vekk! Ut av mitt værelse!»

Men han greide det ikke. Han ble overrasket da det gikk opp for ham at han egentlig ikke ville stoppe ham, at han gikk god for dette.

Shahbal trakk pistolen ut av Āqa Djāns hånd.

Āqa Djān ville gripe ham i armen, men Shahbal holdt ham på avstand og sa: «Ikke gjør noe! Ikke si noe! Bevar ordene dine til senere! Ønsk meg lykke til!»

Āqa Djān ble stående forvirret igjen i værelset. Det var som om han hadde steget ut av livet et øyeblikk. Han greide ikke å bevege seg, og han fikk ikke ut et eneste ord.

Shahbal knelte ved Salamander, kysset ham og skyndte seg ut. Han løp på faren sin. Muezzin ramlet.

Shahbal knelte, tok hodet hans mellom hendene og kysset ham på hodet: «Jeg har dårlig tid, far, jeg ringer deg snart!»

Salamander løp etter Shahbal.

Ayatollaens Mercedes stoppet like utenfor moskeen. Shahbal sto i det mørke smuget og holdt øye med alt sammen. Ayatollaens tre livvakter steg ut og inspiserte omgivelsene. De så ikke en sjel. En av vaktene åpnet bildøren. De andre vaktene gikk i forveien mot moskeen. Shahbal trakk pistolen frem fra beltet. Salamander, som hadde sittet taust sammenkrøpet på bakken bak Shahbal, krøp plutselig frem mot Mercedesen. Shahbal ville stoppe ham, men det var for sent. Salamander krøp på hender og føtter bort til ayatollaen. Vakten som akkurat hjalp ayatollaen ut av bilen, ble skremt av Salamander. Som om Salamander var en hund, tok ayatollaen likegyldig et skritt tilbake og ropte: «Forsvinn!»

Men Salamander krøp videre, gjemte hodet i drakten hans og brakte ayatollaen ut av balanse.

«Ayatolla!» ropte Shahbal høyt.

Ayatollaen så forskrekket opp, men han visste ikke hvor han skulle se.

Det ble skutt tre ganger. Ayatollaen kastet armene ut til siden, tok to skritt tilbake og falt sammen på bakken.

Vaktene trakk geværene og skjøt blindt på alt som rørte seg. «Allaaaaaaaaaaaaaaaaaaaaaaaaaaaah!» Det var stemmen til Āqa Djān på taket.

Lynraskt rundet en motorsykkel hjørnet av smuget, Shahbal hoppet opp bakpå, og så kjørte de bort.

Foran moskeen lå liket av ayatollaen på bakken. Turbanen lå et par meter unna, ved siden av Salamander. Han så ikke lenger ut som en salamander, men som en gutt som sov i mørket på fortauet i blodet som sildret bort fra kroppen hans.

Āqa Djān knelte ved siden av ham, kysset ham på det kalde kinnet, løftet ham opp og omfavnet ham.

Tayyāre

Når man sto ute på gårdsplassen, kunne man hele tiden høre flyene som beveget seg over byen. De kom fra Teheran, passerte ørkenen og fløy mot Persiabukten, for så å fortsette til Europa eller Amerika.

På vei tilbake tok de som oftest en annen rute, over Omansjøen kom de inn i landet via Bandar Abbās.

Da barna var små, sang de en sang når de hørte fly nærme seg. De henvendte seg til den lille mystiske fuglen høyt oppe i luften og sang:

«Tayyāre, tayyāre
Hvor drar du hen, tayyāre?
Hvem har du om bord, tayyāre?
Når er det min tur, tayyāre?»

Faqri Sādāt satt på benken ved siden av bassenget og strikket. Hun hadde en gang startet på en genser til Salamander, men hadde aldri gjort den ferdig.

Āqa Djān holdt på i hagen. Han begravet sin sorg sammen med det døde løvet. Da fløy plutselig et passasjerfly med et brøl like over huset.

Āqa Djān trodde at det var et krigsfly. Han grep sin kone i armen og trakk henne med til kjelleren hvor Muezzin var.

Der kikket de gjennom luken opp mot himmelen, men flyet hadde allerede forsvunnet.

Så snart de hadde kommet seg av frykten, fikk de øye på Muezzin bak bordet. I dag hadde han ingen leire på hendene, han var kledd i en mørkeblå dress og hadde på seg reisebriller og hatt. Foran ham sto en koffert.

«Skal du ut og reise, Muezzin?» spurte Faqri bedrøvet.

«Jeg ser at du har pakket kofferten. Hvor skal du?» spurte Āqa Djān.

«Du som noterer deg alt, noter deg dette også. Jeg forlater huset.»

«Forlater du huset?» sa Faqri overrasket. «Hvorfor?»

«Gutten gråter hele natten. Han er død, men han kryper fremdeles rundt i kjelleren og snoker rundt beina på meg når jeg jobber. Han ligger begravet i hagen, men han sitter i treet. Han gråter utenfor døren min om natten. Han kryper gjennom drømmene mine.»

Faqri Sādāt gråt dempet.

«Sånn er det for oss også, vi hører ham også i hagen, men hvorfor skulle du forlate huset av den grunn?»

«Jeg vil ikke dra, men huset sender meg bort, det har stengt meg ute. Se på hendene mine, jeg kan ikke lage noe lenger. Kjelleren er full av keramikk, hagen er full av vaser. Det er ikke engang plass til å sette noe på taket lenger. Ingen kjøper skålene mine. Jeg blir fordrevet. Ønsk meg lykke til. La meg dra, bror.»

Han gikk bort til Āqa Djān, omfavnet ham, kysset Faqri, grep kofferten og klatret opp trappene fra kjelleren. Han sto stille et øyeblikk på gårdsplassen, lyttet til husets lyder og ropte:

«Gamle kråke! Pass godt på huset! Jeg drar.»

Etter at han hadde slått igjen døren etter seg, fløy tre krigsfly med en øredøvende støy over huset og forsvant i skyene.

«Irakere!» ropte Āqa Djān.

Men det var ikke irakiske fly, det var tre jagerfly fra det iranske flyvåpenet som var på vei for å overmanne passasjerflyet.

På flyet satt Bani Sadr, den iranske presidenten, som forsøkte å flykte fra landet. Jagerflyene fløy i toppfart for å stoppe ham. Khomeini hadde gitt ham sparken uken før. Han hadde beskyldt ham for å jobbe for mudjahedinen.

Presidenten hadde gått i dekning, og mudjahedinen hadde utviklet en mesterplan for å smugle ham ut av landet. Alt var planlagt i hver minste detalj. Også Saddam Hussein var informert om flukten, og det sto irakiske fly klar til å eskortere den rømte presidenten.

De iranske jagerflyene var ikke raske nok, for flyet nådde irakisk luftrom akkurat tidsnok og fløy i retning av Europa.

Fire og en halv time senere nærmet flyet seg Paris. Piloten tok kontakt med franske medarbeidere i kontrolltårnet: «Dette er en nødflygning. Jeg har Irans president om bord. Han ber om asyl!»

Direktøren for flyplassen ble informert. Han tok straks kontakt med den franske presidenten. Deretter stilte han den iranske presidenten en rekke spørsmål, som mannen besvarte på aksentløs fransk: «Jeg er folkevalgt president for den muslimske republikken Iran. Om bord befinner dessuten lederen for mudjahedinen seg. Jeg ber om asyl for meg selv, for lederen for mudjahedinen og for piloten.»

Flyet tok et par runder over Paris mens direktøren diskuterte saken med sin president.

Bani Sadr hadde bodd i Paris i en årrekke, han hadde studert økonomi der, og han hadde fremdeles nøkkelen til sin parisiske leilighet i lommen. Han hadde akkurat begynt på doktorgradsstudiene da Khomeini forlot Irak og kom til Paris.

Bani Sadr hadde tenkt ut en modelløkonomi i løpet av studiene, hvor han kombinerte kapitalistiske ideer med muslimske. Planene hans var ideelle for Khomeini, som ikke hadde peiling på økonomi.

Da Khomeini fløy fra Paris til Teheran, var Bani Sadr en av de syv høyt utdannede mennene fra Vesten som assisterte ham. Siden ble han valgt til Irans president.

Flyet hadde begynt på sin fjerde runde over Paris da mobiltelefonen ringte. Direktøren for flyplassen gjentok beskjeden for Bani Sadr: «Den franske regjering tilbyr deg og dine medreisende asyl. Flyet ditt kan lande her. Du er velkommen.»

De franske nyhetene åpnet med en melding om den nylig ankomne Bani Sadr.

Khomeini hadde akkurat avsluttet kveldsbønnen da Rafsanjani, den forhenværende øverstkommanderende for hæren, knelte ned ved siden av ham og informerte ham om det.

Selv om Khomeini var ferdig med bønnen, reiste han seg og begynte på en ekstra bønn. Nå som han hadde hørt de dårlige nyhetene, prøvde han med en ekstra bønn å komme nærmere Gud for å spørre ham til råds. Da han hadde fremsagt den siste roq'at-en fra sengen sin, glitret øynene hans. Han vendte seg mot Rafsanjani og sa: «Det velsignede øyeblikket er kommet.»

Siden begynnelsen av krigen hadde den iranske hær ventet på et gunstig øyeblikk for å befri den okkuperte oljebyen Ghoramshar på. I denne strategiske havnebyen sto det største oljeraffineriet i hele Midtøsten. Så langt hadde operasjonen vært umulig, fordi amerikanske satellitter overførte alle hendelser i og rundt byen til Irak.

«Allah står på vår side,» sa Khomeini til Rafsanjani, «vi skal befri Ghoramshar. Øyeblikket er kommet. Sammenkall dine generaler!»

Saddam nøt et gledens øyeblikk. Han var på vei til et regjeringsmøte for å snakke om Bani Sadrs vellykkede flukt til Frankrike. Han ville overbringe de gode nyhetene til sine ministre personlig.

Han hadde knapt ankommet da den iranske hæren angrep Ghoramshar fra seks kanter samtidig.

Overalt i byen falt hundrevis av irakiske og iranske soldater, bakken var dekket av lik. Etter en voldsom kamp på en halv dag greide to iranske soldater å erstatte det irakiske flagget som sto på oljeraffineriet med islams grønne flagg. Irakerne samlet alle sine krefter, men ayatollaene hadde uventet åpnet en ny front, ved den irakiske havnebyen Al Basra. Skrekken over denne plutselige invasjonen fikk de irakiske soldatene til å gå

amok, de tilintetgjorde alle husene i Ghoramshar og satte fyr
på trærne. Deretter trakk de seg tilbake i håp om fremdeles å
kunne redde Al Basra.

Etter denne historiske seieren dukket en smilende Khomeini opp
på fjernsynet for første gang. Han hyllet Allah og gratulerte
foreldrene til de falne med sønnenes mot. Millioner av mennes-
ker strømmet ut i gatene for å feire befrielsen av Ghoramshar.
Det ble skutt opp fyrverkeri, og overalt kjørte bilene, tutende
og med blinkende lamper. Folk danset på busstakene og delte
ut småkaker, godteri og frukt.

Festen fortsatte til langt på natt. Det var den første lands-
omfattende festen siden ayatollaenes ankomst.

Den natten skinte fullmånen, og det var en trøst for folket som
hadde opplevd så mye smerte og sorg i forbindelse med krigen.

Men ikke alle festet. Noen brukte den frydefulle natten til å ta
hevn. Lyset fra den samme månen falt over en saltvannsinnsjø i
utkanten av ørkenen ved Sandjän, hvor liket av Zinat Khānom
lå halvt uti vannet, halvt i sanden.

Om halsen hang en papirlapp i en plastlomme. Der sto det:
«Hun tvang unge, ugifte kvinner som hadde fått dødsdom til
å gå til sengs med en muslim før de ble henrettet. Ved denne
saltsjøen er hun blitt dømt og straffet. Etter ønske fra mødrene
hvis døtre ble brud den siste natten i sitt liv.»

Snart skulle månen langsomt forsvinne og gjøre plass for solen.
En flokk ørkenfugler skulle få øye på liket av Zinat ved vann-
kanten og støyende fly over innsjøen. En reisende på en kamel
skulle ri til innsjøen for å se hva som sto på.

Han skulle stige av kamelen, gå bort til liket, knele og lese
teksten på papirlappen.

AKKAS, FOTOGRAFEN

Āqa Djān gikk tur langs elven. Han hadde ikke gått og lagt seg igjen etter morgenbønnen. Nå satte han seg ned på en sand-haug. Selv om vannet var kaldt, vasket en kvinne føttene sine i det.

Hun tørket føttene med chadoren, tok på seg skoene og gikk bort til Āqa Djān.

«Har du et par mynter til meg, jeg har ennå ingen i munnen,» sa hun.

«Er det deg, Qodsi?»

Qodsi, en gang så ung og levende, var gammel nå. Man kunne se det på det grå håret og rynkene i ansiktet.

«Jeg har ikke sett deg på lenge, Qodsi, hvor har du vært i det siste? Hvordan er det med moren din?»

«Hun er død,» sa hun dystert.

«Når døde hun, hvorfor fikk jeg ikke vite om det?»

«Hun døde bare,» sa hun.

«Hvordan går det med søsteren din?»

«Hun er også død.»

«Er hun også død? Av hva da? Når?»

Hun svarte ikke.

«Hvor er broren din?»

«Han er også død.»

«Hva er det du sier?»

«Men du dør ikke,» erklærte Qodsi. «Du blir til alle drar og til alle kommer.»

Hun snudde seg og gikk sin vei.

«Hvor skal du, Qodsi? Du har ikke engang gitt meg noen nyheter.»

«Det er syv menn igjen, og av dem skal tre komme, én dra, én skal bli liggende, én skal dø og én skal så. Men du blir til alle kommer og til alle drar,» svarte hun uten å snu seg.

Han gikk videre langs vannet.

Hvem skulle dra? Hvem skulle komme? tenkte han.

Så kom han plutselig på Nosrat.

I de turbulente nettene av terror hadde ingen hatt tilgang til Khomeinis netter. Bortsett fra én mann: Nosrat.

Sammen med Nosrat isolerte Khomeini seg fra den harde hverdagsvirkeligheten utenfor. Nosrat tok ham med til et annet sted, et sted hvor det ikke var plass til irakiske jagerfly, bomber og henrettelser.

Han bergtok Khomeini med kinoen sin. Han viste ham filmfragmenter og naturdokumentarer om fugler, bier, slanger, elver og stjerner. Det var en hemmelighet som forble mellom dem, ingen visste hva som skjedde bak den lukkede døren til Khomeinis værelse.

Khomeini var leder av den shiamuslimske verden, han var en som kunne sette millioner av mennesker i bevegelse med en tale, men han var ensom. Han kunne sitte hele dagen, noen ganger hele uken, alene på leseværelset sitt.

Han var en karismatisk leder, og alle gjorde alltid sitt beste for å gjøre inntrykk på ham. Men Nosrat prøvde å være seg selv, for på den måten å komme ham nærmere som person. Khomeini visste ingenting om matematikk og hadde ikke peiling på naturfag, men han hadde en enorm interesse for lyset, månen, solen, romfarten og fremfor alt for meteoritter.

Nosrat brakte Khomeini i kontakt med en vidunderlig verden som han ikke visste noe om. Han forvandlet Khomeinis ensomme netter til en fargerik, festlig tid, en tid da han kunne glemme alt.

Så snart Nosrat kom inn på Khomeinis værelse, tok han av seg jakken, hengte den fra seg på stumtjeneren og begynte å snakke om filmene sine: «Jeg har tatt med et par korte filmer. Det er unike dokumentarer om livet til to dyrearter i naturen. Du kommer til å like dem. Den ene handler om maurene og deres maktstruktur, den andre handler om aper. Det er helt utrolig å se hvilken menneskelig atferd de legger for dagen! I tillegg har jeg tatt med en strålende liten film over de utallige steinene som beveger seg i universet. Av og til faller det en stor stein ned på jorden, en meteoritt. Det er genialt!»

Khomeini så forbløffet på ham, ikke engang hans egen sønn følte seg så avslappet sammen med ham. Han hadde ofte hørt at kunstnere er annerledes, men han hadde aldri møtt noen før Nosrat.

Det Nosrat gjorde, tilhørte livet til den gamle persiske kongen. Kongen hadde alltid en *malidjak* i huset, en gjøgler som underholdt ham. Malidjaken var den eneste som hadde tilgang til kongens private værelser, og han hadde frihet til å si alt og gjøre alt, så lenge han holdt kongen engasjert.

«Hva het den fjernsynskanalen igjen?» spurte Khomeini.

«Hvilken fjernsynskanal?»

«Den til amerikanerne. De har intervjuet meg en rekke ganger.»

«Mener du CNN?»

«Ja, den,» sa han.

«Hva lurer du på?»

«Ingenting. Jeg vet bare at alle presidenter i viktige land har et fjernsynsapparat på arbeidsværelset sitt som alltid er innstilt på CNN.»

«Det stemmer, det overrasker meg at det ikke står noe apparat på ditt værelse.»

«De snakker engelsk, antar jeg.»

Khomeini hadde ikke noe fjernsyn og heller ingen radio på værelset sitt, alle nyheter nådde ham i skriftlig form.

«Det finnes også en arabisk fjernsynskanal, akkurat som CNN, bare at nyhetene sendes ut på arabisk,» sa Nosrat, «jeg skal sørge for at du kan se det her.»

Dagen etter hadde Nosrat med seg et lite fjernsynsapparat til ham og plasserte det i klesskapet slik at ingen kunne se det. Han lærte Khomeini hvordan han skulle slå på og av fjernsynet og hvordan han kunne bytte kanaler.

«Hvis den står på den arabiske kanalen, så holder det,» sa Khomeini dempet, som om han gjorde noe ulovlig.

Flere uker senere ble Nosrat uventet oppringt av en reporter fra CNN. Han var informert om Nosrats nære kontakt med Khomeini. De avtalte å møtes på et tehus på torget utenfor stasjonen, og Nosrat fortalte ham om arbeidet sitt. Etter samtalen spurte reporteren forsiktig om han var interessert i å lage en dokumentar om Khomeini.

«Hva innebærer det?» spurte Nosrat overrasket.

«En reportasje om Khomeini og hans hverdagsliv.»

Nosrat var forbauset over forespørselen. Han hadde allerede tenkt på noe lignende en stund, men hadde sett på det som ugjennomførbart.

«Det CNN ønsker er en eksklusiv dokumentar på omtrent en halvtime som tar for seg privatlivet hans,» sa reporteren. «Vi betaler selvfølgelig et betydelig beløp for det.»

Nosrat var ikke ute etter et stort honorar. For ham handlet det om muligheten til å lage en helt unik reportasje. Det var kanskje hans livs sjanse, men den var ugjennomførbar.

«Det går ikke,» sa han. «Hvorfor skulle han gi meg tillatelse til å filme ham?»

«Du kan jo alltids forsøke,» svarte reporteren. «Tenk på det, og ta kontakt med meg hvis det skulle være noe annet.»

«Greit,» svarte Nosrat.

I hodet hans rullet scenene han gjerne skulle ha filmet. Han greide ikke å sove av ren opphisselse den natten.

Han ønsket å snakke med noen om det, men han torde ikke åpne munnen, av frykt for at hellet skulle snu.

Da Nosrat en kveld gikk tur med Khomeini langs vannet bak Khomeinis bolig, fortalte han ham en fascinerende historie om satellitter og hvordan de fungerte.

Han sa at det var en teknologisk revolusjon at man kunne se den amerikanske presidenten på direkten, mens han satt på arbeidsværelset sitt i Det hvite hus og drakk kaffe.

«Mennesket er nysgjerrig av natur,» fortsatte han, «og for å

332

tilfredsstille sin nysgjerrighet finner det opp et slikt instrument og sender det opp i luften. Menneskene vil vite alt, de er for eksempel svært nysgjerrig på hvordan du bor, hvor du bor og hva du spiser. Og det er ikke noe galt med denne nysgjerrigheten.»

Nosrat prøvde å forberede ham på spørsmålet sitt, men han visste at så snart han nevnte CNN ville navnet «Amerika» bli nevnt. Nosrat var redd for at han ikke skulle være velkommen lenger hvis han stilte spørsmålet, at han bare kunne ta med seg fjernsynet og dra.

Men han var så grepet av ideen at han ikke greide å styre seg lenger. Nosrat hadde med seg kameraet overalt, så da han satt sammen med Khomeini den kvelden og slo på fjernsynet for ham, trykket han i smug på den røde knappen på kameraet. Han filmet Khomeini der han satt barbeint på gulvet mens han smugkikket på fjernsynet bak skapdøren.

I løpet av noen måneder laget Nosrat flere titalls korte opptak av Khomeini. Av hvordan han vandret langs innsjøen og kikket på endene, og at det dukket opp noen spurver som fløy kvitrende over hodet på ham, og at han plutselig snublet over en trestamme, slik at turbanen falt på bakken og rullet ut i innsjøen, og at endene løp bort til den og begynte å plukke på den.

I én av scenene ligger Khomeini syk på sengen. Han ligger på siden med ansiktet vendt mot Mekka, akkurat slik de muslimske legger sine døde i graven. Kona hans kommer et øyeblikk inn i bildet, hun kjenner forsiktig på pannen hans og går igjen uten å si noe.

I et annet opptak kan man se hvordan han går frem og tilbake på soveværelset sitt. Han går bort til vaskeservanten, vasker hendene, løfter koranen og står andektig og leser en side. Da han er ferdig med å lese, griper han fyllepennen, skriver noe, legger papirlappen i en konvolutt, limer den igjen og roper på kona: «Batul!»

Hun kommer, og han gir henne konvolutten og sier: «Gi dette til hæren!»

Hun tar imot konvolutten, gjemmer den under chadoren og går.

Khomeini merket snart at Nosrat filmet ham i smug. Og Nosrat var overbevist om at Khomeini i stillhet samarbeidet med ham.

En dag tok reporteren fra CNN kontakt med Nosrat.

«Du har ikke ringt meg. Jeg regner med at du ikke ønsker å etterkomme vår forespørsel.»

«Jeg har laget noe vidunderlig,» glapp det ut av Nosrat.

Et kvarter senere sto mannen utenfor døren hans.

Nosrat var for oppslukt til å legge merke til at det nye muslimske hemmelige politiet holdt øye med ham. Han innså ikke at de visste at han hadde kontakt med CNN.

Reporteren kom inn, Nosrat kokte te, stakk en av videokassettene i spilleren og satte seg. Reporteren kunne ikke tro sine egne øyne.

«Fantastisk!» sa han.

De hadde ikke sett gjennom halvparten av opptakene engang da fem væpnede menn hoppet ned på balkongen fra taket. De sparket inn døren, stormet inn og arresterte Nosrat og reporteren. To soldater ble igjen og gjennomsøkte huset. De tok med seg alle mistenkelige gjenstander i esker.

Reporteren fra CNN ble forvist fra landet neste dag. Nosrat havnet derimot på en celle for videre avhør. Først i fengselet gikk det opp for ham at saken ble oppfattet som mye alvorligere enn han hadde trodd. Han skjønte at han hadde tatt en stor sjanse. Han visste at han ville bli straffet hardt for opptakene, men han håpet Khomeini ville hjelpe ham.

Nosrat forsøkte å overbevise avhørslederen om at han næret en dyp respekt for Khomeini og hadde handlet ut fra en oppriktig sympati for ham.

Han forklarte at opptakene hadde en sterk historisk karakter og var viktig for landets kulturelle arv.

Han understreket at han aldri hadde hatt til hensikt å selge opptakene til amerikanerne, men at han bare hadde filmet av kjærlighet til kameraet.

Han sverget på at han alltid hadde vært tro mot Khomeini og mot kameraet.

Og han lot det skinne igjennom at Khomeini visste om opptakene, og at han kunne bevise det om nødvendig.

Nosrats forsvar lød troverdig. Og de ville ha trodd ham, hadde det ikke vært for at de fant en mistenkelig kassett hjemme hos ham. Opptakene på denne kassetten var så skremmende vakre at Nosrat på det tidspunktet ikke hadde visst hva han skulle gjøre med dem. Derfor hadde han gjemt kassetten mellom bjelkene i taket inne på atelieret sitt, i håp om at ingen noensinne skulle finne dem. Og av ren angst hadde han visket det ut av hukommelsen. Men nå hadde agentene for sikkerhetspolitiet funnet kassetten.

«Du må passe deg så ikke din lengsel etter kvinner innhenter deg,» hadde Āqa Djān ofte sagt til Nosrat.

Han lette alltid etter en usedvanlig kvinne som han kunne lage et praktfullt portrett av. Det hadde imidlertid aldri falt ham inn at den kvinnen kunne være Khomeinis kone.

Sikkerhetspolitiets avhørsleder la plutselig kassetten ned på bordet foran ham. Nosrat bleknet da han gjenkjente den, han skjønte at det var ute med ham. Han stivnet av skrekk.

Hva hadde han sett i den gamle kvinnen, som gjorde at han uventet, ufrivillig hadde latt kameraet gå?

Batul var kona til den mektigste mannen i den shiamuslimske verden, men hun var maktesløs.

Nosrat kunne ikke forklare det, men det var denne maktesløse kvinnen som stilltiende hadde tvunget ham til å filme henne, betrakte henne, bevare henne og kanskje en gang vise henne frem.

Batul hadde vært slørkledd hele livet, ingen fremmed mann hadde noen gang sett håret hennes, ansiktet hennes, hendene eller føttene hennes. Og derfor hadde hun iblant behov for å vise seg frem.

Nosrat skjønte det ikke først. Når han banket på døren til stuen deres, åpnet alltid Batul døren for ham og tok imot ham med et smil. Hun var omtrent tjue år yngre enn Khomeini, det kunne man tydelig se på ansiktet hennes.

Hun tok alltid gjestfritt imot Nosrat, noe som ikke passet

seg for religiøse kvinner. Men Nosrat visste at det ikke handlet om ham, men om kameraet hans.

Batul var vakker, og hun ville vise frem denne skjønnheten, hun ville beskues av linsen.

Hennes ønske var ønsket til alle iranske kvinner som hadde vært undertrykt av menn opp gjennom århundrene og som aldri hadde fått mulighet til å vise frem sin skjønnhet.

Hun hadde inngått en taus avtale med Nosrat. Han filmet henne, men sa ikke noe om det.

Det var blitt publisert tusenvis av bilder av Khomeini i avisene, men ingen hadde noensinne satt det minste bilde av Batul i en avis. Man behandlet henne som om hun ikke fantes.

Batul sto foran vinduet og kikket på innsjøen. Hun hadde byttet ut den svarte chadoren med en melkehvit chador med blå blomster. Nosrat zoomet inn på ansiktet hennes og på det sølvgrå håret som var så vidt synlig. Hun lot chadoren gli langsomt ned på skuldrene. Det var en åpenbaring.

Men én scene felte Nosrat. Han hadde filmet inne på Batuls værelse, døren hadde stått halvåpen. Han hadde filmet værelset, hvor det sto en enkeltseng i det ene hjørnet og et nattbord med et lite speil og en gammeldags krukke med Nivea.

Da agenten for sikkerhetspolitiet så dette, løftet han videospilleren og slo den av all kraft i hodet på Nosrat.

Spilleren gikk i tusen knas, og Nosrat falt bevisstløs ned på gulvet.

Og så ble det stille.

Og overalt i landet vant stillheten terreng.

Saddam Hussein bombet ikke lenger byene, og Khomeini rådspurte ikke lenger Koranen med hensyn til fremrykningen på irakisk grunn.

Det hersket en stor stillhet. Henrettelsene tok slutt, og det ble ikke skutt flere ayatollaer. Alle var slitne, alle trengte hvile.

DE FØRSTE

Ved berget
Er dette trolldom,
eller kan dere ikke se?
Og den skrevne skrift
på utbredt pergament
ved det besøkte tempel
ved det høyt hvelvede tak
og et brusende hav
Den dag når de støtes i helvetes ild!
Ve denne dag over dem som kaller
sannhet for løgn! At-tur, At-tur!

Hvor mange år hadde gått? Hvor mange måneder hadde passert? Hvem hadde dratt? Hvem hadde kommet?

Det ble ikke lenger holdt orden på årene, og det hadde ikke noe for seg å telle månedene som hadde gått. Tiden sto stille for dem som var dypt nedsunkne i sorg, for dem som var døde og for dem som sørget over sine døde.

Også for dem som gravet opp hele hagen for å bearbeide sorgen, og for dem som laget hellige retter på kjøkkenet for å porsjonere opp sin smerte.

Landet lot til å ha falt til ro. Men det fantes én person som red gjennom ørkenen på en kamel med en ladd pistol under beltet for å dømme dommeren.

Først da kunne det kanskje bli ordentlig slutt på sorgen. Og først da kunne tiden settes i bevegelse igjen. Og da ville det vise seg hvor mange år som hadde gått siden de som hadde kommet, og de som hadde dratt.

I løpet av denne stillheten mistet Khomeini litt etter litt hukommelsen. En dag kunne han ikke lenger gjenkjenne mennesker fra sine nærmeste omgivelser.

Rafsanjani og Khamenei, de to viktigste tjenestemennene hans, grep makten og tvang Khomeini i bakgrunnen.

Galgal var den første som oppdaget at Khomeini var i ferd med å bli dement.

Han knelte ned ved siden av ham og ble forskrekket da han merket at Khomeini ikke gjenkjente ham.

Galgal var den eneste tjenestemannen som opererte selvstendig. Som en forlengelse av Khomeini. Sammen med ham var han mektig, uten ham var han ingen, og da var det på tide at Galgal skygget banen.

Dessuten var henrettelsestiden forbi, regimet hadde markert seg tilstrekkelig. Det hadde kastet de irakiske okkupantene ut av landet og eliminert alle motstandere. Nå måtte det stabilisere seg. Derfor var det ingen plass til en forhatt dommer som Galgal lenger.

Man måtte finne en ny stilling til ham, men det var ikke bare enkelt. I mellomtiden var en rekke medlemmer av mudjahedinen og de venstreorienterte grupperingene klar over hvilken rolle han hadde spilt, og hvilke avskyelige gjerninger han hadde begått. De lå på lur overalt for å eliminere ham.

Selv ville Galgal gjerne vende tilbake til Qom for å undervise i jus på imamskolen, men det var umulig nå.

Han skjønte at hans oppdrag for islam snart var oppfylt, akkurat som oppdraget for Khomeini.

Khomeini var ennå ikke død, men han tilhørte fortiden. Galgal hadde ikke lenger noen fremtid, det fantes ingen plass til ham i nåtiden. Han måtte komme seg tilbake til fortiden, spørsmålet var hvordan.

Heldigvis visste Khomeinis etterfølgere hvordan de skulle sende Galgal tilbake til fortiden. Nå var Taliban i nabolandet Afghanistan i full gang med å etablere en muslimsk regjeringsmakt. De forsøkte å innføre den gammeldagse muslimske shariaen i Afghanistan med vold.

Ayatollaene i Iran hadde tett kontakt med Taliban, og de holdt regelmessige møter for å styrke hverandres posisjon i forhold til vestlige motstandere.

Regimet kom på at de kunne gi Galgal i gave til Taliban, hvilket ville være en stor ervervelse for det fanatiske Taliban.

Det var en genial løsning, og Galgal tok imot forespørselen med åpne armer. Talibans fanatisme tiltalte ham. Følgelig pakket han kofferten og reiste anonymt som kjøpmann med hatt og skjegg til grensebyen Mashhadd.

Han overnattet på et herberge hvor han neste kveld ble plukket opp av en Taliban-forkjemper. Kledd som afghaner krysset han grensen og kjørte i retning av Kabul sammen med mannen. Der ble han tatt varmt imot av Taliban-lederen og tilbudt et hus i Kabul.

Galgals liv ble fullstendig forandret. Han hadde kommet inn i rolig farvann.

Offisielt ble han tilbudt jobb i statsarkivet, men egentlig var han en viktig mann i ledelsen av Taliban.

Han nøt anonymiteten byen ga ham, og han hadde endelig funnet roen til å fordype seg videre i den muslimske lovgivningen. Han satt på statsarkivets gamle bibliotek hele dagen og studerte muslimske dokumenter brakt til ham fra det kongelige biblioteket i Saudi-Arabia. Etter et par måneder giftet han seg med en afghansk kvinne og startet et familieliv.

Han var lykkelig, han likte det nye livet sitt. Han gikk fritt omkring i byen og handlet i butikkene, noe han aldri hadde gjort tidligere, og med jevne mellomrom besøkte han den afghanske svigerfamilien sin. Ingen visste noe om fortiden hans, og han utga seg for å være en muslimsk etterforsker som skrev på en bok om islams historie.

Han hadde ingen anelse om at noen fremdeles lette etter ham, at ugjerningene hans ikke var glemt.

Shahbal var en av dem som lette etter Galgal. Men han mistet sporet.

Det var bare tre ledere igjen i Shahbals parti. Resten var blitt arrestert, henrettet eller hadde flyktet. På den siste hastige samlingen til det som var igjen av ledelsen, fikk Shahbal i oppdrag å eliminere Galgal. Senere viste det seg at dette var den siste beslutningen fattet av partiet. Shahbal ville personlig hevne seg for Djavāds død. Han greide ikke å glemme den lange kalde natten da de hadde lett etter en grav i fjellet. Han orket ikke fornedrelsen. Han måtte gjøre noe, ellers kom han aldri til å sove rolig igjen. Først etter denne gjerningen ville han være i stand til å plukke opp tråden i livet.

Etter at han hadde utført overfallet på ayatollaen, visste ingen i familien hvor han var. Āqa Djān trodde at han hadde forlatt landet og havnet et eller annet sted i Europa eller Amerika.

Men Shahbal hadde ikke dratt. Han befant seg fremdeles i Teheran. Han hadde latt skjegget vokse og jobbet som drosjesjåfør i en av byens tusenvis av oransje drosjer.

Undergrunnspartiene brukte aldri private biler, for sikkerhets skyld. De benyttet seg i stedet av en rekke drosjer.

Shahbal hadde hatt drosjen da han jobbet som redaksjonsmedlem for partiavisen. Han brukte den som transportmiddel og tjente til livets opphold med den. Av sikkerhetsmessige årsaker hadde ikke lenger restene av ledelsen samlinger. Men de møtte hverandre med jevne mellomrom i et tehus i basaren i Teheran.

I løpet av et av disse møtene fikk Shahbal høre at Galgal befant seg i Kabul.

«Det burde jeg ha gjettet,» sa han overrasket, «hvordan fikk dere denne informasjonen?»

«Tudehpartiet,» sa en av dem kort og ga ham en liten papirlapp med adressen.

Også Tudehpartiet hadde gått i oppløsning. Regimet hadde satt dem ut av spill. Men gamle medlemmer av dette russofile kommunistiske partiet hadde fremdeles kontakt med det kommunistiske nabolandet, Sovjetunionen.

Shahbal visste hva han skulle gjøre.

I løpet av den kommunistiske regjeringsperioden i Afghanistan hadde den iranske undergrunnsgrupperingen bygd opp gode kontakter med afghanske sympatisører. Da Taliban kom til makten, flyktet kommunistene til Sovjetunionen. Men mange ble også værende. Det tok noen måneder før Shahbal greide å få organisert en gruppe afghanere som skulle smugle ham inn i landet. I ly av mørket red han på en kamel gjennom ørkenen til den afghanske grensen. Der skulle en afghaner vente på ham med en motorsykkel.

Da han kom frem til grensen, etterlot han kamelen i herbergets kamelstall og gikk til fots til det stedet hvor afghaneren skulle vente på ham bak piggtråden. Etter at de hadde utvekslet det hemmelige passordet, viste mannen ham hvor han kunne krype under piggtråden og inn i Afghanistan.

Shahbal satte seg bakpå motorsykkelen og ble kjørt bort. Etter en halvtime stoppet afghaneren ved en gjeterhytte. Han gikk inn og kom tilbake med en tradisjonell klesdrakt. Da Shahbal hadde skiftet, kjørte de videre til den første landsbyen, derfra skulle det gå en buss til Kabul neste morgen.

Det var fremdeles høst, men det snødde på fjelltoppene, vinden bet i ansiktet. Mannen kjøpte ferskt brød og dadler til Shahbal og satte ham på bussen.

Etter å ha reist fem timer gjennom fjellet, og etter utallige stopp, nådde bussen endelig sentrum i Kabul.

Shahbal gikk av bussen og bort til et tehus for å få seg noe å spise. Han bestilte varm, tykk suppe og drakk et par glass nytrukket te.

De siste tre nettene hadde han nesten ikke sovet, han gikk inn på det lille hotellet like ved kafeen og krøp straks under dynen.

Han våknet ikke før neste morgen, da hotellets tjener banket på døren for å spørre om det gikk bra med ham.

Han følte et sterkt behov for å vaske seg, men hotellet hadde ikke noe bad. På leting etter et offentlig bad fant han en moské. Der vasket han seg grundig, og så gikk han til et tehus for å spise frokost. Byarkivet hvor Galgal jobbet, lå bare et par kvartaler unna. Arkivet var stengt for publikum, men det var lys bak vinduene.

Galgals arbeidsværelse lå i øverste etasje, der satt han alene.

Skrivebordet sto foran vinduet, hvis han løftet blikket, kunne han se folk passere ute på gaten. Han begynte tidlig på jobb, i likhet med alle sine medarbeidere, men da arkivet stengte i firetiden, fortsatte han å jobbe en time til og forlot bygningen som sistemann.

Shahbal gjenkjente ham umiddelbart da han kom ut, trass i de afghanske klærne. Han var blitt tykk, men ganglaget avslørte ham. Det hadde akkurat blitt mørkt, Shahbal fulgte etter ham til bakeren. Med det ferske brødet under armen gikk Galgal bort til en mann som solgte de siste høstdruene på fortauet. Han kjøpte noen druer og dro hjem.

Shahbal fulgte etter ham hjem, gjorde seg kjent med omgivelsene og vendte tilbake til hotellet. Han ville helst treffe Galgal alene hjemme, men da han sto foran vinduet hans neste kveld, satt han og spiste middag på gulvet sammen med sin nye afghanske kone. Shahbal kunne ikke vente lenger, han måtte handle raskt, før det afghanske hemmelige politiet oppdaget at han var der.

Han tok seg en runde rundt huset og ga Galgal tid til å spise. Da han passerte vinduet igjen, så han kona stå på kjøkkenet. Lyset i andre etasje brant. Han så sin sjanse, krøp gjennom vinduet inn i huset og listet seg inn på kjøkkenet. Kvinnen, som drev og vasket opp, hørte noe. Hun snudde seg og så en bevæpnet mann stå i døråpningen, men før hun kunne skrike, grep Shahbal henne, holdt hånden for munnen hennes og hvisket: «Vær rolig! Jeg skal ikke gjøre deg noe. Hør på meg, mannen din er en iransk forbryter, han har latt hundrevis av uskyldige unge mennesker henrette. Hvis du holder deg i ro, forblir du uskadet. Skjønner du min persisk?»

Kvinnen nikket forskremt.

«Jeg har dårlig tid, jeg kommer til å sette tape for munnen din og binde hendene og føttene dine. Du må ikke bevege deg. Hvis du beveger deg, skyter jeg deg også. Forstått?»

Kvinnen nikket enda en gang.

«Veldig bra,» sa han og bandt henne. Han etterlot henne på kjøkkengulvet og klatret varsomt opp trappen og inn på rommet hvor det brant et lys.

342

Øverst i trappen kikket han med pistolen i hånden gjennom dørsprekken. Galgal satt bak et bord, han hadde på seg brillene, leste en bok og tok notater.

Shahbal åpnet døren forsiktig og gikk inn. Galgal trodde at det var kona som kom med te til ham, og løftet derfor ikke blikket. Men da hun ikke sa noe, tok han av seg brillene, kikket bort mot døren og så en bevæpnet afghaner i værelset.

«Ikke rør deg!» ropte Shahbal.

Persisken gjorde det klart at han ikke hadde med en afghaner å gjøre. Han så forvirret på Shahbal.

Shahbal tok av seg den afghanske hatten og sa med kald stemme: «Muhammed Al Galgal! Den såkalte Guds dommer! Undergrunnsdomstolen har gitt meg i oppdrag å henrette deg!»

Galgal gjenkjente Shahbal, det skremte ham, han ville si noe, men tungen hans var blitt tørr som et trestykke. Dette var slutten. Ingenting kunne redde ham nå. Han mumlet noe.

«Jeg hører ikke hva du sier.»

Han pekte på vannglasset på bordet.

«Bare drikk!» ropte Shahbal.

Med skjelvende hånd tok Galgal en slurk vann.

«Kan jeg vende meg mot Mekka?» sa han med apatisk stemme.

«Det kan du!»

Gagal reiste seg. Han tok et skritt i retning av vinduet og snudde seg mot Mekka i kveldsmørket og nynnet:

«De til høyre, hva med dem til høyre?
De til venstre, hva med dem til venstre? ...»

Shahbal løsnet et skudd som traff Galgal i brystet.

Galgal vaklet, men fant støtte i vindusposten og fortsatte:

«Menneske, du strever med kraft
henimot din Herre, og du
skal møte Ham ...»

*

343

Shahbal løsnet enda to skudd.

Galgal slapp vindusposten med et rykk og falt sammen på gulvet. Mens han lå og vred seg i krampetrekninger, nynnet han vagt:

«Og de som ligger først i løpet
– disse er det som kommer
i lykksalighetens haver.»

Shahbal skyndte seg ned, slapp løs kvinnen og sa: «Dra straks til familien din!»

Kvinnen flyktet ut.

Shahbal forlot huset, løp til venstre ut i gaten og gikk i ro og mak gjennom de mørke smugene mot sentrum. Der kjøpte han ferskt brød og en drueklase og satte seg på nattbussen til Pakistan.

Bussen kjørte gjennom de halvt opplyste gatene i Kabul. Byen var praktfull. En gang skulle han vende tilbake til dette mystiske stedet.

LYKKSALIGHETENS HAGER

Alef lām mim Rā. Årene gikk, og sorgen i huset vokste som et tre i hagen.

De amerikanske gislene sov i sin egen seng igjen, i sitt eget hjem. Khomeini var død.

Krigen var over, og Amerika, som ikke hadde oppnådd noe med Saddam, hadde satt spionflyene sine på bakken.

Trekkfuglene kom fremdeles til byen og passerte over huset ved moskeen. Men fordi det ikke lå noe mat der, fortsatte de sin ferd.

Døtrene til Āqa Djān bodde i Teheran. De hadde giftet seg i stillhet i løpet av de travle årene med krig og henrettelser. Ensi hadde fått en sønn som hun hadde oppkalt etter Djavād. Hun kom regelmessig hjem sammen med sin mann og la Djavād i Faqri Sādāts armer. Faqri, som hadde trodd at hun aldri ville komme over sorgen, kysset barnet, reiste seg og ropte: «Āqa Djān, hvor er du? Kom og se, han ligner utrolig på Djavād!»

Den gamle kråka hørte Faqri og tok seg en liten runde over huset. De gamle fiskene i bassenget spratt opp av vannet i ren lykke, det gamle treet rettet ryggen og smilte, fuglene satte seg på greinene, og vinden, som akkurat kom fra fjellene, brakte med seg en duft av ville vårblomster. Āqa Djān tok på seg jakken og hatten, grep spaserstokken og gikk glad til basaren for å kjøpe en eske ferske småkaker.

Når hadde han sist kjøpt en eske småkaker av ren glede?

Han husket det ennå, det var den dagen bestemødrene hadde dratt til Mekka.

På en av disse nydelige vårdagene hentet Āqa Djān sin gamle Ford fra garasjen og vasket den for første gang selv utenfor inngangsdøren. Han la Faqri Sādāts koffert i bagasjerommet og hjalp henne inn i bilen, så satte han seg bak rattet og kjørte til Djirja.

En gang hadde nesten alle kvinnene i Djirja, gamle som unge, knyttet tepper for Āqa Djān og tatt imot ham som en fyrste. Men det hadde også skjedd at de ikke hadde villet gi sønnen hans en grav.

Heldigvis var disse dagene forbi, for da han parkerte bilen på landsbytorget og krysset plassen med Faqri, gikk landsbyboerne til side og bukket ærbødig.

Nå som voldsbølgen var over, krigen utkjempet og revolusjonens støv hadde lagt seg, hadde man fått en forståelse av det hele. De så resultatene av mange års kamp.

På grunn av de mange døde, og forskjellene i politisk oppfatning var mange familier blitt splittet. Fengslene var fylt til randen av regimets motstandere. Arbeidsløsheten var enorm, og det fantes lite mat.

Āqa Djān hadde aldri fortalt Faqri hva som hadde skjedd i landsbyen den kvelden, men Faqri hadde hørt hele historien fra familien.

«Jeg skjønner fremdeles ikke hvordan folk kan forandre seg slik over natten,» sa hun da de gikk mot huset som en gang hadde tilhørt hennes far.

«De er enkle mennesker, og nesten alle er analfabeter. Sjahen har ikke gjort noe for dem, og ayatollaene kommer ikke til å gjøre særlig mer. Jeg klandrer dem ikke. Dessuten er røttene våre dypt plantet i denne grunnen, alle våre døde ligger begravet her. Hvis det går bra, er det vår fortjeneste, og hvis det går dårlig også.»

Det gamle slottet hvor de hadde overnattet tidligere, var okkupert av den muslimske hæren. Derfor tilbrakte de den første natten i Faqris barndomshjem, hvor hennes yngre søster bodde.

Neste dag besøkte de huset til Kāzem Khān. De gikk ved siden av hverandre under mandeltrærne, som var dekket av lyse rosa blomster. Fuglene sang så blidt som om de ville feire slutten på sorgen. Den gamle delen av landsbyen var ikke endret, men oppe i åsen bygde de nygifte ungdommene nye hus. Djirja var kjent for sine tepper og sin safran. Safranen som vokste oppe i åsen, var svært velduftende. Når man tidligere hadde kommet ridende til Kāzem Khāns hus, hadde man ikke sett annet enn de gule safranplantasjene som dekket åssidene. Nå sto det hundrevis av små, enkle hus på de lave åskammene. På den høyeste kammen hadde man i sjahens tid påbegynt byggingen av et vannreservoar, men så var det ikke blitt noe av det.

«Trærne er blitt gamle,» sa Faqri.

«Jeg er også blitt gammel,» svarte Āqa Djān.

Før kulden satte inn, klatret alle jentene i landsbyen opp på åskammen for å plukke safrantråder, som ble solgt som gull. De sang frydefullt, og når de vendte tilbake, var hendene deres gulbrune og hele kroppen luktet safran.

Jentene fra Djirja hadde mange beundrere fra andre landsbyer. Men det var vanskelig å få jentene løsrevet fra landsbyen.

I løpet av de lange, kalde vintrene holdt jentene seg innendørs døgnet rundt og knyttet tepper. Når våren kom, åpnet de vinduene, og da kunne man høre dem synge og knise. Vinduene sto åpne nå, men man kunne ikke høre dem. De hadde ikke lenger lov til å synge.

Āqa Djān og Faqri Sādāt vandret rolig langs de gamle valnøttrærne til Kāzem Khāns hus, som lå på en forhøyning overfor safranåsene.

To ryttere dukket opp i det fjerne og kom galopperende mot dem. De steg av et par meter unna og leide hestene bort til dem. Mennene lignet på hverandre, de bøyde seg frem og hilste Āqa Djān. Ut over det sa de ingenting.

Āqa Djān gjenkjente dem ikke, han så spørrende på Faqri Sādāt.

«Nå ser jeg det, det er de to døve sønnene til den gamle tjeneren til Kāzem Khān,» sa Faqri og smilte.

Āqa Djān hilste mennene tilbake med en håndbevegelse og spurte hvordan det gikk med kone og barn.

Mennene gestikulerte at alt gikk bra hjemme og at barna var blitt store.

«Vi har tatt med disse hestene til dere,» gestikulerte en av mennene, «dere trenger dem under oppholdet her.»

Āqa Djān så smilende på Faqri og sa: «De tilbyr deg en hest, hva sier du?»

«Kommer ikke på tale,» sa Faqri og lo, «du greier det helt fint, men det er ingenting for meg. Jeg er ikke lenger den gode gamle Faqri, jeg tør ikke ri.»

«Konene deres inviterer deg på besøk,» sa Āqa Djān.

«Bra, så hyggelig, med den største fornøyelse, jeg kommer,» gestikulerte Faqri.

Mennene ga fra seg tømmene og gikk derfra til fots.

Boligen til Kāzem Khān sto som en edelsten mellom de gamle trærne. Slik måtte det være, det var huset til landsbyens dikter. Graven til Kāzem Khān lå i enden av hagen under mandeltrærne og var fullstendig dekket av blomster.

Da han var i live, hadde fuglene sunget helt til han åpnet vinduet til opiumsværelset sitt og opiumsrøyken steg ut og opp.

Når han var ferdig med å røyke, pleide han å rope: «Hjem med dere, gutter, god natt!», og da fløy de sin vei.

Bonden og bondekona som hadde jobbet for ham, hadde gjort i stand huset til Āqa Djān og Faqri skulle komme. De to spiste sammen i hagen, snakket om Kāzem Khān og lo av hvordan han hadde erobret kvinnene i fjellene med diktene sine.

Om kvelden kom bondekona bort til Faqri Sadāt og sa: «Et par kvinner vil gjerne komme og hilse på deg, hvis du ikke har noe imot det.»

«Hvilke kvinner?» spurte Faqri overrasket.

«Kvinner fra landsbyen, som en gang knyttet tepper for dere.»

Kvinnene beundret Faqri for hennes skjønnhet og hennes vennlige måte å være på. De likte henne fremdeles.

«Når kommer de?»

«Nå, om det passer for deg.»

Āqa Djān gikk inn på biblioteket til Kāzem Khān.

Først kom noen gamle kvinner inn. De kysset Faqri og satte seg stille på bakken. Deretter kom det flere grupper kvinner, også de kysset Faqri og satte seg. Faqri var overrasket. De fleste kvinnene hadde jobbet for dem en gang, hun gjenkjente ansiktene deres. Til slutt kom en gruppe på syv kvinner inn. De omfavnet henne. Dette var jentene som hadde kommet til henne en gang for å knytte prøvetepper.

«For en overraskelse. Besøket deres får lyset i hjertet mitt til å flamme opp igjen. Dette hadde jeg slett ikke forventet. Jeg trodde at dere hadde glemt meg,» sa Faqri.

En av de gamle kvinnene tok ordet og sa rolig: «Faqri. Du har lidd mye, det vet vi. Du har mistet sønnen din, og vi har ikke gitt ham noen grav. Det er noe vi alltid vil ha på samvittigheten. Vi har kommet i kveld for å be deg slutte å sørge. Vi har tatt med en kjole til deg. Vi ber deg henge de svarte klærne dine tilbake i skapet og ta på deg denne kjolen. Det burde egentlig ha skjedd for lengst, det har vært vanskelige år for deg.»

Kvinnen hentet frem en munter, blomstrete kjole og ga den til henne. Med tårer i øynene betraktet Faqri sine egne svarte klær. Hun fikk ikke frem et ord, gråt stille mens hun holdt hånden for munnen.

Hun ville løpe opp til Āqa Djān med den blomstrete kjolen, men hun så at en gruppe menn akkurat var på vei opp trappen.

Det var landsbyens vismenn, som også hadde jobbet for Āqa Djān en gang.

En av dem banket på døren inn til biblioteket og spurte om de kunne komme inn.

«Selvfølgelig!» ropte Āqa Djān. «Vær velkommen!»

De gikk inn og satte seg ned på de gamle stolene ved vinduet. I et minutt var det helt stille. Så tok en av mennene ordet: «Āqa Djān, nesten alle familiene i landsbyen har mistet en sønn i krigen. De ligger begravet sammen på gravplassen. Vi ga ikke sønnen din en grav, derfor bærer vi din sønns lik i vår samvittighet. Tilgi oss!»

«Gud er allvitende. Og tilgivende,» sa Āqa Djān i en fredfull tone, «jeg har aldri klandret noen for det. Deres besøk lindrer min smerte. Jeg har alltid trodd på det gode i mennesket. Jeg takker dere.»

Den gamle mannen hentet frem en hvit skjorte og sa: «Sørgetiden er over. Ta imot denne fra oss og la den svarte skjorten ligge i skapet.»

I sengen la Faqri hodet sitt på Āqa Djāns bryst og sa: «For en vakker kveld. Jeg er så glad, nå kan jeg dra til landsbyen vår igjen.»

De kikket ut av vinduet opp på himmelen som var full av stjerner.

«De har gjort det godt igjen. De er erfarne mennesker, de gamle landsbyboerne. De er kloke, og denne klokskapen strømmer ut fra områdets rike tradisjoner. De vet å hele gamle sår.»

«I morgen kommer det et par venninner innom som skal sette henna i håret mitt,» sa Faqri oppglødd.

«Jeg er så glad på dine vegne! Du fortjener det!» sa Āqa Djān.

De sovnet i hverandres armer.

Om morgenen ble Āqa Djān vekket av fuglekvitter. Etter bønnen gikk han en tur i hagen. Han hadde pā seg den hvite skjorten som landsbyboerne hadde gitt ham. Han følte seg vel. Han så på de spirende greinene som var fulle av blomster, og kjente at han hadde kraft i beina igjen. Han gikk til Kāzem Khāns grav, knelte ved gravsteinen hans, plukket opp en stein, banket den forsiktig mot gravsteinen og resiterte et av diktene hans:

«Ruzgār ast ke gah ezzat dehad gah khār dārad
Tjarkh-e bāzigar az in bāzitjehā besyār dārad
Det er skjebnen som først gir deg ære og siden
    fornedrer deg.
Den lunefulle himmel har mange slike leker.»

En nydelig vårvind blåste ned fra fjellene. Plutselig husket Āqa Djān at han hadde drømt om Hushang Khān.

Hushang Khān var en gammel venn, en adelig mann som bodde høyt oppe i fjellet. Det var han som hadde reddet dem den natten, som hadde kommet kjørende ned fra fjellet i en jeep og tatt med seg Djavāds lik.

Han bodde på slottet sitt ved sin egen lille landsby, langt unna alle andre landsbyer oppe i fjellet.

Siden den natten Hushang Khān hadde tatt med seg Djavāds lik, hadde ikke Āqa Djān vært i fjellet. Han visste at han måtte være tålmodig, og at tiden en gang ville være inne.

Nå som han sto ved graven til sin onkel, husket han drømmen. Tanken på Djavād passerte som en duft av blomster gjennom ham.

Han hentet en av hestene ut fra stallen, hoppet opp i salen og galopperte i retning av Savodjbolag.

Hushang Khān var omkring de seksti. Han var sønn av en mektig adelsmann, en meget spesiell type. Han ville ikke ha noe med faren sin eller sjahens regime å gjøre.

Hushang hadde fire koner og fem barn med hver kone. Han bodde i en slags selvstendig lukket koloni og hadde nesten ikke behov for hjelp utenfra.

Hushang Khān eide en jeep, et par traktorer, et titalls kyr, hester og sauer. Dessuten hadde han et lite bryggeri i kjelleren hvor han produserte vin til eget bruk.

Han hadde ingen kontakt med verden utenfor, bare vennene besøkte ham regelmessig. Dette var diktere, forfattere og musikere fra Isfahan, Yazd, Shirāz og Kāshān. De var alltid velkommen, de gikk turer med Hushang i fjellet, røykte opium, drakk den hjemmelagde vinen hans og nøt fruktene fra hagen. Det var ingen bilvei opp til den lille landsbyen hans, han var den eneste som kunne kjøre den gamle jeepen over fjellet og ned i dalskråningen. Gjestene hans kom med buss til Djirja, resten av veien klatret de med mulesel.

Hushang Khān hadde studert i Paris, og han hadde bodd der lenge, men en dag pakket han kofferten og vendte tilbake til fjellene.

Han gikk alltid rundt iført høye støvler, en underlig hatt og parfyme fra Paris. Hver dag klatret han opp på toppen av fjellet for å få med seg soloppgangen. Den store radioen hans var alltid stilt inn på en franskspråklig kanal, og her lyttet han til musikk og nyheter.

Selv om han hadde fire koner, bodde han alene på slottet sitt og hadde sine egne ting.

Fjellene Savodjbolag lå mellom, var hemmelighetsfulle. På det høyeste fjellet fantes det et krater, og det steg fremdeles røyk ut av den gamle vulkanen. Slottet sto i skråningen til et av fjellene med utsikt mot en tørr dal.

På vei mot slottet passerte man tre gåtefulle grotter. I grottene befant deler av den gamle persiske historien seg. På det dypeste stedet i den ene grotten sto en enkel steinstatue av kong Shahpur, en av de første Sassanide-kongene.

Hugget inn i veggen i en av de andre grottene var en løve som sloss mot Akamenide-kongen, sittende på en okse. I den tredje grotten var det hugget ut en scene med kong Darius. Den største kongen noensinne.

Foran grotteåpningene blafret grønne flagg med hellige tekster. Pilegrimer klatret opp til grottene med mulesel for å beundre disse scenene.

Ørnene sirklet over grottene og holdt øye med alt sammen. Pilegrimene så på dem som grottenes voktere.

På toppen av fjellet sto en stor kirkeklokke. Gjester kunne ringe med klokken og på den måten gjøre Hushang Khān oppmerksom på at de var på vei. Āqa Djān ringte med klokken og vinket med hatten mot landsbyen. «Khāāāāāāāāāāāāāāāāāāāāāāāāāān!» Stemmen ga ekko i dalen nedenfor slottet.

Barna som lekte foran slottet, hørte ham alle sammen og ropte tilbake: «Hvem er duuuuuuuuuuuuuuuuuuu?»

«Āqāāāāāāāāāāāāāāā Djāāāāāāāāāāāāāāāān!»

De løp inn på slottet for å informere Khān om gjesten.

Āqa Djān klatret videre leiende på hesten.

Hushang kom allerede galopperende mot ham mens han vinket med hatten. Han hoppet av hesten foran Āqa Djān og omfavnet ham.

«Min sanne venn, velkommen! For en hyggelig overraskelse! Mitt hus er ditt hus!»

De gikk videre til fots.

«Si meg, min venn, hva har brakt deg hit?»

«Tro det eller ei, en drøm,» sa Āqa Djān.

«Hva slags drøm?»

«Jeg er i Djirja med Faqri, og i natt drømte jeg om deg.»

«Hvorfor har du ikke tatt med deg Faqri?»

«Jeg hadde ikke tenkt å stikke innom, men da jeg husket hva jeg hadde drømt i morges, dro jeg med en gang.»

«Hva handlet drømmen om?»

«Jeg husker det ikke helt nøyaktig lenger, men jeg sto ved klokken og så deg gå ned mot dalen. Jeg ringte med klokken, men du hørte meg ikke, jeg trakk enda hardere i tauet, men du snudde deg ikke. Med klump i halsen ringte jeg ustanselig med klokken, slik at alle i fjellet hørte det, unntatt du. Resten har jeg glemt.»

«Jeg vet hva resten av drømmen din handlet om. Bare bli med meg,» sa Khān og så hoppet han på hesten sin og red nedover mot dalen.

Det var en tørr dal, man kunne ikke se annet enn mørkebrune steiner. Det var intet tegn til liv der. Khān red elegant ned skråningen, og da de var kommet helt ned, steg de av. Han gikk ned til dalens bunn.

«Her er grunnen så tørst at selv om man hadde latt Persiabukten strømme over den, ville ikke dalens tørst slukkes. Men du aner ikke hvor fruktbar grunnen egentlig er. Jeg drømmer om en gang å skape Edens hage av denne dalen. Jeg vil vise deg noe. Er du klar?»

«For hva?»

«For noe vondt, men samtidig vakkert!» Han klatret over et par digre steiner, og Āqa Djān fulgte etter ham.

«Her har naturen utrettet et under,» fortsatte han. «Det er bare tørr grunn her, men bak slottet er grunnen myk og fuktig. Skal jeg fortelle deg en hemmelighet? Kan du fatte at jeg har et enormt vannreservoar under slottet?»

«Vannreservoar?»

«Virkelig, et underjordisk, naturlig vannreservoar. Jeg vet

ikke hvordan det har oppstått, eller hvor vannet kommer fra, kanskje fra de nordlige fjellene hvor den evige snøen ligger. Det er slottets hemmelighet, ingen vet om det. Jeg oppdaget det for omtrent tre år siden da en fransk venn var på besøk. Han er geograf og var nysgjerrig på vannkildens opprinnelse. Han tok seg ned til kilden med et tau. Da han kom opp igjen sa han: 'Det er gull under slottet ditt.'

'Gull?' spurte jeg overrasket.

'Vann, det ligger et enormt vannreservoar under bakken her, og det kan du tjene gull på,' sa han.

Jeg har ikke sagt det til noen ennå, for jeg er redd ayatolla-ene vil ta fra meg slottet og fordrive meg herfra når de finner det ut. Så lenge jeg lever, skal jeg bevare denne hemmeligheten, men jeg har allerede gjort en test i smug. Med hjelp av en av dine slektninger.»

«Hvilken slektning?»

«Det skal jeg fortelle deg senere. Jeg kjøpte en kraftig vann-pumpe og en lang vannslange. Resten må du se med egne øyne. Lukk øynene, så skal jeg ta deg med til det stedet jeg snakker om. Vær sterk og følg meg!»

Āqa Djān lukket øynene, holdt et fast tak i Khāns arm og fulgte ham bak de høye fjellveggene.

«Nå kan du åpne øynene,» sa Khān.

Āqa Djān åpnet øynene. Han kunne nesten ikke tro det. Foran ham lå en gigantisk, vidstrakt hage. Det var en hage full av velduftende vårblomster i alle regnbuens farger, her og der sto unge trær i full blomst.

«Dette er helt utrolig!» sa Āqa Djān.

«Bakken er fremdeles varm etter den gamle vulkanen, og samtidig rik på grunnstoffer. Og hagen blir skjermet av store steiner. Dette er utvilsomt en del av drømmen min for dalen. I natt drømte du noe, men du husker ikke lenger riktig hva det var. Jeg skal fortelle deg hva du drømte. Se der, under det treet, mot den gulbrune fjellveggen, der ligger sønnen din begravet, jeg har fremdeles ikke satt opp noen gravstein, men han er dek-ket av blomster.»

Āqa Djān grep Khāns arm.

354

«Vanlige fugler tør ikke komme hit,» fortsatte Khān, «dette er ørnenes domene. De flyr over dalen og holder vakt.»

Med fuktige øyne kikket Āqa Djān på de oransjerosa blomstene som dekket graven. De hadde vokst så tett inntil hverandre at det virket som om de var redde for å avduke graven. Tårene trillet nedover kinnene hans. Han knelte ved graven og kysset bakken:

«Alef lām mim Rā
Gud er det som plasserte himlene der oppe
Han er det som har utbredt jorden
og laget faste fjell
og elver på den.
Gud er det som plasserte himlene der oppe,
uten synlige støttepillarer
Han satte sol og måne i tjeneste
Enhver av dem løper med fastsatt tid
Gud er det som plasserte himlene der oppe
Han lar natten dekke over dagen.
Alle frukter har Han skapt to og to i par
Og her finnes jordstykker ved siden av hverandre
Vingårder, kornåkrer, palmetrær,
parvis og enkeltvis, alt vannet
med samme vann
Gud er det som plasserte himlene der oppe
Han klargjør ordet.
Alef lām mim Rā»

«Jeg takker deg,» sa Āqa Djān, «jeg takker deg, min venn, jeg kan kjenne lykken i mitt hjerte.»

«Jeg har noe annet som vil glede deg,» sa Hushang Khān.

«Ingenting kan gjøre meg lykkeligere enn dette.»

«Aldri godt å vite. Jeg fortalte deg akkurat at jeg fikk hjelp. Denne mannen har en elefants styrke. Uten hans støtte ville det ha vært umulig for meg å lage denne hagen. Blir du med? Vil du møte ham? Han jobber med traktoren bak slottet. Der holder vi på å opparbeide ny grunn, jeg har sådd solsikker. Frøene hadde

355

en av mine franske venner tatt med seg. Våre egne solsikker blir ikke mer enn en meter her i fjellet, men denne franske typen vokser seg høy. Snart vil det reise seg tusenvis av små soler ute på marken, og de vil lage flotte, fete frukter. I fjor gjorde vi en test, i år kan vi trolig presse vår egen olje av disse kjernene. Mannen jeg skal vise deg er svært hendig, han pløyer, han sår, han reparerer landbruksmaskiner, og han gir meg råd. Jeg har aldri hatt en så god arbeider før.»

De leide hestene langsomt til den andre siden av skråningen. Da de kom til en trekledd del av skråningen, bandt Khān tømmene til et tre og sa: «Vi skal overraske ham, trå varsomt.»

De gikk mellom trærne til det stedet hvor mannen arbeidet.

«Stå her,» hvisket Khān.

Āqa Djān så på mannen som kjørte traktoren, han hadde på seg hatt, derfor var bare en del av ansiktet synlig. Han kjørte bort til et gammelt tre, stoppet traktoren, steg ut og gikk bort til treet hvor tingene hans lå. Mannens holdning og måten han beveget seg på, forekom Āqa Djān kjent.

Khān smilte.

Mannen tok brødet sitt, satte seg ned på bakken, lente seg mot stammen og løftet blikket, sollyset falt over ansiktet hans.

«Ahmad! Det er Ahmad!» ropte Āqa Djān.

Han tok et skritt frem og så andektig på ham. Han tok ikke feil, det var Ahmad, deres Ahmad, sønn av deres hus, imamen i deres moské.

«Gå til ham! Omfavn ham!» sa Khān.

Et par ørner dukket opp over åkrene og sirklet noen runder.

Āqa Djān gikk over åkeren. Ahmad så Āqa Djān komme gående. Han reiste seg og så beveget på ham. Āqa Djān strakte armene ut og omfavnet ham.

«Du er blitt bonde, og en moderne bonde attpåtil, du kjører traktor, lukter diesel og har hendene til en bilmekaniker,» sa Āqa Djān, som strålte av lykksalighet, «du er blitt en erfaren mann, du har sett mange sider av livet. Allah, jeg takker deg for dette velsignede øyeblikket.»

Ahmad var så overveldet av Āqa Djāns plutselige nærvær, at han ikke greide å si noe, med bevende hender tørket han øynene.

«Alt kommer til å ordne seg, min sønn, elendigheten skal vike, det sverger jeg på. Da er moskeen igjen vår, og da kan du vende tilbake til biblioteket,» sa Āqa Djān.

«Han vil ikke være imam lenger,» sa Khān med et smil, «kast drakten og turbanen til ayatollaene. Kom, han må jobbe, vi skal spise lunsj, dere må begge komme dere igjen.»

Overrasket, ute av fatning, men glad, gikk Āqa Djān sammen med Khān tilbake til slottet.

«Du er en sann venn, Khān. Jeg vet ikke hva jeg skal si etter alt du har gjort for meg.»

«Du trenger ikke å si noe, men du kan gjøre noe for meg,» svarte Khān.

«Med den største fornøyelse, si hva jeg kan gjøre for deg.»

«Vi kommer til det, det er nok tid.»

Da de kom til slottet, tok barna jublende imot Āqa Djān.

«Jeg tror det har kommet enda et dusin barn,» sa Āqa Djān.

«Det vet jeg ikke,» sa Khān leende, «det må du spørre mødrene deres om.»

Khān fulgte Āqa Djān inn i den elegante stuen. I krystallysekronens tulipanformede holdere sto halvt nedbrente stearinlys. Lampen reflekterte lyset i de antikke speilene. Det var behagelig varmt der. På gulvet lå det gamle persiske tepper som tilførte værelset enda mer varme og farge.

Møblene var fra renessansen, men de var fremdeles like vakre. I den store bokhyllen sto både persiske og franske bøker.

«Jeg håper du kan bli en uke,» sa Khān.

«Du taler til mitt hjerte. Jeg skulle gjerne gjort det, men jeg kan ikke. Faqri er alene i Djirja. I dag skal hun møte alle kvinnene som kom til henne i går. Hun vet ikke engang at jeg er her. Jeg sa bare til tjeneren at jeg kom sent hjem.»

«Jeg skjønner det, men jeg lar deg ikke dra. Jeg skal sende noen som kan hente Faqri.»

«Jeg tror det er for tidlig for henne. Hun har akkurat begynt å føle seg litt bedre. Jeg har aldri fortalt henne at du tok med liket den natten. Jeg merker at hun helst ikke vil snakke om det ennå.

«Greit, ikke noe problem, da sender jeg noen som kan fortelle henne at du blir her i natt. Hun kan vel overnatte hos søsteren sin? Du må ikke la kvinnene venne seg til armene dine. La henne sove alene en natt, det er godt for henne,» sa Khān.

To tjenere kom opp med maten på et rundt sølvfat.

Senere den ettermiddagen dro Āqa Djān tilbake til åkeren og vandret med Ahmad gjennom fjellet. De snakket om det som hadde skjedd de siste årene.

Utpå kvelden tok Khān med seg Āqa Djān til konene sine, der ble han tatt imot med te og hjemmelagde småkaker. De spiste middag med den eldste kona.

Da de kom tilbake på slottet, tok Khān ham med til gjesteværelset, hvor det brant stearinlys overalt.

«Sett deg, min æresgjest, jeg er straks tilbake,» sa Khān.

Āqa Djān følte seg plutselig bedrøvet, den intense dagen hadde satt sine spor. Han stirret fremfor seg og ventet på Khān. Litt senere dukket han opp med en flaske i hånden. Han satte den støvdekkede flasken fra seg på bordet og hentet frem to glass med gullrand fra skapet.

«I kveld har du og jeg mange nok grunner til å drikke. Det er en vakker, bedrøvet natt, jeg ser det på ansiktet ditt.»

Āqa Djān, som aldri hadde drukket alkohol før, ristet på hodet med et smil.

«Jeg drikker ikke,» sa han.

«Du tar feil. Du ville takke meg, men du visste ikke hvordan. Det er svært enkelt, du drikker med meg, og jeg vil oppfatte det som en takksigelse. Hør her, jeg har hentet opp den eldste flasken fra kjelleren, for din skyld! Den stammer fra min fars tid, den har ligget i kjelleren i tretti år. Og alle disse årene har jeg ventet på en natt som skulle komme, på en venn, på en ekte mann. Vent litt, du trenger ikke å svare med en gang. Jeg vet at det er imot alle dine prinsipper, men jeg vil drikke denne vinen med deg for din sønn som ligger begravet her og for Ahmad som kjører traktoren, frisk og glad. Det er en helt spesiell natt, og du får ikke lov til å ødelegge den med din tro. Jeg skjenker i et glass til deg, du tier, og når jeg hever mitt glass, hever du ditt glass, og så drikker vi.»

Han trakk opp vinen og luktet på flasken: «Allah, Allah, alle drikker etter eget ønske, men jeg vil at du skal drikke denne vinen med meg.»

Āqa Djān sa ingenting. Khān helte først i et lite glass til seg selv, løftet det og dreide det varsomt rundt. «Rødvinens paradisiske dufter, som nevnt i Koranen, finnes i denne vinen.»

Āqa Djān så på ham uten å si noe.

«Ikke se slik på meg,» sa Khān, «jeg sier ikke noe galt, du er ikke den eneste som har lest Koranen, jeg leser også Koranen, hver på sin måte. I Koranen står løfterike ord om paradis, om kvinnene som skal tjene en der, vakre kvinner med lepper som smaker av melk og honning. De skal skjenke i guddommelige drikker til deg. Her, hev ditt glass, denne vinen vil du få servert senere også, i paradis!»

Āqa Djān lot glasset stå.

«Jeg har begått mange synder,» sa Khān, «det har ikke du, og jeg ville aldri be deg om å gjøre noe syndig. Denne vinen har jeg laget av de røde druene fra mine egne vinmarker. Under innhøstingen hentet jeg de vakreste jentene fra fjellet hit for å plukke druene for meg og legge dem i de store gamle leirfatene i kjelleren.»

Khān tok en slurk av glasset sitt, smakte andektig på vinen og sa: «Utrolig, alle deler av den gamle vulkanen, alle delene av universet finnes i denne vinen. Det dufter av hendene til jentene fra den gangen. Grip glasset, Āqa Djān!»

Så sa han ikke mer, lot Āqa Djān være igjen alene og gikk ut.

Flaggermusene fløy over åkeren hvor traktoren sto i hellingen. Han så Ahmad krysse åkeren, bærende på noe, bort til fjøset. Han tok en slurk vin og lyttet til nattens lyder. Barna hans lekte fremdeles ute i mørket. Han hørte døtrene springe etter hverandre i mørket. En gang hadde han bodd i Paris. Det var i de turbulente årene, da de venstreorienterte partiene hadde marsjert gjennom gatene, da eksistensialismen hadde opplevd sitt høydepunkt, og Simone de Beauvoir hadde hatt et grep om Paris med sine bøker. Der hadde han vært lykkelig og ofte forelsket. Han ble tatt imot av sine franske venner som en persisk prins. Han hadde kunnet bo i Paris til evig tid, men etter en stund snudde tidevannet. Han følte seg ikke lenger lykkelig der, han lengtet hjem til sin barndoms åser og til kvinnene i fjellet. Paris var vakkert, men denne skjønnheten var ikke for ham. Han lagret minnene fra årene i Paris og vendte tilbake til slottet for godt.

Med glasset i hånden gikk Khān ned den eneste gaten i den lille landsbyen sin. Så snudde han seg et øyeblikk og så Āqa Djān stå bak vinduet. Tok han en slurk nå? Han ville se etter en gang til, men gjorde det ikke. Plutselig vendte en del av sorgen fra hans siste år i Paris tilbake i hjertet hans, han ville ikke være alene med sorgen og gikk til sin yngste kones hus, i hennes armer fant han alltid fred. Han banket på døren hennes, og hun åpnet.

«Hvorfor ser du så bedrøvet ut?»

«Det er en del av en venns bedrøvelse,» sa han. Hun spurte ikke mer, tok ham med til sengen og lot hodet hans hvile i sin favn.

Neste morgen fulgte den gamle tjeneren Āqa Djān til det kongelige badet. Han steg opp i karet og kjente de hete steinene i bunnen, etter den usedvanlig lange natten var dette et øyeblikk av lykke. Vannet nådde ham til haken, et øyeblikk forsvant han under vannet og nynnet:

«De som ligger først i løpet
i lykksalighetens haver
På pyntede benker hviler de
Og storøyde kvinner er der
lik vel forvarte perler
med skåler og krus og beger
med den klareste drikk
som man ikke får vondt i hodet
eller mister vettet av,
med slike frukter som de velger seg ut
og kjøtt og fugl som de ønsker seg.»

*

Han dukket under, slik at vannet rant over kanten av badet. Så satte han munnen opp på vidt gap og forsvant lenge under vannet, som om han hadde begått en synd.

Da han kom opp igjen, snappet han etter luft og ropte av all kraft: «I lykksalighetens hager!»

Han kledde på seg, satte på seg hatten og gestikulerte til tjeneren at han skulle hente hesten hans. Han steg opp i salen og galopperte vekk.

Gud er himlenes og jordens lys

Lys over lys

Historien om huset ved moskeen er ikke på langt nær over, men det er med historien som med livet, alle må gå ut av den på et eller annet sted.

Det finnes en setning som stadig vender tilbake på slutten av gamle persiske historier: «Vår fortelling er slutt, men kråka har langt igjen til sitt reir.»

En dag mottok Āqa Djān et underlig brev mens han jobbet i basaren. Det var et brev fra utlandet. Han var forbauset, for det var en stund siden han hadde mottatt forretningsbrev fra utlandet. Men dette brevet var annerledes, han gjenkjente ikke frimerket. De tyske frimerkene var alltid svært staselige, med et portrett av en musiker, en filosof eller en tegning av en historisk bygning. På dette fargerike frimerket sto det en bukett røde tulipaner.

Āqa Djān hentet frem forstørrelsesglasset fra skuffen og studerte frimerket. Kanskje det kom fra Sveits, dit hadde han en gang sendt et parti tepper.

Han fornemmet håp i konvolutten, men det var ikke godt å si, dårlige nyheter lurte alltid rundt hjørnet. Han lot brevet ligge på skrivebordet og ba tjeneren hente et glass te til ham.

Da han hadde drukket teen, grep han brevåpneren og åpnet konvolutten forsiktig. Det var skrevet på persisk med en fyllepenn:

Min dyrebare Āqa Djān, salām!

Et salām fra dypet av mitt hjerte.
Et salām som dufter av hjemlengsel.
Min høyt verdsatte Āqa Djān, jeg skriver til deg fra et land jeg aldri hadde trodd jeg ville havne i. Uttrykt med dine ord, er det som om det er Guds vilje at jeg er her. Bruker jeg mine egne ord, vil jeg si at det er en samling tilfeldigheter som har ført meg hit.
Slik ble det, og du har lært meg å akseptere tingene slik de blir.
Jeg må vedstå at jeg bærer din klokskap som et gammelt, dyrebart smykke.
Dine ord har gitt meg håp og hjulpet meg til å holde meg oppreist og bygge meg et nytt liv, gå videre og være en ekte sønn av huset ved moskeen.

Min dyrebare Āqa Djān, jeg lengter etter den dagen jeg nok en gang kan låse opp døren til huset vårt og gå inn. Jeg har fremdeles husnøkkelen i lommen.
Du har lært meg å stå imot vanskeligheter og jobbe hardt og være tålmodig. Jeg har fulgt dine råd.
Jeg forlot huset vårt, men jeg har aldri vendt det ryggen. Nå bor jeg her, og jeg drømmer om den dagen jeg kan spasere sammen med deg langs kanalen utenfor huset mitt. Den dagen skal komme! Det må være slik. Du har sagt at jeg alltid skal drømme og realisere drømmene mine, og det skal jeg gjøre.
Jeg bærer på hemmeligheter som jeg bare kan fortelle deg i denne byens frihet.
En kveld er du her. Da skal jeg invitere vennene mine og la dem bli kjent med deg.
Jeg har fortalt dem så mye om deg at de snart kjenner deg like godt som jeg gjør.

Min dyrebare onkel, jeg skriver fremdeles. De siste årene har jeg ikke gjort annet enn å gi historiene mine form.
For din skyld og for vårt land.

Jeg har endret skriftspråk. Nå vet jeg ikke lenger om jeg burde være tilfreds med dette eller om jeg burde beklage det. Det ble nå engang slik. Jeg maktet ikke annet. Det er blitt min redning. Bare slik kunne jeg sette ord på din smerte og på vårt lands smerte. Jeg har endret skriftspråk, men jeg har alltid forsøkt å gi vårt vakre gamle språks poetiske ånd en plass i mine fortellinger.

Tilgi meg.

Min dyrebare onkel, jeg drømmer så ofte om huset vårt og om dere at jeg egentlig ikke bor her, men der, hjemme. Du dør aldri. Du er her til alle drar og til alle kommer.

Shahbal

Om natten tok Āqa Djān på seg jakke og hatt og grep spaserstokken, han forlot sitt arbeidsværelse og gikk ut på gårdsplassen.

Det var kaldt, bassenget var tilfrosset og greinene på trærne var dekket med et tynt lag is.

Himmelen var mørkeblå og stjernene strakte seg mot Mekka. Āqa Djān gikk forsiktig bort til trappen og klatret varsomt opp på taket.

Moskeens gamle kråke, som gjenkjente skrittene hans, kraet, men ble sittende i reiret under kuppelen og holde øye med ham.

«Takk, kråke! Jeg skal være forsiktig,» sa Āqa Djān da han passerte kuppelen på vei mot moskétrappen.

Kråka kraet igjen.

«Takk, kråke. Fint at du minner meg på det. Nei, jeg skal ikke slå på lyset. Kråke, skattkammeret er vår hemmelighet.»

Han støttet seg mot rekkverket av tre, gikk ned og inn i moskeen. Han tok seg ned i gravkjelleren gjennom mørket og åpnet døren forsiktig.

Han så ikke hånd for seg, et øyeblikk lurte han på om han burde slå på lyset. Men han gjorde ikke det, tok bare trappen ned til kjelleren og gikk på intuisjon bort til døren inn til skattkammeret.

Det var fullstendig stille der. Man kunne bare høre skrittene og tappingen fra spaserstokken.

Så stoppet skrittene opp. Āqa Djān vred om nøkkelen, så pep det i hengslene i den eldgamle tunge døren.

Silhuetten hans var så vidt synlig i nattemørket. Da han gikk inn i skattkammeret ble han ett med mørket.

Han gikk over det røde teppet bort til den siste stumtjeneren i den lange rekken, så hentet han frem det sammenbrettede brevet til Shahbal og knelte for å legge det i arkivkisten. Han brøt stillheten og nynnet:

«Gud er himlenes og jordens lys
Hans lys kan lignes med en nisje
Blusset er omgitt av glass,
som om det var en funklende stjerne.
Det tennes med brenne fra et
velsignet tre, et oliventre,
hvis olje nesten lyser uten at ild kommer den nær.
Lys over lys!»

ORDFORKLARINGER

abā – en drakt
Ahorā Mazdā – den første persiske guden
Alhamdo lellāh – «Gud (Allah) være lovet!»
Al-haram ash-sharif – al-Aksa-moskeen i Jerusalem
Avesta – Zarathustras hellige bok
Āyate – koranvers
Azān – opprop til bønn
Besmellāh ta'ālā – «I Allahs opphøyde navn.»
Djomè-moskeen – byens viktigste moské, her avholdes fredags-
    bønnen
Djānam be fedāyet, Khomeini – «Vi ofrer oss for deg, Kho-
    meini.»
En shā Allāh – «Hvis Gud vil»
Enkahto va zavadjto – «Jeg tar deg til ekte og gjør deg til hus-
    tru»
Ennā lellāh – Dette er et munnhell som brukes når noen er død.
    Det er en forkortet versjon av *«Ennā lellāhe va ennā eleihe
    rādje'un»*: «Vi tilhører Gud og vender tilbake til Ham»
esfand – velduftende urtefrø som blir kastet på flammene for å
    jage bort det onde øyet
hijab – muslimske klesforskrifter for kvinner
mahdjube – en slørkledd kvinne
māhihā – fisker
Mobārak en shā Allāh – «Vær velsignet!»; lykkeønskning
Roq'at – en del av bønnen
sāje – skygge
Salām bar Fāteme – «Vær hilset, Fatéme!» (datteren til profeten
    Muhammed)

Salavāt bar Muhammed – «Vær hilset, profeten Muhammed!»
sighe – Ifølge shia-islam kan en mann ha flere kvinner i tillegg
  til sin lovformelige ektefelle. Disse midlertidige konene arver
  ham ikke, og er ikke offisielt registrert i byen eller moskeen.
tammuz – juli
tofang – gevær
toman – iransk pengeenhet
Vas-salām – «Det var det»